JN080873

アイスピックを握る外科医

——背徳、殺人、詐欺を行う卑劣な科学者

サム・キーン
斉藤隆央 訳

The Icepick Surgeon

Murder, Fraud, Sabotage, Piracy, and Other Dastardly Deeds Perpetrated in the Name of Science

柏書房

ほとんどの人は、偉大な科学者を作り上げるのは知性だと言いますが、それは違います。人格なのです。

——アルベルト・アインシュタイン

私に言えるのは、法に触れる行動は多くあるが、評判のよい者が科学的な実験をしたい場合、法は目をつむるということだけだ。

——トマス・リヴァース博士

プロローグ——クレオパトラが遺したもの

言い伝えによれば、史上初めて倫理にもとる科学実験を考えたのは、ほかならぬクレオパトラだ。彼女が女王だった時代（紀元前五一～三〇）のあるとき、エジプトの学者のあいだである疑問が生まれた。子宮のなかの赤ん坊が男か女かを、最初に見分けられるのはいつだろうか？　だれにも答えがわからなかったので、クレオパトラは悪魔のような計画に何人か女使用人を利用した。

この女王が医学に手を出したのは、これが初めてではない。古い史料によれば――現代の歴史家もこれを支持しているが――クレオパトラは侍医たちの仕事に強い関心をもったらしい。そしていかがわしい育毛治療まで考え出した。ネズミを焦がしたものと馬の歯を焼いたものをすりつぶし、それをクマの脂やシカの骨髄、葦（あし）の茎、蜂蜜と混ぜて「髪が生えるまで」頭皮にもみ込んだのである。さらにおぞましいことに、古代ギリシャの歴史家プルタルコスは、クレオパトラが囚人を使って毒の実験をしたと報告している。チンキ剤［訳注：アルコールにエキスを溶かしたもの］や化学物質――おそらく植物から得たもの――から始めて、毒をもつ動物へと段階を上げていったのだ（毒をもつ獣同士を戦わせて、どちらが勝つか、夢中で眺めてもいた）。このときの知識は、クレオパトラ自身がエジプトコブラに胸を咬ませて自殺するときに役立った。彼女はそれで比較的痛みの少ない死に方ができると知っていたのである。

囚人に毒を与えるのとひどさは変わらないように見えるが、彼女が胎児でおこなった実験は、邪悪さではそれをしのいでいた。クレオパトラがこれに取りつかれた理由――なぜそこまで答えを知りたかったのか――はわからないが、女使用人に死刑が言いわたされるたびに（よくあったことのようだ）、女王は同じ手順を踏んだ。まず、その使用人がすでに妊娠していたら、彼女が知っていた毒物のひとつ、子宮を空っぽにする「破壊的な漿液（しょうえき）」を飲ませる。こうしてまっさらな体にしてから、クレオパトラは男の使用人にその女使用人を孕(はら)ませた。最後に、あらかじめ決めておいた期間が過ぎると、女使用人の腹を切り裂き、なかの胎児を取り出した。結果については諸説あるが、クレオパトラは受胎後四一日には男女を見分けられたようで、そのため性の分化が早いうちに始まっていることを明らかにしていたらしい。全体として、彼女は実験を成功と見なしていた。

現在、この恐ろしいことを史実として語っているのはタルムード［訳注：ユダヤ教の律法と伝承を集めた書］だけなので、話の真偽は定かでない。クレオパトラにはデマを広める敵がたくさんいたので、彼女を悪魔のように思わせる話としてこれ以上効果的なものはなかなかないだろう。さらに、現代の医師の知識にもとづけば、結果も納得できない。受胎後六週間では、胎児に目や鼻や小さなこぶのような指はあるが、長さは一センチメートルあまりで、性器はない。だから男女を見分けられないのだ（性器は九週目、胎児が五センチメートルほどになるころにできる）。したがって、デマを脇に置くとしても、クレオパトラがこの実験をしたのかどうかは疑わしい。

だが、言い伝えであろうがなかろうが、多くの時代の人がこの話を信じており、これは重要なことを示している。クレオパトラは大きな権力をもち、憎まれていたので、話のぞっとするような生々しさが人々の心をつかんだということだ。われわれは、独裁者はおぞましいことをするものだと思う。しかしそればかりでなく、この話については別の理由があるように思える。ここにひとつの原型がひそんでいたのだ。こんな昔にもはっきりわかる、根深くも恐ろしい存在、つまり物事をやりすぎ、みずからの執着心に負けてしまった人間である。今ではそれは、マッドサイエンティストと呼ばれている。

マッドサイエンティストの狂気(マッドネス)は、特異な狂気だ。彼らはわけのわからないことをつぶやくわけではなく、いかれた陰謀についてしつこく話すわけでもない。むしろ逆で、かなり論理的に思考する。クレオパトラの場合、死刑を言いわたされた女使用人に対してだけ実験をおこなった。どのみち死ぬのなら、そのときに何か有益な目的に役立たせてもいいのではないか、と彼女は論理的に考えたようなのである。そうと決まると、クレオパトラは被験者となった女に堕胎剤を飲ませ、もとから妊娠していた場合に結果が乱されないようにした。そのうえで、レイプによる受精の正確な日を記録して、答えをきっかり確定した。実験という点でのみ判断すれば、クレオパトラはすべて正しくおこなっていたのだ。

もちろん、ほかのあらゆる基準から判断すれば、クレオパトラはまったく正しいことはしていない。実験に執着し、それしか考えられなくなったあまり、良識や思いやりという考えをすべて捨て去ってしまった。流血や苦痛の叫びを無視して、人を犠牲にするのもかまわずに推し進めたのだ。マッドサイエンティストをマッドにしているのは、論理や理性や科学的洞察力の欠如ではない。人間性をなくして科学をあまりにもいいい、完璧に実践しすぎることなのである。

はじめに

われわれの社会では、科学者はいい人たちだ――ふつうは。クールで賢く、合理的で頭が切れ、周囲の世界を冷静に分析している。ところが、クレオパトラの話が示すとおり、ときに彼らは執着心にとらわれる。表裏を逆にして、通常なら気高い探究であるものをゆがめて邪悪なものにしてしまうのだ。この呪いにかかると、知識がすべてとなるのではなく、知識しかなくなってしまう。

本書では、なぜ人は科学の名のもとに一線を越えて悪事や犯罪に手を染めるのかを探る。章ごとに扱う犯罪は異なり、詐欺、殺人、妨害行為、スパイ、墓泥棒など、その手口が一覧できる。確かに、こうした話のなかには下品な面白さが味わえるものもある――善良な海賊の物語やきわどい復讐譚に楽しみを覚えない人などいるだろうか？　だが、それ以外は、何世紀も経った今でもわれわれを身もだえさせる。また、一部の事件は当時のあらゆるタブロイド新聞の見出しを飾ったが、多くは衝撃的な内容でありながら、これまで見過ごされていたり、時とともに忘れられていったりしている。本書では、そうした話をよみがえらせ、人に究極のタブーを破らせる要因を分析する。

こうした話はまた、科学のありようについて驚くべきことを示している。発見がふつうどのようにしてなされるのかについては、だれもが知っている。まず、だれかが興味深い自然現象を見つけたり、何かのプロセスや粒子のふるまいについて着想を得たりする。するとその人は、実験をしたり現場へ赴いたりして自分の仮説を検証する。その人が幸運なら、物事はスムーズに進む（やったー）。だがたいていは、フラストレーションがたまる。実験が失敗となったり、結果が取り下げられたり、化石のような研究者仲間が新しい結果を受け入れようとしなかったりするのだ。そしてようやく、根気強く耐えた末に、証拠が無視できないほど圧倒的なものになり、反対の態度がやわらぐ。その科学者はひとりたたずんでいた知の荒野から戻り、才気を称えられる。世界はあまねく新たな医療やハイテク素材の恩恵を受け、あるいは生命の出どころや宇宙の運命についての知見さえ手に入れるかもしれない。

ある種の人間にしか、この試練には耐えられない。我慢強く、献身的な人間だ。だからわれわれの社会は伝統的に科学者を英雄として崇(あが)めてきた。しかし、科学はただ個々の発見(ユリイカ)が連なっただけのものではない。社会の多くのものと同じく、科学も最近は道徳的評価を受けるようになっており、科学における善と悪はどのようなものなのか――また片方からもう片方へどういった道筋で向かうのか――を知ることが、これまで以上に重要になっている。科学にも、責任を負うべき罪があるのだ。

もっと驚きなのは、倫理にもとる科学はたいてい、結果的にだめな科学とわかることだ。道徳的に怪しい科学は、たいてい科学的にも怪しいわけである。一見したところ、これは変に思えるかもしれない。なにしろ、知識に善も悪もなく、人間の利用によって初めて善や悪になる、とよく言われているのだから。しかし、科学はグループによる活動でもある。結果をほかの人が確かめ、検証し、受け入れる必要があるのだ。人間はそのプロセスにすっかり組み込まれており、本書で次々と語られる話が示すとおり、人事を無視して人権を踏みにじるような科学は、科学たりうるものではない。そんな所業は、科学界を攪乱し、論争に時間と労力を無駄にするばかりだ。ひどい場合には、科学の活動に必要な文化的・政治的自由を奪い取る。人を傷つけ裏切ると、結果的に、科学を傷つけ裏切ることになるのだ。

だからこそ、こうした話が単なる学術的興味や伝記的関心を超えたものになる。ギリシャ神話でゼウスの頭から完全武装した姿で生まれた女神アテナのように、科学の悪党が完全にできあがった形で現れることは、ごくまれにしかない。たいていは、モラルが徐々にむしばまれ、人々が苦痛を伴いながら歩みを乱すのだ。こうした科学者がしていた行為や、自分は正当だと考えた理由がわかれば、われわれは現代の研究にも同じうさんくさい理屈を見つけ、もしかしたら問題が起こるのを防ぐことさえできるかもしれない。それどころか、邪悪な行為を分析することで、悪い衝動に駆られずに人々をより良い目標へと方向転換させるための手だてを知るチャンスまで得られる。

同様に、本書で語られる多くの話から、そうした常軌を逸した行為の背後にある心理的動機がわかる。科学的な考えをもつ犯罪者とはどのような人物か？　ただの犯罪者とはどう違うのか？　また、彼らの知能と、世界についての高度な知識は、どのように悪事を手助けし、けしかけたのか？　たとえば第4章では、ハーヴァード大学で起きた衝撃的な殺人について分析する。医学教授が解剖の知識を利用して、大学の理事を殺してバラバラにした事件である（それによって彼は、ハーヴァードの卒業生で死刑になった史上ふたり目の人物となった。もっとあとの章で、三番目になりかけた男も紹介することになる）。多くの人は、知能の高い人間は良識があって道義をわきまえていると思っている。ところが、証拠は逆を示しているのである。

さらに、科学者は、みずからの罪をどのように自分や他人に対して正当化するのだろうか？　心理学者は実際に、研究者が自分の行為を合理的に説明し、罪を軽くするために利用する、いくつかの手口を突き止めている。「なぜ良い科学者が悪いことをするのか」を知る手引きだ。第一に、科学者は目標達成への過剰なプレッシャーを感じると、倫理的な境界を踏み越えてしまいやすい。科学の悪人は、遠回しな表現も使って、自分のおこないを自分に対しても隠蔽する。あるいはまた、頭のなかで複雑な計算をおこない、過去にした善行によって、今与えている危害をどうにかして「相殺する」のである。

科学者はとくに視野狭窄（きょうさく）に陥りやすい。科学が高い集中力に報いることはよく知られており、視野狭窄はその集中力が必然的にもたらす結果だ。研究に没頭すると、そのこと以外見えなくなる人がおり、彼らは人生の何もかもを、倫理も含め、自分の目標の追求に組み込んでしまう。そうなると、研究計画が道徳的か不道徳かは頭に浮かばなくなるのだ。第2章では、一七世紀から一八世紀にかけ、ヨーロッパで多くの先駆的な科学者——アイザック・ニュートンやカール・リンネなど——が、大西洋を横断する奴隷貿易に便乗して、遠くの場所から事実や標本を集めていたことを語る。だが、彼らのほとんどは、データが入りつづけるかぎり、自分が奴隷貿易にかかわっている事実に疑問をもつことがなかった。

さらにまた、倫理観が逆さになる場合もある。政治などに比べ、科学は純粋に見える。科学がわれわれをさまざまな苦痛から解放してくれたことを考えてみよう。命を救う医療や労力を省くテクノロジーの数々だ。科学者は、当然ながらこの実績を誇りに思っている。しかし、「科学はとにかく善」とする罠にあっけなく陥る人もいる。そして、この世界観によれば、科学研究を推し進めるものならすべて良いにちがいないということになる。科学がそれ自体の目的になり、それ自体を道徳的に正当化するようになるのだ。また、誇大妄想をする科学者は、えてして手段と目的の錯誤に陥る。みずからの研究が科学のユートピア（理想郷）の先触れとなり、自分が短期的にどんな苦しみをもたらしていようとも、それに代わるユートピアの幸福のほうが桁違いに大きいと思い込むのである。第5章では、トマス・エジソンがこの罠に陥り、自分の好む発電方式のほうが優れていることを証明すべく、犬や馬を電気で拷問にかけたことを明らかにする。さらにひどい話だが、第7章では、性感染症をなくす研究で、ときに調査のために人々を梅毒や淋病にかからせたことまで語る。どちらの場合でも、考えははっきりしていた。

必要となれば卵をもういくつか割らないといけないというものだ。ところが、科学の進歩のためにモラルを犠牲にしてしまうと、結局はどちらも得られないことが多い。

正当化のほかに、科学の犯罪を特異なものにしている要因の問題もある。一般の人が罪を犯す場合、金や権力や汚いことのためにする。科学者だけが、データのために悪人になるのだ。世界についての理解を深めるデータのために。確かに、本書で語る犯罪の多くは複雑で、動機もさまざまだ。人間はややこしいものなのである。だが、何はさておきそうした犯罪は、知識を求めて悪魔に魂を売るファウスト的な衝動から生まれている。たとえば、人体の解剖を社会がタブー視したために、一九世紀の多くの解剖学者は、墓から死体を盗む「死体盗掘人」に金を払いだした。ほしい知識を手に入れるために、悪事に手を染めざるをえなかったのだ。なかには、みずから墓泥棒をしたり、殺し屋から死体を受け取ったりする解剖学者もいた。彼らは、自分の研究に没頭するあまり、ほかのものはどうでもよくなり、人間性を失ってしまったのである。

こうした話は、おぞましい過去の遺物でもない。ほこりを払って引っぱり出し、学生たちを怖がらせるような代物ではない。現代の科学もなお、そのおこぼれにあずかっているのだ。先ほどの、奴隷貿易に便乗した研究を取り上げてみよう。奴隷貿易によって集めた多くの標本は、いまや有名な博物館の中核をなし、今日なお展示されている。そうした博物館は、奴隷制がなければ存在しなかったはずだから、科学と奴隷制は何世紀も経った今でも絡み合っている。あるいは、第二次世界大戦中にナチスの医師たちがおこなった実験を考えてみてもいい。彼らはたとえば氷水を張った大桶に人間を投げ入れ、低体温症の研究をした。それは残酷な人体実験で、手足を使えなくしたり、殺したりすることも多かった。しかし場合によっては、極限状態で人を生き返らせる手段として、今でもこれしか実際のデータがないこともある。ならば倫理上、われわれはどうすべきだろう？ そっぽを向くか、データを利用するか？ 犠牲者の名誉のためにはどうするのが最善だろうか？ 悪事は、それをおこなった者が死んだずっとあとにも、科学の領域をかき乱すことがある。

過去を掘り起こす以外に、本書では、今を生きる人々の記憶に残っている、現代の話もいくつか紹介している。さらに、犯罪の興味深い未来に目を向けた付録も収めた。何世紀も先の科学者は、どんな悪事を働くだろうか？ なかには、火星などの惑星に入植する際に生じる犯罪のように、荒涼たる景色と生き延びるための苦闘が人を狂わせる極地遠征での犯罪を知ることで、何が起こるか予想できる場合もある。一方で、まったく前例がない場合もある。どこの家庭にもプログラマブル・ロボットがいたり、安くどこでも使える遺伝子工学が世界に満ちあふれたりする時代には、どんな新しい犯罪が予想できるだろうか？

全体として、本書は、科学の発見のドラマと不道徳なスリルに満ちた犯罪ドキュメンタリーが混じり合ったものだ。語られる話は、一七世紀の夜明けすぎの科学から、未来の重いハイテク犯罪まで幅広く、世界の隅々まで網羅している。人は皆、自分に正直になれば、これまでに何かに取りつかれて道を誤ったり、何かをほしがるあまりルールを曲げたりしたことがある。だが、本書に出てくる悪人ほど堕落しきってしまう人はまずいない。われわれは科学を、進歩をもたらすもの、世のため人のためになる力と考えやすい。たいていはそうなのだが。たいていは。

1

海賊行為

——バカニーアの生物学者

裁判官が小槌をたたくと、ウィリアム・ダンピアは屈辱のあまり顔を伏せた。その時代で屈指の著名な科学者が、今重罪の判決を受けたのである。

時は一七〇二年六月。海軍の裁判だったので、潮風にさらされた船の甲板が法廷となっていた。ダンピアにかけられた嫌疑のほとんどは成立の見込みがないことは、皆わかっていた。殺人の罪の申し立ては根拠が薄弱で、航海士として不適格という告発はばかげている。ダンピアはだれより有能な航海士で、世界規模で見ても風と海流と天候のエキスパートだったのだ。ところが審理が進むうちに、ダンピア――卑屈な表情をだらりとした長髪で覆い、目元がたるんでいた――は、法廷がどうにかして何かの罪で罰しようとしていることに気づいた。じっさい、そうだった。裁判官たちは、先だっての航海で自分の副官を杖でたたいたかどでダンピアを有罪にし、「いかなる英国軍艦の副長としても採用するにふさわしい人物でない」と断じたのだ。彼は給与三年分の罰金を科せられ、海軍から解雇された。

ダンピアは、みじめな思いで打ちひしがれ、よろめきながら船を下りた。どうしてここまで落ちぶれたのか？　彼は、当代随一の偉大な博物学者だった。のちにチャールズ・ダーウィンが自分はダンピアの弟子だと考えたほどだ。ダンピアの驚くべき旅行譚は、『ロビンソン・クルーソー』（鈴木恵訳、新潮社など）や『ガリヴァー旅行記』（高山宏訳、研究社など）に影響をおよぼすことにもなった。しかし、いかに秀でていようとも、ウィリアム・ダンピアは体制側から見ればつねにひとつの点で有罪だった。彼が優れた科学者で航海士だったのはまちがいない。だが、大人になってからほとんどの期間、彼は海賊でもあった。

ふたつの事実――貧困と、生物への執着――を考えれば、ダンピアが海賊に身を落としたのは必然だったのだろう。一四歳で孤児になったあと、海に出てジャワやニューファンドランドを訪れてから、海軍でしばし楽しからざる日々を送った。やがて一六七四年四月、二二歳のときにカリブ海へ向かう。あちこち回った末に、彼はメキシコ東部のカンペチェ湾周辺に落ち着き、心材が鮮やかな緋色の染料になるロッグウッドという太い木を切って暮らした。のちにダンピアは、木こり仲間たちを、雑多な一団で、「三、四日一緒に痛飲しては銃を撃ち」たがり、「どんな市民政府のもとにもとどまらず、悪事を働きつづけた」と述べている。ダンピア自身も痛飲しただろうが、彼はまた広くカンペチェの自然のなかを歩きまわり、ヤマアラシ、ナマケモノ、ハチドリ、アルマジロなど、それまで法螺話（ほらばなし）でしか聞いたことがなかった生き物を目にして胸を躍らせた。博物学が大好きな人にとって、そこは楽園だった。

彼の災難は、一六七六年六月に始まった。外で働く者の特権とも言える、すばらしい初夏のある日だった。しかし、ほかの木こりたちが気持ちよく日光浴していたなかで、ダンピアは、風向きがおかしな感じに変わっているのに気づいた。「南にさっと吹いてから、また東向きに戻った」のだ。それから木こりたちは、グンカンドリの群れが頭上を通り過ぎるのに気づいた。この鳥はたいてい海から岸へ向かう船と一緒に飛ぶので、仲間のほとんどはこれを吉兆と見なした。物資が届くのかもしれないと。だがダンピアは眉をひそめた。群れの規模がヒッチコック映画並みで、まるで鳥たちが何かから逃げているようだったのだ。なにより気味が悪かったのは、そのあたりの小川の様子だった。カンペチェでは水が

海賊で生物学者でもあったウィリアム・ダンピアは、悪党でならず者でありながら、チャールズ・ダーウィンに多大な影響を与えもした。トマス・マレーによる絵（本書のすべての章について、samkean.com/books/the-icepick-surgeon/extras/photos でほかにも図版が見られる）。

あふれるのは日常茶飯事だったので、男たちはよく、朝に寝床からそのまま湿地にたまった水に足を突っ込んでしまうことがあった。ところがその日は、小川の水が巨大なストローで吸われたかのように不思議と引きはじめ、やがて中ほどでほとんど干上がってしまったのである。

こうした兆しの二日後に、悪魔のように黒々とした雲がやってきて、地獄が始まった。そんなにひどい嵐を、木こりたちはだれも想像もしたことがなかった。雨はスズメバチのように襲いかかって突き刺さり、辺りを何も見えなくし、風は小屋を次々になぎ倒して、ついにはひとつの小屋だけが残った。男たちは、皆に聞こえるように大声を上げ、ぬかるみのなかをよろめきながらそこへ向かい、大慌てでこの最後の避難所を木の柱とロープで切り株に縛りつけて補強した。避難所はかろうじて耐え抜いた。ずぶ濡れになって震え、何時間も身を寄せ合っていた男たちがようやく外に出ると、そこは見たこともない世界だった。干上がっていた小川は元に戻るどころか、周囲の土地も呑み込んでいた。木々がいたるところに散らばり、根は茂みのようになって通り抜けられない。ダンピアがほかの何人かの木こりと最後に残っていた丸木舟でなんとか湾に漕ぎ出ると、死んだ魚がたくさん、腹を上にして浮かんでいた。何時間か前に湾内に係留されていた八隻の船のうち、一隻以外のすべてが沖へ流されていた。木こりたちは残った船の人に食べ物を求めたが、「ひどく冷たくあしらわれた」とダンピアは回想している。「パンやポンチ［訳注：酒に果汁や砂糖などを加えて作った飲み物］どころか、ひと口のラム酒さえ手に入らなかったのだ」

ダンピアがこの嵐を映画のように描写したものは、ハリケーンについて気象学的に詳しく語られた最初の報告であり、彼が風と天候に終生取りつかれるきっかけになった。もっと直接的な影響を言えば、嵐でダンピアの人生の軌道は一変した。木こりの道具は何もかも――斧も、鋸（のこぎり）も、鉈（なた）も――流されてしまった。一文無しで、道具がなければ金を稼げる見込みもない。したがって、「生きるためにうろつきまわるしかなかった」と彼はのちに記している。これは遠回しな言い方で、「うろつきまわる」とはバカニーアになることを意味していた。

　バカニーアは、当時の海賊*でも異色の部類だった。海賊のなかには、私掠船員と呼ばれるタイプもいて、彼らは本国の政府から敵の船を襲撃する暗黙の許可を得ていた。英国の私掠船はたいていスペインの船に狙いを定めており、カリブ海一帯にある英国人の家の多くに、もともとバルセロナやマドリードに運ばれるはずだった絹の布や白目［訳注：スズを主体とする合金で、当時は鉛が加えられていた］の器、おしゃれな木彫りの椅子が備わっていた。そのころ、私掠船の行為は立派とは言わないまでも許容されていた。だがバカニーアは、どこからもだれかを襲う許可を得ていなかった。彼らはあくまで犯罪者で、故国の政府も敵のように見なしてさげすんでいた。ダンピアが加わっていたバカニーアの一団は、たいていのバカニーアと比べても卑劣だった。贅沢品を満載した船を襲うのでなく、粗末な海岸のテントを襲い、自分たちと大差ない貧しい人々から盗みを働いていたからだ。

　ダンピアがそうした襲撃で具体的に何をしていたのかはわからない。恥ずかしさからかわからないが、日記で細部をほとんど飛ばしているためだ。彼には、何につけ博物学に気が向いてしまう癖（くせ）もあった。たとえばベラクルス［訳注：カンペチェより西のメキシコ湾岸の町］襲撃を語った際、数十人の仲間の死については手短にすませ、襲撃が失敗に終わった事実――町の住民は、海賊が来る最初の兆しに気づいたときに金目（かねめ）の物をもって逃げ、町に盗める物を残さなかった――も上っ面をなでた程度だった。その代わりにダンピアは、かごに入ったまま残されていた数十羽のオウムにスポットを当てている。ダンピアたちはそれを、れっきとした宝物のように船に運び込んだ。「黄色と赤が非常に粗く混じり合い、とても美しい鳴き声でしゃべっていた」と彼は勢い込んで書いている。略奪品はなくても、問題ない――オウムは彼にとって十分な褒美だったのである。

ダンピアはやがて一六七八年八月に英国へ戻り、公爵夫人の侍女だったジュディスという女性と謎の結婚をする。まともな人間になろうとした彼は、花嫁の持参金で品物を購入し、それで交易するため、一六七九年一月にふたたびカリブ海へ行くことにした。花嫁には一年以内に帰ってくると約束して。だがその約束は破られた。カリブ海にやってきて数か月後、ダンピアは何人かの船乗りと一緒にニカラグアへ交易に向かい、ならず者がよく来るジャマイカのある町でひと休みした。のちにダンピアは、船乗りたちがそこで海賊の仲間入りをすることに決めた際、ショックを受けたと――ショックを受けたなどと!――言っている。実のところ、ダンピアはジャマイカで海賊に会うことをよく承知していて、外洋へ戻るという明確な目的をもってそこへ行った、と考えている歴史家もいる。

ダンピアがそうした行動に出たのには、いくつか理由がある。第一に、昔からだれもがそうだが、ダンピアも金持ちになりたかった。彼のバカニーアの一団が金貨を満載したスペインのガレオン船［訳注：

＊一七世紀の終わりから一八世紀の初めあたりは、海賊行為が最も盛んな時期だったが、それには理由があった。ヨーロッパでいくつか長い戦争が終わったばかりで、腕の立つ船乗りがたくさん仕事にあぶれていた。海軍に入隊することもできたが、多くは当時の厳しい規則に苛立っていた。また、莫大な富が海を行き来し、広い海を警護する手だてもほとんどなかったのだから、むしろ海賊が増えないほうが驚きだっただろう。

当時貿易によく使われていた大型帆船」に出くわし、富を築けるチャンスはつねにあったのだ。しかし、それよりずっと胸の奥深くで、ダンピアはカンペチェの日々が忘れられなかった。森を歩き、風変わりな動植物を眺め、一日じゅう自然に心を奪われていた日々が。あの感覚を取り戻す手だては、海賊行為以外になかった。確かに、海賊行為は襲撃や殺人ばかりの汚れた仕事でもあった。何年ものあいだに、ダンピアは聖職者が刺し殺され、捕虜が船外へ放り出され、アメリカ先住民がライフルで撃ち殺されたり情報収集のために拷問されたりするのを目にしていた。ダンピア自身が手を下さなかったとか、潔癖だったと考える理由などない。だが、カンペチェはダンピアの博物学への情熱を、ほとんど性欲をかき立てるほどの強さで呼び覚ました。そして、たとえ彼がバカニーアになったのを後悔することがあったとしても、見たことのない海岸や空、動植物を見たいという欲望のほうが強すぎた。彼の回想によれば、どこへたどり着いても「まるで不満はなかった」という。「遠くへ行くほど、知識や経験をたくさん得られるはずだとわかっていたからで、それこそ私が一番重視しているものだった」

ダンピアは航海士としてジャマイカの海賊に加わった。その後の航海は行くあてもない冒険で、いくつか違う仲間に入り、船を乗り継いだ。そこまでの経緯をうまくまとめることはできない。最初にパナマの町々を襲ってからヴァージニアへ向かい、そこでダンピアは理由はわからないが捕まった。彼はその事件をある「トラブル」としか言っていない。それから南米の太平洋岸へ回り込み、ガラパゴス諸島へも行っている。

ときおり彼らはかなりの金品を手に入れた。宝石、絹の巻物、シナモンや麝香などだ。あるときは、八トンのマーマレードを奪い取った。だがずっと多くの場合、ガレオン船に外洋でうまいこと逃げられ、こそこそ別の港を目指した。あるいは、海岸の町で長く無益な攻囲に耐えているあいだに、海賊たちの鼻先で住民に宝物をこっそり持ち出され、何も奪えなくなってしまうこともあった。

南米で富を築くどころか、「ほとんど何も得られなかった……疲労と、苦難と、損失ばかりで」とダンピアは振り返っている。ときに彼らは、「岩の悪臭を放つくぼみ」から「銅かミョウバンの味がする」水を飲むしかなく、「冷たい地面が寝床で、スパンコールをちりばめた天空が屋根」というだけの野外で多くの夜を過ごした。あるときには、激しい嵐で男たちが危険を冒してまで帆を上げようとはしないなか、ダンピアはもうひとりの仲間と索具をよじのぼり、着ている外套を広げて体ごと船を操った。

運が向くことを期待して、海賊たちはやがてグアムへ向かった。一万一〇〇〇キロメートル以上にわたり何もない、恐ろしい旅だった。五一日後、彼らは飢え死にしかけてふらふらになりながら浜に上がった。あとでダンピアは知ったのだが、着くのにもっと長くかかっていたら、船乗りたちは船長や彼も含む幹部を殺して食べようと企んでいた（船長はこの知らせを受けても実に楽しげだった。航海士のほうを向いて笑ってこう言ったのだ。「おお、ダンピア。おまえは奴らの粗末な食事にしかならなかっただろうな！」「それがですね」とダンピアは言って聞かせた。「僕のほうはやせているけれど、船長は大柄で肉づきがいいからなんですよ」）。グアムから一行は中国とベトナムを回り、その後ダンピアはオーストラリアの地を踏んだ最初の英国人となった。ダンピアは、各地で動植物を観察しただけでなく、外洋での時間を利用して風や海流を観察し、第一級の航海士になった。ダンピアを嫌っていた者さえ、彼が風や海流を読んで、水ったことは認めざるをえなかった。

平線の向こうのどこに陸地があるかを判断する超能力に近いものをもっていることは認めざるをえなかった。

そうした旅のなかで、ダンピアは何度か船を乗り換えて、違う仲間に加わった。乗り換えは、だれかが気に食わないとかではなく穏便になされたこともあった。ダンピアはただ、どこか知らない場所へ行きたくて、「世界でこれまで見たことのないどこかを見る計画がなければ、うまくやっていけないのではないか」と判断したのである。一方で、悲惨な状況で横暴な船長から逃げないといけなかった場合もあり、あるときなど、真夜中に舷窓からなんとか抜け出した。そんな逃亡の折に、ダンピアはたいていひとつだけ持ち出していた。彼にとって世界で一番大切なもの、博物研究のフィールドノートだ。

ダンピアの最後の逃亡は、南太平洋でのことで、とくに厳しいものだった。故郷へ帰りたくて、インドネシア人の四人の捕虜も含む数人の仲間とこっそり抜け出し、ある島で丸木舟を手に入れた。だが、最初に自由を求めて漕ぎ出したときには、とたんに舟が転覆し、ダンピアは三日かけてノートを一枚ずつ火にかざして乾かした。二度目の挑戦では、嵐のなかに突っ込み、外洋で六日間、皆でがむしゃらにオールを動かしながら祈った。「海はもはやまわりで白い泡を立てながらうなり……われわれの小さな箱舟は、波が来るたびに呑み込まれそうになっていた」とダンピアは思い返している。最悪だったのは、彼が何年も司祭への懺悔に行っておらず、名もなき罪の数々が彼の心にのしかかってきたことだった。「私は哀れな反省をし……かつては忌み嫌っていたが今では思い出して身震いするような行為について、恐怖と嫌悪を覚えながら振り返った」。奇跡的に、彼らはなんとかスマトラ島にたどりつき、ダンピアは浜辺で倒れ、回復するのに六週間かかった。やがてダンピアは、さまざまな船を乗り継いであちこち行

ダンピアと仲間たちは、インドネシアへ向かう途中の激しい嵐で溺れ死にかけた（カスパル・ルイケンによる版画）。

きながら帰り、一六九一年九月にロンドンに着いた。花嫁に一二か月以内に帰ると約束してから一二年経っていた。

侍女として、ジュディスには自身の生活があり、彼女はならず者の夫がいなくても十分うまくやっていけていた。しかし海賊のほうは、いまや自立して生計を立てる必要があった。そしてほかにほとんど選択肢がなかったため――履歴書に「バカニーア」とは書けないだろう――ダンピアは自分のフィールドノートを旅行譚にまとめだした。彼の日記が航海で失われずに残ったのは奇跡だった。何度か水浸しになり、あるときは竹の筒に詰めて保管しなければならなかった。だが、その労苦は報われた。*『最新世界周航記』（平野敬一訳、岩波書店）が一六九七年に出版され、大当たりしたのだ。そのなかには、博物学と人類学について、それまで書かれた何よりも生き生きした記述も収められていた。

スマトラにいたあとで、ダンピアは「ganga（ガンガ）」つまりマリファナについて英語で初めて記述している。「眠くなるものもあれば、楽しくなるものもあり、笑いの発作を起こすものもあり、狂ってしまうものもある」。彼は、フィリピンで見た一二歳児たちの集団割礼（包皮切除）と、「彼らがその後二週間股を広げて歩く」さまも書き留めた。さらに、ポリネシアで見た入れ墨や、中国の纏足（てんそく）［訳注：女児の足を固く縛って大きくしないようにした風習］（これを彼は、男が女を拘束し家のなかに縛りつけるための「策略」にすぎないと非難していた）も取り上げた。また西インド諸島で現地の噂を聞くと、一度に十数個もサボテンの実を食べて、本当に尿が赤くなるのを確かめた。『オックスフォード英語辞典』に載っている一〇〇〇近くの引用文は、ダンピアの著作のもので、彼はまた何十もの言葉を英語に持ち込んだ。banana（バナナ）、posse（部隊）、smugglers（密輸人）、tortilla（トルティーヤ）、avocado（アボカド）、

cashews（カシュー〔訳注：カシューナッツの生る木〕）、chopsticks（箸）などだ。

科学も満載だった。今なお、自然の純粋な観察者としてダンピアの右に出る者はいない。彼の記述に比べれば、ほかの人々による動植物の記述は生気を欠く。飛び跳ねたり吠えたりする本物の獣と、ガラスの眼が入った剝製のライオンを比べるようなものだ。そうした生々しさが感じられるのは、ダンピアが味覚も含む五感を総動員していたためでもあった。この男は、目にした動物を必ず食べていたのである。フラミンゴの舌は、「根元に大きな脂肪のこぶがあり、それがとびきりうまい。フラミンゴの舌の料理は王子の食卓にふさわしい」とダンピアは記している。彼は、マナティーの子どもとイグアナのスープや、カメの油入り茹で団子のほか、何十種類も変わった料理を作っていた。そんなあれこれがよだれを誘うとしても、ダンピアはすぐに食欲を奪いもする。胸がむかつくような一節で、彼は脚にできた嚢胞を割り、ぬるぬるする寄生虫を苦痛に耐えながら少しずつ引き出している。ダンピアはまた――先に謝っておくが――英語の記録資料に残っているなかでもとびきり激しい下痢の症状についても語っている。発症は、熱病を治そうとして、地元の「下剤」で腸を空っぽにしろと言われてからだった。まずい考えだった。ダンピアは一年間断続的に下痢を繰り返し、一度に三〇回も排便した末に、肛門が出す

＊今では書くことなど当たり前のように思えるが、ダンピアはすぐにペンを手にして書き留めることもできなかった。何か記録に値することを見つけるたびに、船倉にある自分の道具箱から羽ペンを探し出し、ナイフで研いで、粉と水からインクを作り、暗すぎず、濡れておらず、がさつな船乗りたちで混み合っていない場所を見つけないといけなかったのだ――ふた言三言書き留めるためだけでも。それで終わりでもなかった。書いたあとで、こすれて汚れないように紙に砂を撒いて余分なインクを吸い取り、また全部片づけて、虫に食われないことを願うしかなかった。執筆は今でも楽な稼業ではないが、当時は大仕事だったのである。

なかったのだ。

ものもなくひくつくだけになることもあった。フィールドワークはわくわくするようなものでは決して

ダンピアらしいものといえば、アリゲーターに襲われる話もあった。話の最初に彼は、アリゲーターとクロコダイル［訳注：分類上どちらもワニ目だが科が異なる］の違いを述べるくだりを用意していたのだ。ほとんどの学者がまだクジラを魚と同じくくりにしていた時代に、そんな細かい区別ができたのは驚きで、今日の爬虫類・両生類学のテキストに照らしても的外れには見えなかった。それから話は急に変わる。いきなりダンピアは、かつてカンペチェで夜に狩りをしたときの話を始めるのだ。狩りのさなかに、ダニエルというアイルランド人がアリゲーターにつまずき、アリゲーターがさっと向きを変えて彼の脚に嚙みついた。ダニエルは叫んで助けを求めた。しかし仲間は「スペイン人たちの手に落ちたと思い」彼を見捨て、かじりついているアリゲーターと暗闇に置き去りにした、とダンピアは書いている。

驚いたことに、ダニエルは冷静なまま、あることを思いついた。哺乳類と違い、爬虫類は唇がないので口を閉じたまま咀嚼できない。かぶりついて呑み込んでから、さらに口を開けて獲物を奥へ引き込まないといけないのだ。そこで、自分をさいなむ相手がふたたび口を開いた瞬間、ダニエルはすばやく前に出て脚の代わりにライフルをなかに突っ込んだ。それにだまされたアリゲーターは、銃を奪って呑み込み、その隙にダニエルは急いで脚を引っ込めた。

アドレナリンが出つづけていた彼は、体を引きずって木に登り、ふたたび大声で助けを求めた。すると、スペイン人がいないとわかった仲間が、たいまつを手にして戻ってきてアリゲーターを追い払った。あとでダンピアは、ダニエル「はひどい状態で、自力で立てず、膝はアリゲーターの歯で引き裂かれて

いた。彼の銃は翌日見つかり……銃床の両面にひとつずつ、深さが三センチ近い大きな穴があいていた」と記している。全体として、この話はいかにもダンピアらしかった。知的で、詳細で、同時にまたぞっとするようなものだったのだ。

一部の歴史家は、『最新世界周航記』が旅行記というひとつのジャンルを作ったと考えており、この刊行後にダンピアは、世界最古の科学の学会である、ロンドンの権威ある王立協会における講演の依頼を受けた。バカニーアにしては立派なものだ。彼は、日記作家として知られるサミュエル・ピープスなど、何人かの著名な政治家と食事もした。そうした大物たちはもちろん博物学の話をしたがったが、なかには本物の海賊と同席していると知り、身震いするほど喜んでいた者もいたにちがいない。

もっと読みたいという大衆の声に押されて、ダンピアは一六九九年に『最新世界周航記』の続編を出版した。それには有名な小論「風についての論考」も収録され、のちにジェームズ・クックやホレイショ・ネルソンのような艦長は、これを自分が読んだなかで最良の実践的な航海の手引きと見なしている。この小論は、風と海流についての科学研究を大いに進歩させもした。ダンピアと同じ時代に生きていたアイザック・ニュートンと(彗星で有名な)エドモンド・ハレーのふたりも、それぞれ潮汐と暴風雨の起源にかんする論文を公表したばかりだった。そしてダンピアの小論は、風や海流がどこから来るのかを明らかにしていた。こうして、この三人の科学者が一挙に、海について、地球全体を循環する水の動きについて、長年の謎をいくつか解決した。通常、海賊をハレーやニュートンと同じ仲間には入れないものだが、ダンピアはこの分野で完全に彼らと同列だったのである。

しかし妙な話だが、ダンピアは二巻目の著書が出版されたとき、英国にいなかった。彼は、実は最初の本でわずかな金しか手に入れていない。それは、当時著作権法が存在せず、本の収益の大半が、皮肉なことに海賊版の出版者によってかすめ取られていたためでもあった。ダンピアはまだ、どうにかして生計を立てる必要があった。それに、彼はなんとしても海賊から足を洗い、立派な科学者としてやりなおそうとしていたのだ。そこで王立協会の会長がダンピアを海軍大臣に紹介すると、海軍大臣はダンピアに、ローバック号の艦長を務め、ニューホランド（現在のオーストラリア）への探検航海を統率するチャンスを与えた。ふたたび海軍に加わることにはためらいもあったかもしれないが、ダンピアはその職務を引き受けた。彼の任務のひとつに、地球の裏側で商機を探ることもあった。だが一番の目的は科学的なもので、これは史上初の明白に科学的な探検航海だった。それまでだれも聞いたことがないほど気高い考えだったのである。そしてダンピアに率いられた旅は、最初から惨憺たるものだった。

ダンピアにはヘンリー・ソローのような雰囲気があった。自然が大好きだが自分と同類である人間についてには不満をこぼす、気難しい人物だったのだ。彼には尊大なところもあった。ダンピアが経験を積んだいくつもの海賊船には、意外にも民主的な精神があふれていた。なかには、目や手足を失った場合の負傷部位に応じて変動する補償がある、初歩的な健康保険を用意しているところもあった。* しかしダンピアは、自分の過去と決別したがっていたので、ローバック号ではそうした仲間意識をすべて捨て去った。科学であれ何であれ、あらゆることについて自分がだれよりも賢いと判断し、結果的に起こる混乱を鎮めるだけの魅力や政治的手腕を欠いていたのである。

とくに士官との関係でそうだった。ダンピアの副官となった海軍大尉ジョージ・フィッシャーは、ダンピアを下卑た海賊として軽蔑していた。彼は、ダンピアが外洋に出るやローバック号を奪い取り、私掠船にしてしまうつもりだと強く言い張っていた。ローバック号は一六九九年一月に出航したが、早くも最初の立ち寄り先（ブランデーやワインを積み込むカナリア諸島）に着く前に、ダンピアとフィッシャーは口論していた。目撃したひとりは、船乗りらしくずけずけした言い方で、フィッシャーは「艦長に激しい非難の言葉をぶつけ、くそ食らえと暴言を吐き、おまえなんか大っ嫌いだと言った」と伝えている。

そんな緊張が、三月半ばに暴力となって爆発した。人生における多くのトラブルと同じように、それもひと樽のビールで始まった。当時航海では、船が最初に赤道を越えるときにビール樽の栓を抜き、炎天下の男たちにストレスを発散させるという伝統があった。だが、ダンピアのもとの船乗りたちは、開けた樽をちょっと早く飲み干してしまい、まだのどが渇いていると不満を漏らしていた。そこで彼らは、次の樽も開けさせてくれとフィッシャーに頼んだ。するとフィッシャーは、海軍の規則どおりにダンピアに相談せず、独断で承諾したのである。

これはとうてい反逆とは言えなかったが、ダンピアはすでに気が立っていた。フィッシャーがダンピ

＊海賊は、右腕を失えば銀貨で六〇〇ペソ、左腕か右足を失えば五〇〇ペソ、左足を失えば四〇〇ペソ、片目か手の指一本を失えば一〇〇ペソ受け取れた。これはすべて、正式な文書に記されていた。海賊の驚くほど高い割合の人間が字を読むことができたのであり（およそ四分の三）、その理由は主に、海図を理解するのに必要だったからだ。海賊はまた、次に略奪に向かう場所について投票もおこなっており（過半数で決定）、食事のときも驚くほど民主的だった。すべての食べ物を平等に分け、俗物ばかりの海軍の場合とは違い、幹部は上等なものを横取りすることはできなかった。

アを船外に放り投げ、サメの餌にすることを企んでいるという噂が渦巻いていたのだ。そこへ、こうして自分の権威が故意に傷つけられたため、すり切れながらも残していた最後の抑制のベルトが切れた。ふたつ目の樽を見るなり、ダンピアは自分の杖をつかむと、樽を開けた者を見つけて頭をたたいた。それからフィッシャーのほうを向くと、なぜ許可したのか教えろと迫った。フィッシャーが答える間もなく、ダンピアは杖で彼を殴り、たたきつづけて血だらけにした。そして足かせをはめたフィッシャーを二週間、鍵をかけた船室に閉じ込めたのである。フィッシャーは便所に行くために部屋を出ることもできず、汗だくで自分の汚物にまみれるほかなかった。艦がブラジル沿岸のバイアに着くと、ダンピアは副官を逮捕し、食事も与えずに牢屋に入れた。

しかし、ダンピアがこの権力闘争に勝ったと思ったとすれば、その判断はまちがっていた。牢屋の扉がガチャンと閉まったとたん、フィッシャーは窓へよじ登って表を歩く人に叫びだし、四方八方へ向けて、監禁を非難しダンピアを中傷する声を上げた。のちにフィッシャーは、英国の当局に宛てて、海賊の科学者が暴君だとばらす書簡をしたためている。彼は、目が覚めているときはダンピアをたたきのめすことしか考えていなかった。

一方でダンピアは、博物学にのめり込んで問題をやり過ごしていた。フィッシャーが計略をめぐらすあいだ、ダンピアはバイアを囲む藪（やぶ）のなかに消え、インディゴやココナッツや熱帯の鳥について書き留めていた。このとき観察したことのひとつは、とくに歴史的に重要だ。いろいろな場所で「脚の長い鳥」の群れをいくつか観察して、ダンピアは、群れごとに違うものの、どの群れも単独の種と見なせるほど異なってはいないことに気づいた。連続的に変化していたのだ。そこで彼は、この状態を表すために「亜種」という新しい言葉をこしらえた。これは些末な発見のように思えるかもしれないが、ダンピアはある考えを模索していた。自然界に見られるバリエーションや種間の関係についての考えであり、ダンピアを称賛したチャールズ・ダーウィンがのちに『種の起源』（渡辺政隆訳、光文社など）でそれを推し進めることとなったのだ。

やがて、ブラジルのカトリック教会による異端審問が、ダンピアの自然観察を中止に追い込んだ。カトリック教会は、プロテスタントの海賊がうろつきまわり、なんでもかんでも書き留めることをうれしく思わなかった。教会が彼をつかまえて毒殺さえするつもりだという噂も立っていた。副官の隣で牢獄に入れられることを恐れたのか、ダンピアは急いで港を出た。その際、フィッシャーを英国に戻す手配もし、本国では不服従のかどで屈辱的な裁判が開かれるにちがいないと考えていた。ダンピアは半分だけ正しかった。裁判はおこなわれ、屈辱に満ちていたが、被告はフィッシャーではなかったのである。

フィッシャーがいなくなってローバック号の緊張は和らぎ、一行は八月半ばまでに西オーストラリアに着くと、シャーク湾の白くきらめく浜辺に上陸していた。それから数週間、彼らはディンゴやウミヘビ、ザトウクジラなどを観察して過ごした。科学調査活動は上々の出だしだった。

だが、その幸運は続かなかった。西オーストラリアは不毛で荒涼としていて、ローバック号の船乗りたちは、海岸を探しまわっても真水をまったく見つけられなかった。彼らはほどなくひどくのどが渇いたので、何人かの先住民に近づこうとした。先住民なら水を見つける手だてを知っていると思ったのである（確かに知っており、鳥やカエルを追いかけたり、木の根を切ったりしていた）。ところが船乗りが近づくと、いつでも先住民は散り散りになって逃げた。そこでダンピアは、必死に一計を案じた。浜へこっそり上がってから、彼はふたりの仲間と砂丘の陰に隠れて先住民を待ち伏せしたのだ。計画は、ひとりを誘拐して泉に案内させるというものだった。英国人たちが飛び出すと、先住民はまたしても逃げ、英国人は追いかけた――自分たちが罠にかかるとも知らずに。ダンピアと仲間が開けた場所に出ると、先住民たちはくるりと向きなおって槍で攻撃してきたのだ。ダンピアの部下のひとりは顔をざっくりと切られ、ダンピア自身も串刺しになりかけた。威嚇射撃でも先住民を追い返せなかったため、ダンピアはひとりを狙って撃ち、けがをさせた。彼の本で、ここはみずから暴力に訴えたことを認めている珍しい箇所である。*

もう水は見つからないと悟ったダンピアたちは、面目を失ってオーストラリアからこそこそ去ったが、そこから事態はさらに悪くなる一方だった。オーストラリアのあと、ダンピアは、ニューギニアを探検し標本を集めることで、航海を続けようとした。しかし英国海軍は、あまり頼もしい艦船を彼に与えていなかった。船殻から浸水して虫がわき、ほどなく老朽化がひどくなったので、ダンピアは尻尾（しっぽ）を巻いて英国へ逃げ帰らざるをえなくなった。だが艦は英国にたどり着けなかった。南大西洋のアセンション島の海岸で、ローバック号は致命的な浸水を起こした。艦を沈めたと責められるのを恐れて、ダンピアは牛の脇腹の部分や自分のパジャマなど、思いつくかぎりのもので穴をふさごうとした。どちらの急場しのぎも、役に立たなかった。船乗りたちはアセンション島で艦を捨て、ダンピアは集めた標本をほとんどすべて失った。男たちは遠くを悠然と航行するほかの艦船を五週間眺めて過ごし、ようやくある船団が島に近寄り、彼らを救助した。

艦はおろか、標本もなしにロンドンへ戻るだけでも十分にひどかった。しかしダンピアは、一七〇一年八月に帰り着くと、ジョージ・フィッシャーが英国社会にダンピアを悪者と教え込んでいたことを知る。フィッシャーが元海賊のことを激しい言葉で非難したため、海軍本部はダンピアを軍法会議にかけて艦上で審理する必要があると考えていたのだ。

ダンピアは精一杯自分を弁護し、フィッシャーが反乱を企てていたと証言する証人を集めた。彼はまたずるい戦い方もし、フィッシャーが——どこまで本当かはだれにもわからないが——航海中に給仕係の少年ふたりと男色にふけっていたと非難した（海賊はある程度同性愛を許していたが、海軍は許していなかった）。フィッシャーのほうは、ダンピアの人格についてくどくど言い、卑怯者の悪党だと訴えた。そしてまた、ダンピアが不平を言う船乗りをしばらく船室に閉じ込めて殺したという告発もした。その

＊ダンピアが現在の基準で啓蒙度合いのテストに受からないことはまちがいない。当時のあらゆる人々と同じく、彼にも偏見があった。しかし、ダンピアの伝記を書いた作家は、彼を「あまり人道的でない時代の人道的な男」と見なしている。これはかなりうまいまとめだ。現に、ダンピアの著作を実際に読むと、なにより目につくのは異文化に対する彼の寛容さである。（自分から見て）奇妙な慣習や儀式を目にすると、いつでも彼は判断を差し控え、理解に努めた。一方で、同郷の人間を見る目はずっと厳しかった。たとえば、ほかの士官たちが混血女性の捕虜を、ただそういう人間だというだけで案内役として信用できないと言ったときに、あきれかえった。したがって、現代の基準ではほとんど意識が高いとは言えないが、このバカニーアの生物学者は、その時代としてはきわめて寛容だったように思え、ヨーロッパ人がたいていみずから暴力を持ち込んでいると認識していた。「たまたま自分たちのところに入ってきたり、自分たちとともに暮らしに来たりしたひとりの人間を殺すほど野蛮な連中は、この世界にいないと私は思う。なんらかの非道なおこない、つまり暴力によって、それ以前に傷つけられていたのでないかぎり」

男が死んだのは、懲罰が終わって一〇か月後だったが。裁判官たちがちゃんとしていたのは、それやほかの訴え――ローバック号を沈ませた過失の訴えも含め――を退けたことだ。しかし、仲間の士官のフィッシャーを杖でたたきのめしたことは我慢できず、副官を「非常に手荒く虐待した」かどでダンピアを有罪とした。ダンピアは罰として、英国のいかなる艦船の指揮も禁じられ、給与三年分の罰金を科せられた。

ウィリアム・ダンピアは堅気（かたぎ）になろうとしたが、結果的に何も得られなかった。彼は元どおりの一文無しで、いまや社会ののけ者だ。もはや選択肢はひとつしか残されていなかった。四九歳の博物学者は、海賊に戻らざるをえなかったのである。

ダンピアの人生や時代はわれわれとはかけ離れているように見えるが、彼がもたらした倫理的問題は、今なお重要なものだ。たとえば、科学での海賊行為は一八世紀で終わってはいない。さらに、ダンピアがしていたたぐいのフィールドワークは、ある意味で数世紀前より今のほうがずっと危険になっている。

これまで数え切れないほどの博物学者が、フィールドワーク中に命を落としている。ほとんどは、マラリアや黄熱病などの病気のためだが、ヘビに咬まれたり、動物の群れの暴走に押しつぶされたり、ピューマに襲われたり、泥流に呑み込まれたり、何かの中毒を起こしたりするケースも多く、本一冊になるほどある。科学者たちは殺されもしている。一九四二年、ウガンダで血液由来の疾患を調べていた英国人生物学者アーネスト・ギビンズが、地元の戦士たちに自分の車で待ち伏せされ、刺し殺された。彼らは、ギビンズが「白人の魔術」のために自分たちの血を盗んでいると思い込んでいたのだ。警官によれば、ギビンズの体は「血みどろのヤマアラシのように槍だらけ」だったという。その後も二〇世紀に部族間の戦いや民族紛争が増え、世界規模の武器売買によって激化すると、多くの場所でフィールドワークの危険は増す一方だった。ダンピアや彼と同じ時代の人々はときたまひどい経験をした。だが彼は、武装集団に誘拐・拘束されて六〇〇万ドルの身代金を要求される心配をする必要はなかった。一九九〇年代にコロンビアで、イネの科学者がそんな目に遭っている。こうした理由で、いまや多くの研究機関は往年のような成り行きまかせの無計画のフィールドワークを許していない。

科学での海賊行為について言えば、その内容はダンピアのころから変わってきている。改めて言うが、ダンピアが海賊になったのは、主に科学への執着心を満たすためだった。彼には、ほかに遠くの土地を訪れる手段がなかったのだ。一方、のちの科学者の場合、研究の中身そのものが、天然資源の窃盗——バイオパイラシー（生物資源の海賊行為）という——にかかわるという点で犯罪となった。

植民地時代にひどくほしがられていた物品は、キニーネだった。キナの木の肉桂色をした皮からできる薬である。すりつぶして粉にして水で飲むと、キニーネは人類史上有数の死病であるマラリアの治療に使える（一部の推計によれば、蚊が媒介する病気で、これまでに地球上で生きた一〇八〇億の人間のうち半分が死んでおり、その殺戮の大部分がマラリアによるものだという）。しかし、マラリアは世界じゅうに惨禍をもたらしていた——アフリカ、インド、イタリア、東南アジアで人々の命を奪っていた——ものの、キナの木は南米にしか生えていなかった。そこでヨーロッパ諸国は南米へ植物学者をこっそり送り込み、キナの種子を盗ませようとした。だがそれは無駄骨だった。最も貴重でキニーネを豊富に含む種（しゅ）は、アンデス山中の、一年の四分の三は霧に覆われているとんでもない急斜面に生えていたのだ。そのため、こっそり持ち出そうとする者はだれもかれも失敗し、途中で命を落とす者もいた。

ついに成功を収めた男は、マヌエル・インクラ・ママニというボリビアのインディオだった。ママニについては、ごくわずかなことしか知られていない。インカの王の子孫という話はほぼまちがいなくでたらめだが、植物の知識を大事にする呪術師の血を引いていたのかもしれない。ともあれ、彼はアマゾンをほとんどコカの葉しか食べずに何週間も歩きまわれ、果てしなく広がる緑の梢（こずえ）を眺めて緋色——キナの葉の特徴的な色——の小さな束を見つける並外れた能力をもっていた。一八六五年に袋数個ぶんの種子を採取すると、ママニは千数百キロメートルも歩いて凍てつくアンデスの高地を越え、依頼主の英国人に届けた。その報酬として、彼は五〇〇ドルとラバ二頭、ロバ四頭、新しい銃を手に入れた。一方で、故国を裏切ったかどで本人不在のまま死刑宣告を受けていた。がめつい英国人は、その後もっと種子がほしくてジャングルにまたママニを行かせたが、そこでママニはつかまり、密輸の罪に問われた。ママニは投獄され、食事も水も与えられず、激しくぶたれた。二週間後に釈放されたが、体が不自由になり、まっすぐ立てなくなっていた。ロバも取り上げられ、数日以内に彼は亡くなった。

歴史家たちは、ママニの罪を正当化できるかどうかをめぐり、今も議論を戦わせている。一方では、ペルーやエクアドルが必要な薬をため込み、ひどい高値で売っていた。死なないことと引きかえにと暴利をむさぼっていたのだ。さらに、これらの国ではキナの木の保全を怠ったため、一九世紀半ばごろにキナは絶滅の危機に瀕していた。ママニ以後、ヨーロッパのいくつかの国が、こっそり持ち出した種子でアジアにキナの農園を作った。それにより、世界で何百万人もの命を救ったのである*（ちなみに、インドにいた英国の役人たちは、樹皮から苦みのあるトニックウォーターを作り、強い酒に混ぜて飲みやすくしていた。こうしてジントニックが生まれた）。また他方では、アジアにできた農園が南米にもともとあったキナ産業をむしばみ、ついには一掃してしまい、現地の人々が貧困に陥った。そして薬としてのキナの価値を考え、ある歴史家は、ややおおげさではあるが、この盗みを「史上最大の略奪」と呼んだ。それは植民地主義の最も搾取的なところだった。一方でまた、アフリカやアジアで数え切れないほどの命を救ったのだが。

ほかのバイオパイラシーは、おそらくもっと正当化しにくい。工業化を推進したひとつの重要な素材はゴムであり、ゴムの原料は、アマゾン原産のある種類の木から採れる樹液だった。ゴムのタイヤがなければ、自動車も自転車も存在しなかっただろうし、ゴムのチューブやシール（封止材）のおかげで、現代の化学や医学が成り立っている。電線に巻くゴムの絶縁材がなければ、われわれは電気も利用できなかったはずだ。ところがゴムは、英国の探検家ヘンリー・ウィッカムが一八七六年にゴムの種子七万個をこっそり持ち出し、アジアに新たに農園を作ってブラジルの独占状態を破るまで、特定地域の物品のままだった。広く世界が恩恵をこうむったのはまちがいないが、消費財を作るために種子を盗むことは、医薬を作るために種子を盗むことよりも倫理にもとるように思える。また別の密輸の例は、さらに

＊ナチスの話をあれこれ知りたければ——正直に言うと、どれも一部のナチスの悪党による良い話になっている——私のThe Disappearing Spoonというポッドキャストでとんでもない話を聞くといい。何人かの邪悪なナチ党員が、第二次世界大戦でおそらくだれよりも多くの米国人の命を非常時にキニーネを供給して救ったことが語られている。このポッドキャストには、私の本には出てこないまったく新しい話が収められている。iTunesやStitcherなどのプラットフォームを通じて視聴するか、私のウェブサイトのsamkean.com/podcastにアクセスしてもいい。

倫理に反していそうだ。一八四〇年代に中国で、現地の衣装に身を包み、頭の前半分を剃り上げて、残りの髪を後ろで束ねて垂らした格好で国営の農園に潜入し、貴重な茶の木を二万本盗んでインドへ送ったスコットランド人植物学者はどうだろう。アールグレイについて人道的と言い張ることは難しいはずだ。

バイオパイラシーは現代もおこなわれている。中国の億万長者は、サイの角（つの）など精力剤になると考えられているものを求めて密猟者に大金を払っている。製薬会社は、ヘビの毒液やニチニチソウなど熱帯の資源から超大型新薬（ブロックバスター）を開発しているが、一部は現地の人々が最初に薬効を発見していたのに、彼らにはめったに金が渡っていない。大金持ちばかりともかぎらない。世界じゅうの一般の人々が、異国の花やペットの広大な闇市場を支えている。いまや犯罪者が金を手に入れているのではなくても、ダンピアの時代における海賊行為の精神は生きつづけているのだ。

一七〇三年、ウィリアム・ダンピアはついにチャンスをつかんだ。スペインやフランスとの新たな戦争が勃発し、英国は敵を苦しめるために私掠船を必要としたのである。そのため、ダンピアは英国海軍の艦船の指揮を禁じられていたのに、アン女王がその五一歳の海賊を接見に呼び出した。さもしい廷臣のように、ダンピアは女王の手にキスをし、こびへつらい、すぐさまセント・ジョージ号の船長の任務を引き受けた。

残念ながら、セント・ジョージ号の航海も、厄介事や反感に満ちていた。ダンピアは部下たちに、とらえた外国船の船長から賄賂（銀食器など）を受け取っているとなじられた。見返りにダンピアは、船倉をさらっと調べるだけで、大半の財宝に手をつけずに解放していたという。噂によればダンピアは深酒をしていたらしいが、だからといって非難もしにくい。彼は毎日朝から晩までひたすらジグザグに進みながら、水平線に遠くの船を探して過ごしていたのだ。おそろしく退屈な日々で、バカニーアだったころと違って、任務を放り出してどこか遠くの港へ向かうこともできなかった。彼には今職務があり、科学的好奇心を満たせないのがつらかった（現代の研究によれば、ＩＱ［知能指数］とアルコール中毒のあいだに強い相関があるので、知的活動を阻まれた人の酒量が増えるのも当然と言える）。一七〇七年に航海が終わると、ダンピアの船長としての評判はさんざんで、彼は二度と船を指揮することはなかった。

だがダンピアは、船長としてはいかにだめでも優れた航海士で、数年後、文学史に残る私掠船の航海に加わった。太平洋へ出向いたおり、水が足りなくなり、船乗りたちが壊血病で衰弱しだしたため、ダンピアは近くの陸地、チリ沖のファン・フェルナンデス諸島に針路を取らせた。島に近づいていくと、一行は、毛むくじゃらの二足の獣が海岸で両手を振っているのに気づいて驚いた。その正体は、アレグザンダー・セルカークという置き去りになった船乗りだった。彼はヤギの皮を身にまとい、目にしたある者によれば「その元の持ち主より野性的」に見えたという。四年四か月と四日、セルカークはなんとかその島で生き延びていた。ヤギをとらえ、野生のキャベツをかじり、岸に打ち上げられた樽からナイフと釣り針を作っていた。彼の足はイグアナの皮のように硬く、四年もひとりぼっちだったので、声がかすれてほとんど話せなくなっていた。ダンピアの仲間たちは彼を助け、誇らしげに英国へ連れ帰った。セルカークの話は、ほどなくダニエル・デフォーに『ロビンソン・クルーソー』を書かせることとなる。

ダンピアの生涯を掘り下げて着想を求めたのは、デフォーだけではなかったようだ。ジョナサン・スウィフトはダンピアの話を盗んで『ガリヴァー旅行記』を書き、サミュエル・テイラー・コールリッジも「老水夫の歌」で同じことをした。ダンピアのファンのなかでだれより世界に影響をおよぼしたチャールズ・ダーウィンは、一八三〇年代に自身を成長させたビーグル号の航海にダンピアの本を携行さえしていた。ダーウィンは、自分の先達である海賊のやんちゃな行動にクスクス笑い、手記で彼を「ダンピアさん」と呼んでいる。さらに重要なのは、ダーウィンが種と亜種にかんするダンピアの説明を検討し、ガラパゴスに似た場所についての話を読み込んで、事実上ダンピアをガイド役としていたことだ。この海賊がいなければ、ダーウィンはダーウィンになっていなかったかもしれない。

しかし、冒険小説家や科学者はずっとダンピアを許してきたが、のちの世のジョージ・フィッシャーたちはどうにも彼に我慢がならなかった。ダンピアの生まれた英国の町が二〇世紀初めに彼を称える銘板を設置する議論をした際、神への信心が深い人が立ち上がり、「絞首刑にされるべきだった海賊の悪党」と言って彼を非難した。今日批判する人々は、さらにまた踏み込んでいる。ダンピアの科学は、どれほど画期的であっても、植民地主義を先導したにすぎないので、人道にもとる罪だと主張しているのである。

実のところ、どちらにも一理ある。ダンピアは卑劣だが頭が切れ、刺激的な男だがならず者だった。彼の業績は、当時あったほぼあらゆる科学の分野——航海術、動物学、植物学、気象学——を進歩させた一方、彼は不道徳なこともした。ある伝記作家はこう述べている。「デフォー、スウィフト、そのほかの人もすべて、どんなひとりのモデルよりもはるかにダンピアに感謝すべきだ。じっさい、新たな時代の精神のすべてが、このひとりの男のおかげと言える」

悲しいかな、この新たな時代にも、考慮に入れるべき非道なことがあった。とくに奴隷制だ。一見したところ、科学と奴隷制はあまり関係がないように思えるかもしれない。だが、どちらも現代世界を形作った根本的要因であり、歴史家は、両者がおぞましい形で互いに相手を作り上げたことにも気づいていったのである。

2

奴隷制

——ハエ捕り人の堕落

英国人のヘンリー・スミースマンは、一七七一年一〇月にシエラレオネに向けて出航したとき、探検が成功を収めると考えていたのも無理はなかった。二九歳の彼は、博物学者として申し分のない年齢だった。経験豊かな程度には年を取り、冒険ができる程度には若かったのだ。それに、当時世界じゅうからヨーロッパへ風変わりな標本の数々――オランウータン、ゴライアスオオツノハナムグリ、ハエトリグサ、「空飛ぶ猫猿」とも呼ばれたムササビ――が運び込まれていたことから、彼はアフリカで大発見をする期待に胸をふくらませていた。

一刻も無駄にしようとしないスミースマンと助手は、南への航海中に採集を始め、甲板で網を広げ、海へ吹き飛ばされてきた蝶やバッタをつかまえだした。実のところ、集めた標本のほとんどはすぐに、フライ号という名にふさわしい不潔な船に棲むアリやゴキブリに食べられてしまった［訳注：フライ（Fly）にはハエという意味もある］。だが、あくまでも前向きなスミースマンは、すぐさま対策を考え出した。栓を抜いたラム酒の樽の上に標本をのせると、酒の蒸気が害虫を寄せつけないことに気づいたのだ。このことについて彼は、「博物学者の役に立つ秘訣」と日記に書き留めている。

フライ号はやがて一二月一三日にアフリカへたどり着き、ロス諸島に錨（いかり）を下ろした。そこは大陸沖に設けられた象牙や木材の交易地で、スミースマンは「木々と茂みに覆われた山がちの小さな島々」と描写している。それは晴れ晴れしい瞬間のはずだった。窮屈な船旅を終えて、科学調査を始めるところなのだから。ところがスミースマンは、タラップを降りながら身を固くした。その島々は、単なる贅沢品の市場にとどまらない場所だったからだ。鎖と鞭の場所でもあった――大西洋奴隷貿易の中心地だったのである。

出航前、スミースマンはすでに、奴隷制が旅の背景をなすことになるとわかっていた。彼は奴隷制に断固として反対しており、スポンサーに売り込んで旅の資金を募る際、「ほとんど知られておらず、大いに誤って伝えられている黒人（ニグロ）なる人々」について目にしたことをありのままに伝えると誓っていた。しかし、この決意をもってしても、みずから奴隷貿易を目の当たりにして受ける衝撃への心構えはできていなかった。

ロス諸島に着くなり、スミースマンと船の同乗者たちは奴隷船アフリカ号を見学した。乗り込む前から感覚が痛めつけられ、スミースマンはこう記している。「少し離れた場所でも、人間の声と鎖の鳴る音がごた混ぜになった騒音が、われわれの耳を襲った。それは……理性のある者に名状しがたい恐怖をもたらす」。船上で、男の奴隷はおそらく衛生上の理由で裸にされ、女は腰布だけ巻いていた。スミースマンは、この混乱のなかでふたりの女性がわが子に乳を飲ませているのを目にして、とくに胸を痛めた。「人の顔にこれほど強く刻まれた」悲しみを見たことがない、と言ったのだ。彼以外の一行はまるで庭園の見学のように歩いてしゃべっていたが、スミースマンは母親たちのほうをしきりに振り返っていた。「母親たちはきっと涙を流していたはずだ」と彼は言い添える。「彼女たちが憐れみをかけられる望みをもてていたのなら。あるいは彼女たちの気力がすでに使い果たされていたのでなければ。私はあまたの憂鬱な考えにふけり、ほとんど会話に加わらなかった」

スミースマンは、アフリカ号の船長ジョン・ティトルにも会った。ティトルは奴隷商人のなかでも悪辣で、その気質が数年後にみずからをむごたらしい死に追いやった。ある日、港で海に帽子を落としたティトルは、使用人だった幼い黒人の少年に海へ飛び込んで取ってこいと命じた。少年は拒否した。サメが怖かったし、泳げなかったのだ。ティトルが有無を言わさず少年を海へ投げ込むと、少年は溺れ死んだ。これが奴隷の少年だったなら、だれもあえてティトルに食ってかからなかっただろう。だが、ティトルは地元の首長の息子を殺してしまったので、首長はラム酒での償いを求めた。ティトルはそれに応じて樽をいくつか送った――中身はラム酒ではなく、「奴隷たちの湯船からとれたかす」で、糞便も混じっていたかもしれない。激怒した首長は船長を探し出し、足かせをはめた。それから彼はティトルを飢えさせ、拷問にかけて殺すと、そのあいだ――ティトルの不埒なおこないに同じように嫌気がさしていた――村人たちは周囲に群がって喜びの声を上げていた。

ティトルにはサディストとの評判があったが（いや、むしろそのためかもしれないが）、奴隷貿易会社は自分たちの「積み荷」の命を喜んで彼に預けていた。アフリカ号は三五〇人の奴隷を収容するように設計されていたが、スミースマンの訪問後まもなく、ティトルは四六六人を船倉に詰め込んでカリブ海へ向かった。途中で子どもも含めて男女八六人が亡くなっている。

スミースマンがほっとしたことに、彼の一行はほどなくロス諸島を出て、アフリカ本土に近いバンス島へ向かった。しかし、そこでも奴隷貿易から逃れられなかった。バンス島は奇妙な、矛盾したふたつの面を兼ね備えた場所で、半分は奴隷の港で半分は二ホールのゴルフコースを備えた「田舎の大邸宅」だと言われたこともある。島の砦にはいくつもの大砲と高さ五メートルの壁があり、ダンピアのような海賊の襲撃から守っていた。

バンス島の奴隷商人は、やたらと故郷からの知らせを聞きたがり、スミースマンを引き止めては質問攻めにした。奴隷商人らしい服装といえば、チェックのシャツを着て黒いスカーフを首や腰に巻いた格好だ。スミースマンはしばし楽しげに英国の話をしたが、アフリカへ来た理由を訊かれると会話は不愉快なものになった。スミースマンが博物学への興味を打ち明けると、面と向かって笑われた。ある奴隷商人はこう言った。「長く生きりゃ、知ることも増えるんだな！　三、四千キロも遠くからやってきて、蝶をつかまえたり草を集めたりする奴なんかいたもんだ」。あからさまにばかにする者もいた。

スミースマンは鼻を鳴らして彼らに背を向けた。彼らは女子どもを奴隷にして売るためにアフリカへ来たが、自分は科学者として、知識を向上させ人類の運命を良い方向へ導くために来たのだと考え、自分を慰めたのである。自分とこうした野蛮人とは何のかかわりもないのだと。

だが、その優越感はいつまでももってはいられなかった。若き博物学者がアフリカへ来たのは、何かを目指すだけでなく、何か――古きヘンリー・スミースマン――から逃れるためでもあった。古きスミースマンは貧しく、努力をくじかれ、自分が英国に捨て去り埋めてきたかった人間だった。今回の探検航海は、新たなスミースマン、紳士の博物学者がデビューする舞台だった。ウィリアム・ダンピアとほとんど同じように、自分で人生を良くする一番の手だては科学だと彼は思っていた。だからスミースマンは、奴隷商人を否定することで、彼らのモラルも低い身分も否定していたのである。

しかし結局、科学者として生まれ変わろうとしたスミースマンの野心は、自分のモラルを上回ってしまった。奴隷制に反対していたものの、それがシエラレオネの経済をあまりにも支配していたので、じきに彼は奴隷商人と物資や道具を取引するはめになったのだ。ほどなく、さらに悪いこともするようになった。案の定、かかわりが深くなるにつれ、取引相手を――ひいては自分自身を――擁護する必要を感じていった。それは教科書にあるような心理的防衛機制だった。「私は良い人間なので、悪い人々とは付き合わない。だから、私が今付き合っている人々はそんなにひどいはずがない」というものだ。ところが、スミースマンが踏み出したこの理由付けの道は、彼が思っていたより滑りやすい道だった。

奴隷貿易の悪逆非道のなかにあっては、スミースマンのようなひとりの「ハエ捕り人」の堕落はほとんど悲劇として目立たない（言うまでもないが、このテーマが激しい論難を呼びそうなことを考えれば、「犠牲者はアフリカ人であって、ヨーロッパの白人ではない」と明言しておく必要がある）。それでも、スミースマンの生涯は詳しく調べる価値がある。大半の歴史家が見すごしている初期の科学の一面――科学と奴隷制がいかに絡み合っていたか――に光を当てるものだからだ。しかも、スミースマンの話は、奴隷制が誠実な善意の人のモラルをいかに簡単にむしばむかということを明らかにしている。背景をなすどころか、奴隷貿易はシエラレオネで彼の時代を支配するようになったのだ。次第に妥協を重ねるうちに、それは彼の倫理観をひっくり返してしまった。

奴隷制は文明と同じぐらい歴史が古いが、一六世紀から一九世紀にかけての大西洋奴隷貿易はことのほかむごたらしかった。推計はさまざまだが、少なくとも一〇〇〇万人のアフリカ人が戦争や襲撃の際に奴隷にされ、およそ半数が現地の港までの行進や大西洋を渡る航海のさなかに死んだ。また、統計だけでは奴隷船の残虐さはとらえられない。大人も子どもも鎖につないで入れられた船倉は、とても暑くて不潔なあまり、そこへ入るなり死体の悪臭で吐く人も多かった。よちよち歩きの幼児が人の糞尿のために「必要な桶」に落ち、溺れてしまうこともあった。病気も蔓延し、病人はえてして船外に投げ出さ

れ、ほかの人間のために場所をあけられた（実のところ、サメがたやすく食事にありつけるので奴隷船のあとをついてくることもあった）。奴隷はまた、命令に従わないとサメの餌として投げ込まれたり、もっとひどい罰を受けたりしていたかもしれない。一七二〇年代にある船で奴隷の反乱が鎮められたあと、船長は反乱を先導したうちのふたりに、三人目を殺させ、その心臓と肝臓を食べさせた。

では、科学者はなぜこの恐るべき行為に手を貸したのだろう？　交通の手段のためだ。ヨーロッパ諸国の政府はときおり科学探検を支援してくれていたが、当時アフリカや南北アメリカへ行く船の圧倒的大多数はいわゆる三角貿易——ヨーロッパからアフリカへ銃や商品を送り、アメリカに奴隷を送り、ヨーロッパへ染料や薬、砂糖を持ち帰るという三か所のやりとり——にかかわる民間の船だった。その貿易を除けば、アフリカや南北アメリカへ旅する手段は皆無だったのである。そのため、フィールドワークをする科学者は、奴隷船に乗せてもらってそうした大陸へ向かうことにした。そして現地に着くと、食料や物資、移動手段、郵便でも奴隷商人に頼ったのだ。

ヨーロッパに残ったままの博物学者も*、奴隷貿易を利用していた。多くの場合、奴隷船の船員たち

＊国を出ないコレクターは、「安楽椅子の博物学者」と軽蔑されることもあった。生きている本物の動植物を知らず、ばかげた結論に至る可能性があったからだ。たとえば、パプアの鳴禽類の一種が一八世紀半ばに初めてヨーロッパに運び込まれたとき、コレクターたちは「極楽鳥」と名づけた。それは、美しい羽毛をもつことと、足がなかったことによる。その鳥が足をつく必要がないことを示している、と彼らは判断したのだ。一生空の上で、天国（極楽）を飛びまわっているのだと。だが実は、その鳥を捕らえた先住民が、足を装飾に使うために切り落としていただけだった。傷口はふさふさした羽毛の下に隠れていた。先住民たちは、足をもいだ死体を、まさかそこまで無知とは思わずにヨーロッパの博物学者たちに渡したのである。「驚異や臆測を好む風潮が広まっていた」とある歴史家は言っている。そうして科学の迷信が生まれたのだ。

──とくに船医[*1]──に代理で収集をさせていた。船医には科学的素養があり、船員たちが奴隷を売って食料を買うあいだ、陸で自由時間がたんまりあったのである。集めた標本──ダチョウの卵、ヘビ、蝶、鳥の巣、ナマケモノ、貝殻、アルマジロ──は、その後奴隷船でヨーロッパへ運ばれてから、最終的に研究所や個人のコレクションにたどり着いた。分類学の父で史上屈指の生物学者、カール・リンネは、一七三五年に不朽の著作『自然の体系』──今日使われているティラノサウルス・レックスやホモ・サピエンスといった属名種名の命名法を提案した本──を書き上げる際、そうしたコレクションを参考にしている。全体として、こうしたコレクションは当時のいわば「ビッグ・サイエンス」〔訳注：金と人材を大がかりに投入してなされる科学研究のこと〕だった。研究に欠かせない、すべてが集まった宝庫だったのである。そして、すべてが奴隷制の構造基盤と経済の上に成り立っていた

しかしヘンリー・スミースマンは、自分はこのモラルの泥沼を避けられると思っていた。現在知られているかぎり、スミースマンの肖像は残っていないし、彼についてただひとつ残っている描写も謎めいている。「痩せて長身で、活発で非常に興味を引くが、ハンサムではない」。少年のころ、スミースマンは貝殻や昆虫を集めるのが好きだったようだが、彼の正規の教育は、家庭教師だった副牧師が自殺したところで途切れてしまった。その後、彼は戸棚作りや家具の布張り、保険のセールス、酒の配達、家庭教師をやってみた。だがどれもうまくいかず、希望のない人生のように思われた。ついに頼みの綱となるものを手にしたのは、一七七一年の夏、医師で植物学者だったジョン・フォザギルがシエラレオネへの標本採集の探検航海を発表したときだった。フォザギルはクエーカー教徒で、奴隷制に断固として反対していた。それでも彼は、妥協してスミースマンを奴隷貿易の拠点の植民地へ送った。シエラレオネ

にはほかに選べる居留地がなかったからだ。

奴隷制については気のとがめがあったが、スミースマンはその話に飛びついた。科学は当時、紳士になる人がよく通るルートだったのである。動機のひとつは社会的なものだった。うまくいけば、彼は権威ある王立協会の会員に選ばれるかもしれなかった。金銭的な動機もあった。スミースマンの三人の大きなスポンサーはそれぞれ、旅の資金として一〇〇ポンド（現在の一万二〇〇〇ドル）を提供していた。その見返りとして彼らは、スミースマンから送られてくる標本から一〇〇ポンド相当を選ぶことができた。その後、スミースマンは残りを売って自分の儲けにできたのだ。このような取り決めは、身分が低い出自で科学者になりたい人間にとっては珍しくなかった。八〇年後、ダーウィンとは独立に自然選択による進化の理論を見出していたアルフレッド・ラッセル・ウォレスが、マレーシアでそのような活動に従事している。[*2]

一七七二年一月、アフリカにたどり着いて数週間後に、スミースマンはバナナ諸島に拠点を構えた。

＊1　船医は、多少科学を学んではいたが、必ずしも標本採集の一切合切を知っているわけではなかった。そこでロンドンのあるコレクターは、昆虫を入れるピンや押し花のための特別な紙も含むスターターキットを渡して、手助けをした。彼は協力者への手紙に奇抜なアドバイスも記している。たとえば、捕食動物の消化管に消化されかけの種を探すのが重要だといったものだ。「そのようなものを捕らえたら必ず」と彼は念を押している。「腸や胃のなかを覗き、そこに見つけた動物を取り出してほしい」。実を言うと、これは今でも良いアドバイスだ。二〇一八年にメキシコの科学者たちは、新種のヘビを別のヘビの腸から発見している。

＊2　一部の歴史家は、ウォレスはマレーシアでの研究によって、自然選択による進化の発見に至ったのではないかと述べている。なにしろ、コレクターになると、色や大きさなどの特徴のバリエーションを求めて何千もの昆虫を観察するもので、バリエーションは自然選択が働く対象となる素材だからだ。

シロアリ（ブッガ・バグ）の塚の複雑な内部。ヘンリー・スミースマンの、奴隷でない現地ガイドのひとりが指さしている。後ろの塚の上には数人の男が立っている（ヘンリー・スミースマン画）。

バナナ諸島は、シエラレオネの沖合いにある、二個半の砂州の集まりだ（満潮時には三つの小島だが、干潮時にはふたつの島のあいだに地峡が現れるので、平均で二個半）。彼は、何度か罹ったマラリアの最初のとき、バナナ諸島で数週間過ごして回復したのち、混血の首長ジェームズ・クリーヴランドに会いに行った。*

クリーヴランドに承認されて、スミースマンは庭も備えた英国式の家をひとつの島に建てた。クリーヴランドはこの英国人に妻も与えてやった。その若い女――スミースマンは一三歳と見積もった――は、地元の長の娘だった。このような異人種間の結婚はアフリカではよくあることだったが、多くのヨーロッパ人と違い、スミースマンは妻に惚れ込んだ。「婚礼は海岸から大砲を一〇〇発以上発射して祝われ……式に合わせて辺り一帯で唯一の雄牛が殺されました」と彼はあるスポンサーに誇らしげに話している。「私のかわいいブルネッタは、ふさふさの頭をして隣で寝ています……いやはや！　私は確かに彼女を愛しているのです！　彼女は……メディチ家のビーナスのような容姿で、美しいはずむような丘がふたつ、胸に突き出ています」。このような愛情の告白には驚かされる。ほとんどのヨーロッパ人は、自分の女性にセックスと食事を求めるだけだったからだ。

長の娘と結婚したことで、スミースマンは長の支援と保護も受けられるようになった。そのおかげでまた、奴隷でない現地のアフリカ人をガイドに雇い、科学探検を始めることができたのである。そうした探検の大半では、田舎を歩きまわって動植物を採取し、英国に送っていた。英国に着くと、それらは切り刻んで分析され、当時絶大な支持を受けていたリンネの分類体系に従って分類された。しかしスミースマンは、そんな仕事にとどまらず、生態と動物行動について先駆的な研究もおこなっている。たとえば、西アフリカで有名なシロアリの塚にかんする研究だ。

そのアリ塚――地元ではブッガ・バグの丘と呼ばれていた――は、アフリカの平原に小さな火山のようにそびえ立ち、急峻な円錐の高さは最大で三メートル半にもなった。ほとんど土とシロアリの唾液だけでできているのに、上に大の男が五人立てるほど頑丈で、港に入る船を見張るのにうってつけの展望

＊ジェームズ・クリーヴランドの父ウィリアムは英国の立派な家柄に生まれ、ウィリアムの兄弟は海軍本部の書記官だった。しかしウィリアムにはあくどいところがあり、一七五〇年代にバナナ諸島付近で乗っていた船が難破したのち、なんとか島にたどり着くとそこで王を名乗った。彼が現地の女性数人と結婚して生まれたジェームズは、自分自身がアフリカ人とのハーフでありながら、奴隷貿易の事業を強固に築き上げた。クリーヴランドの機嫌をとるために、島でヨーロッパ人は、金のベルトバックルや装飾入りの角杯（かくはい）［訳注：動物の角でできた杯］はおろか、銃やラム酒、布地、鉄製品までも彼に与えつづけなければならなかった。あるときヘンリー・スミースマンは、クリーヴランドのためにおそろしく高価な「起電機」――（おそらく摩擦によって）電荷をためて、ガラス玉で人にショックを与える娯楽用の装置――を注文して英国から届けてもらった。

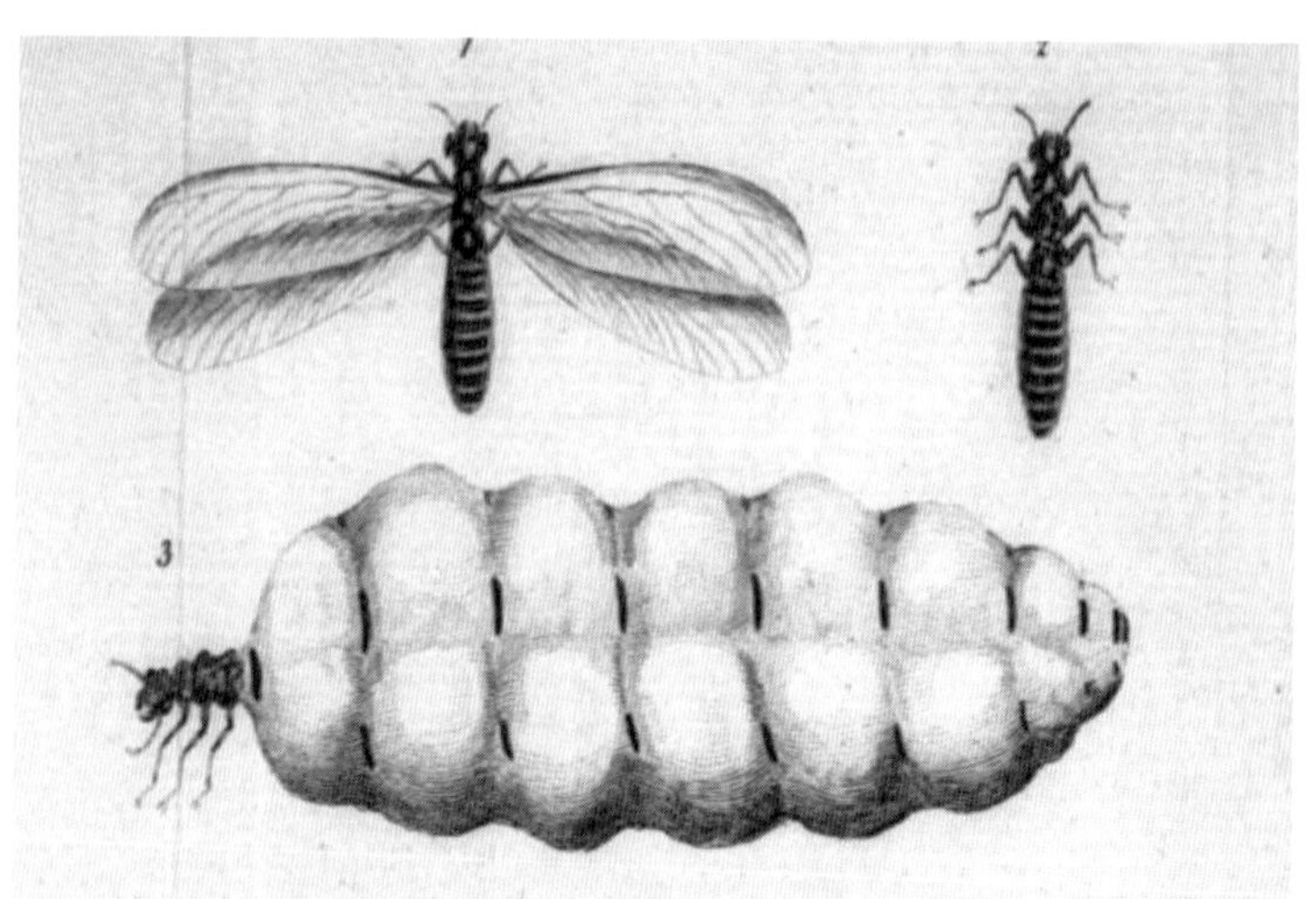

グロテスクなシロアリの女王（図の３番）。小さな胴体につながった産卵用の袋は毎日８万個の卵を排出している（ヘンリー・スミースマン画）。

台とされていたのである。

アリ塚を調べるために、スミースマンとガイドたちは、鍬（くわ）とつるはしをもって忍び寄り、泥の壁を猛然とたたき壊した。それから崩れた土を指で掻き出し、急いで内部を覗き見る。急ぐ必要があるのは、最初の一撃から数秒以内に不気味な鋭い音――「懐中時計のカチカチいう音より甲高くて速い」とスミースマンは振り返っている――が聞こえてくるからだ。それは警戒音で、直後にシロアリの数個大隊が穴からわき出て攻撃する。シロアリが凶暴に咬みつくと、裸足のガイドたちは逃げ場を求めて泣きわめいた。ヨーロッパ人は、初めはよかったが、シロアリはどうしても靴のなかに入り込んでガリガリ咬むので、白いストッキングが血染めの水玉模様になった（真の科学者だったスミースマンは、のちにそのしみをデータに利用し、平均的なシロアリに一回咬まれると、その体重に等しい量の血液が出ると見積もった）。

スミースマンは、ほどなくいろいろな昆虫に咬まれた痛みにうんざりするほど詳しくなったが、辛抱してブッガ・バグの塚の内部をきわめて詳細に調べた。実のところ、スミースマンによるその記述は、建築学の入門書のように読め、小塔やドーム、身廊［訳注：教会堂の入口から祭壇までまっすぐ伸びた中央の空間］、地下墓所、フライング・バットレス（飛梁）、ゴシック様式のアーチにも触れている。彼はまた、塚の形状がふいごの役目を果たし、新鮮な空気を送り込んで内部を一定の温度に保っているのではないかと（正しく）推測した。そして情熱的に、やや熱狂的なまでに、どのシロアリの塚も「セントポール大聖堂がインディアン［訳注：本書で北米先住民の呼び名として散見されるが、歴史的文脈なので原文どおり使用する］の小屋に勝るのと同じぐらい、人間のプライドと野心をはるかに超えた産業と事業の見本となっている」と断じている。

シロアリそのものも、彼の興味をそそった。スミースマンは、まちがいなく手をたくさん咬まれる犠牲を払っただろうが、ついに塚の奥まで掘って「女王の部屋」にたどり着き、グロテスクな女王の姿を目にした。* 小さな胴体に長さ七、八センチメートルの脈打つ袋がつながっていて、その袋から毎日八万個、ほぼ一秒に一個のペースで卵が排出されていたのだ（彼の見積もりによれば、女王は平均的な家来の

＊たとえは科学的なシステムを理解するために役立つこともあるが、シロアリやアリやハチについて「女王」という名を用いるのは誤解を招く。こうした女王は、どんな本来の意味でもコロニー（群れ）の「統治者」ではない。むしろ、女王の生涯はかなりみじめに見える。新たなコロニーができるとき、働きアリや働きバチは、事実上女王を小さな「女王の部屋」に閉じ込める。女王はその暗闇のなかで残りの一生を過ごし、一日じゅう無理やり食べ物を飲み込み赤ん坊を産むほかは何もできない。あなたが残りの一生ずっと子を生みつづけ、体がふくれたあまり、歩くことはおろか這いずりまわることもできないとしたらどうだろう。女王と見なすよりも、もっとふさわしい名は王家の生殖腺かもしれない。

三万倍も体重があり、人間なら妊婦の体重が二〇〇万キログラムあるようなものだ)。ほかのシロアリにもそれに劣らず驚かされた。ある塚の部屋で、スミースマンは白い小さな粒を見つけ、それも卵だと誤認した。しかし顕微鏡で見ると、小さなきのこだとわかった。彼はなんと、シロアリが餌になる作物を育てていることに気づいたのである。いまや科学者は、ほかのいくつかの動物も同じことをすると知っているが、スミースマンは、ホモ・サピエンスが地球の歴史で初めて農業を手がけたのではないことに気づいた最初の人だった(それどころか、アリは六〇〇〇万年前から農業を営んでいた)。

こうした研究で、スミースマンはドイツの博物学者マリア・メリアンの例に倣っていた。メリアンは、一七世紀の終わりにスリナムで先駆的な調査をして「昆虫学の母」として知られていた(裕福なメリアンは、南米への航海を自費でまかない、驚くべき自立心を見せていた。標本採集のために奴隷を使ったのは確かだが、彼女は少なくとも自分の論文で彼らの手助けに感謝している点で、大半の博物学者とは違っていた)。彼女は、昆虫のライフサイクルのすべてについて、各段階で食べるものも含めいち早く調べた科学者のひとりだった。また優れた画家でもあり、北米の伝説的な毛深い巨人サスクワッチの手ほどの大きさがあるタランチュラがハチドリを押さえつけて食べる様子など、ぞっとする場面をノートに記録していた。

それと同じ精神で、スミースマンはシロアリを卵から成虫まで観察し、シロアリの塚について、今なお細部まで生き生きとした表現で有名な絵をいくつか描いている。彼の絵は、社会学的にも興味深い。スミースマンは、自分を行為の中心にいる主人公として描くのではなく、アフリカ人のガイドがブッガ・バグの丘をたたき壊しているところを示して、それとなく彼らの手助けがあったことを明らかにしていた。歴史家たちはまた、のちの複製画と違い、スミースマンの原画はガイドの容貌をヨーロッパの美の基準に従って変えてはいないと指摘している。彼を手伝った男たちは見るからにアフリカ人なのである。

このような事実は、スミースマンがガイドたちに全般的な敬意を払っていたこととも一致していた。ほとんどのヨーロッパ人のように現地人の博物学の知識をばかにするのではなく、ときには自分のまちがいを現地人に正してもらっていたのだ。たとえば、彼は羽のあるシロアリを見つけたが、それは別の種ではなく、すでに知られていた種のライフサイクルにおける一段階だった（リンネさえこれをまちがえていた）。今日でも偏見が強いことを考えるとさらに驚きなのは、どれほど心理的に抵抗があったとしても、スミースマンがそれを脇へやって昆虫を食べる現地の習慣を実践していたことだ。ガイドは彼に、水たまりからシロアリをすくい取り、木の実のように火であぶるのをやって見せた。スミースマンはこう書いている。「このように調理されたものを何度か食べ、おいしくて栄養があり、体にいいと思った。結構甘いが、イモムシや蛆虫（うじむし）ほど太って甘ったるくはない」

確かにスミースマンも、ある程度は当時の偏見をもっていた。手紙のあちこちで、アフリカ人を非常に「ずるく」、「怠け心とよこしまさに満ちている」と語り、ほかにも侮辱の言葉があった。だが彼は、ヨーロッパの奴隷商人に対してははるかに辛辣で、「けだもの」や「人でなし」、「フランスやオランダ、デンマーク、スウェーデンの鼻つまみ者」と呼んでいた。スミースマンは、現地のアフリカ人がもつ医療の知識にも敬意を抱いていた。彼らは「植物について貴重な秘密」を手にしていたのだ。彼は、現地の法廷でのアフリカ人たちを見てから彼らの弁舌のスキルまでも称え、多くの点で英国の法廷弁護士に勝るとして「黒いキケロとデモステネス」と呼んだ。

ブッガ・バグの塚の研究によって、やがてスミースマンはヨーロッパの生物学者たちから一目置かれるようになった——ムッシュ・ターマイト（シロアリ閣下）という愉快なニックネームとともに。スミースマンにまつわる話がそれだけだったなら、彼は、頭の切れる科学者にして、寛容で進歩的な考えをもつ男として、歴史に名を残していただろう。しかしあいにく、ここで明かすべき話がもう少しある。スミースマンのガイドは、ほとんどが自由な身分の現地人で、奴隷ではなかった。そのため、シエラレオネに来て最初の数か月、スミースマンは奴隷制から距離を置いていられたので、自分は奴隷制とほとんどつながりがなく、ただ取引と交通で関与しているだけだと己を慰めることができた。ところが、距離を置いたままでいることは思ったより難しかった。当初の資金が残り少なくなると、彼は取引の条件を良くするために奴隷商人と友好的な関係を結びだした。そして次第に、あまりにも人間らしい理由で警戒を緩めていったのである。スミースマンは孤独に陥った。一七七三年四月、アフリカでの滞在が一七か月目に入ったころに、彼はスポンサーへの手紙で率直に孤独な状況を嘆いている。そのころには三人の妻がいたが、同郷の仲間——同じ言葉を話し、同じ神を崇め、同じ賛美歌に心を動かされる人間——に会いたくてたまらなかった。そこで少しずつ、スミースマンは奴隷商人のもてなしの誘いに応じるようになった。これは緩和剤にすぎない、孤独を和らげる一時的な慰めにすぎない、と自分に言い聞かせながら。

科学の分野で奴隷貿易を利用していたものは、博物学だけではない。ケープタウンにできた南半球初の大きな天文台は、奴隷の労働によって建造された。彗星で有名なエドモンド・ハレーは、月や恒星のデータをあちこちの植民地の奴隷商人に頼んで手に入れ、地質学者もそうした場所で岩石や鉱物を集めた。また王立協会は、奴隷貿易の港に観察結果を求めるアンケートを送り、奴隷貿易会社への投資で利益を得ていた。

天体力学ほど高尚な分野さえ、恩恵にあずかっていた。アイザック・ニュートンは、ほとんどひとりで家に引っ込んでいる変わり者だった。机で方程式を書きなぐり、学者仲間からもそれを隠していたのだ。しかし、有名な重力の法則も収めた『プリンシピア』(中野猿人訳、講談社など)を書くにあたり、ニュートンは斬新で世間一般に向けた予測をした。月の重力が潮の干満を引き起こすという予測だ。これを証明するために、世界各地の満潮・干潮の高さとタイミングのデータが必要で、ある重要なデータが、カリブ海のマルティニク島にあるフランスの奴隷貿易の港から手に入った。天体力学はまさしく別世界のもので、卑しい人間の暮らしからどこまでも遠く離れているように思える。ところが、奴隷制は当時ヨーロッパの科学の土台をなしていたので、『プリンシピア』すらもその影響から逃れられなかった。

それでも、博物学が最も奴隷制の恩恵にあずかっていたことは疑問の余地がない。場合によっては、奴隷制の拡大を助けさえした。植民地の商人は、染料や香辛料のような海外の天然資源を熱心に求めていたので、そうしたものを探して栽培する最良の手だてを科学者に相談していた。さらに、キニーネなどの医薬の研究は、ヨーロッパの白人が熱帯地方で生きていくうえで役立った。また、植民地がヨーロッパ人にとって安全で多くの利益を生むほど、奴隷貿易も含むその地の商業活動が盛んになった。したがって科学研究は、植民地の奴隷制を利用していたばかりか、奴隷の新たな市場の開拓もしたのである。

南北アメリカ大陸で一部のヨーロッパ人の博物学者は、危険な場所で奴隷に標本を集めさせもした。

奴隷に木登りをさせたり、冷たい池に飛び込ませたりしたのだ。トゲのある木の茂みを抜けさせられたり、命の危険がある滑りやすい斜面を登らされた奴隷もいた。少数のコレクターは奴隷に手伝いの報酬を払っていた。ぼろぼろでなければ、昆虫一ダースにつき半クラウン（現在の一八ドルにあたる）、植物一ダースにつき一二ペンス（現在の七ドル）だった。だがほとんどのコレクターはもっとケチで、標本を集めたアフリカ人の圧倒的大多数は金も感謝の言葉も受け取っていなかった。そうした男女のなかで、今も植物に名を残しているのはごくわずかだ。たとえばマジョー・ビターという低木は、その樹皮をイチゴ腫という梅毒に似た皮膚病の治療に用いていたジャマイカの白髪の奴隷マジョーにちなんでいる。

アフリカ人で最も有名な博物学者は、クワシだった。一八世紀にスリナムで活動していたロッコマン（呪術師）だ。自身が奴隷でありながら、クワシはたいていヨーロッパの白人の側に付いてアフリカ人を犠牲にし、今なお論議の的となっている。彼を見ていたあるヨーロッパ人によれば、クワシは「小石と貝殻、切った髪の毛、魚の骨、羽毛など」から魔除けを作り、「首に巻く綿のひもに縫い付けていた」という。クワシは自由を求めて戦う奴隷たちにそんな魔除けを売り、封じ込まれた魔力によって戦いで無敵になると言い聞かせていた。実際にはそうはならなかったが、それでもクワシは暴利をむさぼりつづけた。言い伝えによれば、彼はジャングルに逃げ出した奴隷たちのなかに潜入し、彼らの居場所を白人の兵士に密告していたらしい。このようなおこないによって、クワシは自由を認められ、ヨーロッパの高価な衣服や「クワシ、白人に忠実」と刻まれた金の胸飾りも与えられていた。だが報復として、逃げ出した奴隷の一団に待ち伏せされ、右耳を切り取られている。

いかに論議の的であっても、クワシは植物の達人と見なされていた。彼は、腹痛を鎮めて熱を下げる

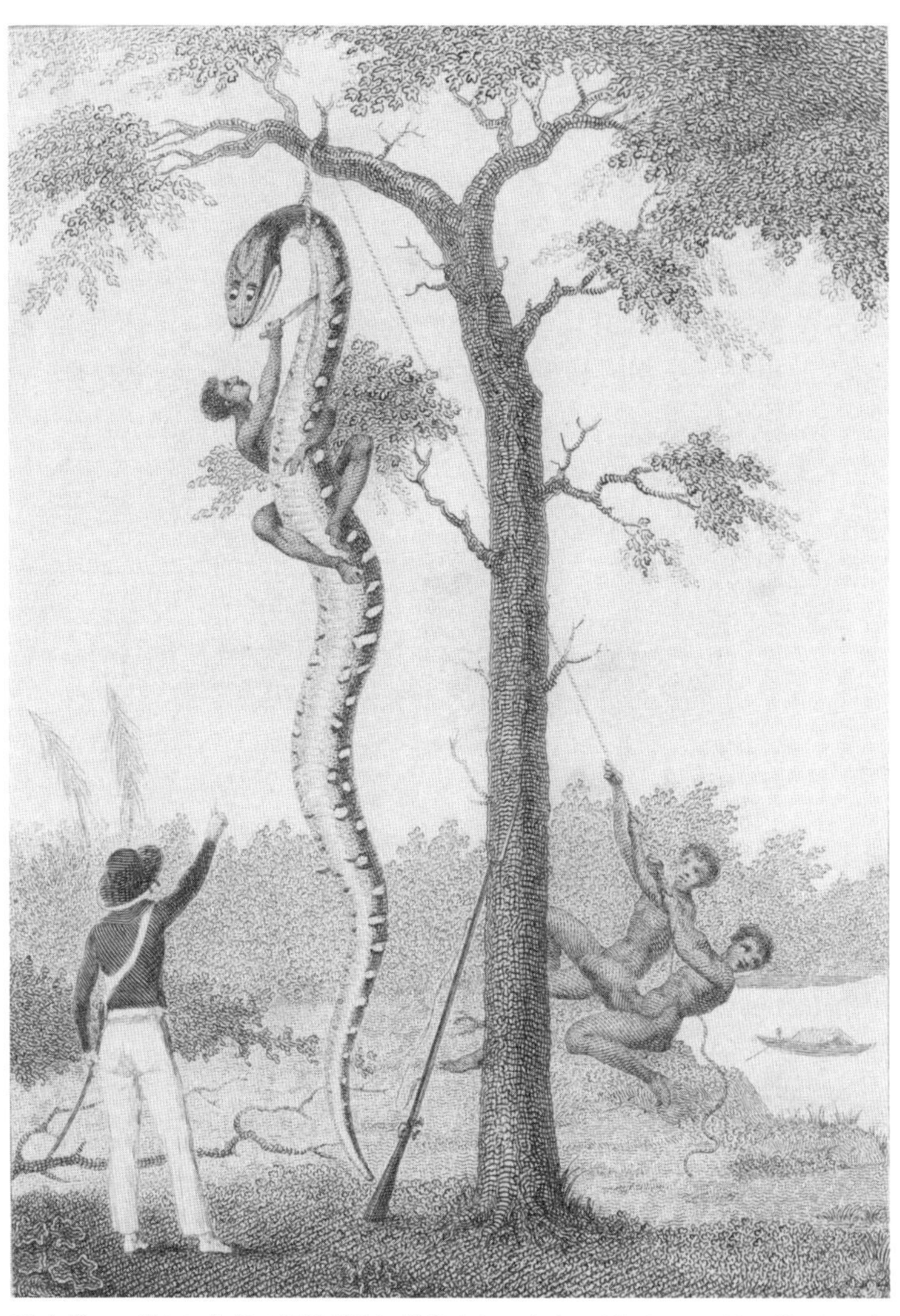

デイヴィッドという名の奴隷が木に登らされ、主人のジョン・ステッドマンのためにボアコンストリクターの皮を剝いでいる。奇妙なことに、この絵を描いたのは詩人のウィリアム・ブレイクだ。

根の粉を調製していたことで、とくによく知られていた。ヨーロッパの多くの白人は、自分の主治医を信用するよりも、彼の治療を受けていた。* なんともたいした信任ぶりである。三〇年ものあいだ、クワシはその根が何なのかを明かそうとしなかったが、あるときついにリンネの弟子を森のなかへ連れて行き、鮮やかな赤い花をつけた低木を指さした。弟子がその木をリンネのもとへ持ち帰ると、リンネはそれに*Quassia amara*という学名をつけた［訳注：クワシの名をヨーロッパ人はQuassieと表記していた］。これは奴隷にちなんだ名前の種として珍しい一例だ。

白人に非常に忠実だったクワシがヨーロッパの科学者によってその名を残した一方、ほかの多くの優れた男女が忘れられてしまっているのも、偶然ではないだろう。しかし、なんらかの植物や虫につけられたヨーロッパの名前に対し、きっとひとりやふたり、あるいは十数人の無名の手助けがあったのだろうということは忘れてはなるまい。

クワシと違って、スミースマンは植物が専門ではなかった。彼は虫好きの男だったので、シエラレオネで見知らぬ植物のすべてを分類しようとしたものの、くじけて打ちのめされた。だから、一七七三年初めに一通の手紙が届き、リンネの弟子にあたる植物学者アンドレアス・ベルリンがバナナ諸島で調査に加わることを知ると小躍りした。植物の研究から解放されるだけでなく、新たに紳士の科学者と一緒になれるからだった。

まだ二七歳だったが、ベルリンはすでに堂々たる経歴の持ち主で、ジェームズ・クック船長の有名な科学調査航海のひとつに同行していた。すぐにベルリンは、植物学者として真価を発揮する。一七七三年四月、スミースマンとの最初の探検調査で、ベルリンはヨーロッパの科学界には知られていなかった新種を、一五分以内に三つ発見し、その収穫に歓喜した。彼はある手紙で勢いよく書いている。「私はまるで、ずっと目が見えなかったけれどもたった今目が開いて初めて日の光を見た人のようです。驚いてひっくり返り……」。しかし、才能はあったものの、ベルリンにはひとつ大きな欠点があった。酒である。植物観察をしていないときには、いつも大酒を飲んでいて、それにスミースマンは腹を立てた。とくに、別の助手も飲んだくれだったからだ。「ふたりの助手がいてどちらもしらふでないというのは」と彼は嘆いている。「かなり不幸だ」

スミースマンに協力した先住民も彼を憤慨させた。ほとんどは地元の村人で、どうでもいいような虫や草を集める彼の習癖を陰でクスクス笑っていた。クスクス笑ったのは、スミースマンがそうした標本を金で買いたいと告げるまでだったが。その後、彼には対処しきれないほど「助け」が得られるようになった。「男も女も子どもも押しかけてじろじろ見つめ、質問を投げかけ、あれこれ売りに来た。花をつける植物や……どこにでもいる昆虫、家のなかのゴキブリやクモまでも」。やがてスミースマンは村人を追い返しはじめ、村人は困惑して愛想をつかした。なかには、腹いせに彼の鼻先で標本を盗み、も

＊クワシとはまるで違い、一部の奴隷は植物の優れた知識をもとに、自分たちを捕らえた者たちに毒を盛って復讐しようとした。キャッサバはとくによく使われた毒で、それはきちんと調理すればおいしい料理になるが、そうでないと有毒だからだ。奴隷たちはキャッサバの汁を摂取する虫を捕らえ、干してすりつぶし、できた粉を爪の下に隠した。そして主人に食事を出すときに、こっそり皿にそれを落としたのである。

う一度金を払わせる者もいた。

とりわけベルリンに対しいらだちを募らせたスミースマンは、自分にとっての数少ないはけ口のひとつ――奴隷商人との付き合い――で鬱憤を晴らすようになった。

スミースマンが、奴隷船に乗り組んでいた下劣な人間を好きにはならなかったのは確かだ。彼らは粗野で口の悪い連中で、あるときスミースマンは、「錆びて汚いべたべたのナイフ」で紅茶をかきまぜ、荷馬車の車輪に塗るグリースにしかならないほど腐敗したバターを食していると言って軽蔑していた。だが、シエラレオネの奴隷貿易にかかわる商人や船長や上流階級の人間は好きになったのである。

実は、こうした「紳士」も船乗りとまったく同じように冷酷だった。それどころか、彼らは実際に奴隷貿易で利益を得ている者たちだったのだ。しかし彼らはいくらか洗練されていたので、スミースマンはバンス島にある彼らの「田舎の大邸宅」に立ち寄り、ホイストやバックギャモンといったゲームをするようになった。あるいはまた、でこぼこの二ホールのコースでゴルフにも興じた（スミースマンはそれを「ゴフ」と呼んでおり、ゴフは今日のゴルフとは少し違っていた。ボールはテニスボールほどの大きさで、それを入れる穴は彼いわく「帽子の山の部分の大きさ」だったのだ）。スミースマンは、無神経な言葉遣いで、ゴルフはスイングの「一撃以外はまるで暴力的なところがないから、温暖な気候に最適な運動」だと言っている。ところが現実の暴力が、島の反対側の四〇〇メートルほど離れた場所で振るわれていた。奴隷が鎖でつながれて檻に入れられ、鞭打たれていたのである。一七七三年五月、スミースマンはロス諸島にヤギ狩りにも出かけ、酒を飲むときの自分のルールを曲げて、浜辺でグロッグ［訳注：水割りのラム酒］を痛飲する宴を楽しんだ。このどんちゃん騒ぎで一緒にいたひとりが、ほかでもないジョン・ティトルだ。ほどなく少年を海に投げ込んで、その父親に糞便の樽を送りつけた奴隷船の船長である。しかし少なくともその日は、彼とスミースマンは親しい友だった。

宴の直後、スミースマンはティトルの奴隷船に乗せてもらってバナナ諸島へ戻ったが、そこで見た病気の蔓延について痛ましい描写を残している。ある歴史家はそれをいみじくも「ダンテ風」と言い表した。「毎日、熱病や下血、麻疹(はしか)、寄生虫病で死にかけた二、三人の奴隷が船外に放り投げられる」とスミースマンは書いている。「医師は炎症や傷や潰瘍の手当てをしたり、男たちの口に薬を押し込んだりし、別の者は九尾の猫鞭を手にして見張り、彼らに薬を飲み込ませていた」

病気の犠牲者のなかに、アンドレアス・ベルリンもいた。飲酒ですでにベルリンの健康は害されていたが、熱と下痢で床に伏しているときでも、彼は日々の糧食として船にあるグロッグを要求した(また民間療法としてだったのかもしれないが、パイナップルをたくさん食べた)。スミースマンは、初めは酒を与えずにいたが、じきに折れた――あとで悔いることになるが。ほどなくして、アフリカへ冒険に来てわずか三か月で、ベルリンは死んだ。

そのショックのあと、スミースマンはさらに奴隷商人との交際を求めるようになった。このモラルの堕落は単純で直線的な下降ではなかった。先ほどの病気のくだりからわかるように、わが子に乳を飲ませるふたりの黒人の母親を見て悲しさで押し黙ったあの男は、まだ彼のなかに存在し、まだ奴隷制は罪悪だと認識していたのである。それでも、全体の傾向はまちがいなく下降線をたどっていた。当初、彼は物質的な支援――道具、食料、郵便――でのみ、奴隷商人を頼みにしていた。その後、取引の条件を良くするために彼らと友好的な関係を結んだ。やがて、彼の日々に影を落とす孤独を追い払うべく、友好的な関係が本物の友人関係となった。心理学者なら予想がつくように、奴隷商人との接触が増えると、彼らの立場に共感し、彼らを擁護するようにさえなったのだ。

事態はそこから悪くなる一方だった。スミースマンが探検調査を始めて一年半が経っても、（少数の昆虫のほかは）ほんのわずかな標本しか英国に届いていなかった。スミースマンの落ち度ばかりではない。標本の作成に時間がかかり、また三角貿易は一方通行なので、彼の標本箱は奴隷船に積んでカリブ海経由で英国に戻ることになり、到着が何か月も遅れたのである。おまけに、遠洋の航海は万全な環境でもなかった。日光や暑さ、湿度、塩水の大波が標本を損なわなくても、船上の蛆虫やアリや齧歯類がたいていだめにした。

そのため、何も得られなかったスポンサーたちは、スミースマンへの儲けの少ない出資について不平をこぼすようになった。するとスミースマンは、もっと標本を届けなければ、科学者としての自分の評判――と自分が紳士の科学者になれる望み――が失われてしまうと思った。そこで彼は、リヴァプールに拠点を置く奴隷商人の仲介人として働き、その商人のシエラレオネでの商売を発展させた。それと引き替えにスミースマンは、アフリカから英国へまっすぐ帰る数少ない船に、自分の標本を載せるスペースを確保した。死んだ虫や植物の維持は、彼にとってモラルの維持よりも大事だったのである。

一七七三年の中ごろには、スミースマンはみずから奴隷貿易に手を染めるようになっていた。貨幣はアフリカではさほど役に立たなかった。現地にいる人々は、物品――奴隷も含む――との交換を好んでいたからだ。じっさい、英国からスミースマン宛ての小包を届けた船長が、代金として奴隷ひとりをよこせと求めたこともあった。現地の経済も、奴隷で回っていた。スミースマンには、手紙で説明していたとおり、「ろうそく、砂糖、紅茶、バター」、靴、釘などの日用品が慢性的に足りなかった。彼がどれほど遺憾に思っても、奴隷はシエラレオネで通貨の一種であり、何とでも交換できる「商品」だったのだ。首長に賄賂を渡したりガイドを確保したりするのに必要な、タバコやラム酒といった物品とも交換できた。首長やガイドの助けがなければ、スミースマンは科学調査を続けられなかっただろう。調査の中断は、彼には受け入れられない考えだった。そこで彼は、必要であれば奴隷を物品と交換しだしたのである。

そして案の定、一七七四年までに、スミースマンは地元で奴隷を取引するだけでなく、調査の資金を得るために南北アメリカ大陸の農園に奴隷を売るようになった。彼はなお、手紙のなかで奴隷貿易への関与を弁護していた。現地の生活における経済的な実情から、この市場に追い込まれたと主張したのだ。しかし、彼の良心はそこかしこでほころびていた。あるとき彼は、「奴隷貿易にかんする私の良心の呵責は失われてしまった」と打ち明けている。スミースマンは、自分が嫌っていた制度に取り込まれてしまったのである。

ヘンリー・スミースマンの時代に科学が犯した罪が、今ではすっかり過去のものだと思えたらいいだろう。なにしろ、大西洋奴隷貿易は一九世紀の初めに終わっているのだから。しかし実際には、われわれは科学的な物の見方を『プリンシピア』や『自然の体系』のような本に頼っており、どちらの本も奴隷貿易がなくては完成しなかった。さらにひどいことに、奴隷貿易によって集めた多くの標本が、今な

お各地の博物館に収められている。

とりわけ重要な収蔵物の持ち主は、ロンドンの医師で博物学者でもあったハンス・スローン*にまでさかのぼる。若いころ、スローンはジャマイカの農園で標本を採集し、その後、奴隷を所有する裕福な家に婿入りした。そうして得た富をもとに、彼はほかの博物学者からコレクションを買い取り、やがて数万点にのぼる世界最大の博物学コレクションを築き上げた。おぞましいことに、コレクションにはヒトの標本も含まれ、彼は個人的なカタログにこう記録していた。「赤い蠟(ろう)と水銀を注射された黒人の腕の皮膚」。「ヴァージニアの黒人の胎児」。「アフリカの黒人女性の膣から摘出された結石」。スローンはこのコレクションをきっかけに、一七二七年、ほかならぬアイザック・ニュートンから引き継いで王立協会の会長になった。

一七五三年に亡くなったスローンは、変わったことをした。娘たちに金銭を残したかったが、一方で自分のコレクションがオークションで散り散りになるよりも、それをそのまま残したいとも思ったのだ。そこで遺言により、すべてを英国政府に二万ポンド（現在の三一〇万ドル）で売り、その金で博物館を建てさせることにした。政府は資金を集めるために、チケット一枚三ポンド（四七〇ドル）の宝くじを創設した。業者がチケットを大量に買って利ざやを稼ぐなど、一部でいかがわしい取引もあったが、その宝くじで三〇万ポンド（四七〇〇万ドル）も調達できた。政府の官僚は、博物館を一般に公開したかったため、大英博物館と名づけた。それはすぐに、世界でも有数の知名度を誇る施設となる。のちに、スローンのコレクションの大半は、これまた文明の灯台とされるロンドン自然史博物館へ移された。こうしてスローンの標本——その多くは奴隷貿易と直接結びついていた——は、世界有数の著名な文化施設の基礎をなすコレクションとなったのだ。

公正を期して言えば、そのような博物館がそれだけのはずはない。ほかにも奴隷貿易と結びつきのある標本が、オックスフォードやグラスゴー、チェルシーにある。それどころか、ヨーロッパのどの大都市――パリ、マドリード、ウィーン、アムステルダム――でも、きっとほぼすべての自然史博物館に同じような出どころの収蔵品があるだろう。それはほこりをかぶった珍品だけでもない。科学者は今でもそうしたコレクションを参考に、植物の栽培や過去の気候変動を研究している。あるいはまた、標本からDNAを取り出し、動植物が何世紀ものあいだにどのように変化を遂げたかについても調べている。しかしほとんどの科学者は、自分が利用しているものの出どころを気に留めていない。

多くの歴史家もまだ気づいていない。だが、少なくとも一部の人はもはや目をそらしてはいられず、博物館のコレクションの出どころをたどりはじめている。何人かは、奴隷への償いや奴隷制による文化的遺産についての広範な議論に、科学を引き込もうとさえしている。ある人が言ったように、奴隷貿易の利益にかんする議論はたいてい「ドルやセント、ポンドやペンスの点に」限られているが、「[利益は]集めた標本や公表した論文でも当然測れる」ものなのだ。

この遺産について認めるのは、科学者にとってはつらいこともある。そもそも、科学は進歩的なもの

＊面白いことに、ハンス・スローンはジャマイカでミルクチョコレートも発明している。彼はそれを、当時薬と見なされていたココアをもっと服用しやすくするものと考えていた。ロンドンに戻ったスローンは、その製法をある薬剤師に売り、さらに薬剤師はキャドバリーという小さな会社［訳注：英国の歴史ある菓子メーカーで、現在は米国のモンデリーズ社の子会社］に売った。あなたはチョコレートバーをかじるたびに、科学と奴隷と工業の絡み合いにまで歴史をさかのぼれるのだ。

――世界を善に向かわせる力――ではないのか？　まちがいなくそうだ。しかし、科学は人間の活動でもある。善意に満ちてはいるが誤りを犯しがちな人々、みずからの研究にのめり込むあまり、良心の呵責から目をそらしてしまう人々、ヘンリー・スミースマンのような人々の活動なのである。

結果的に、スミースマンは妥協の末、科学において自分が求めるものを得ることができた――ある程度は。奴隷貿易に手を染めることで、ブッガ・バグの塚への長い探検調査に必要な物資や取引する品物を確保でき、全体として非常に多くの標本を集められた。あるスポンサーはのちに供給過剰になったことをこうぼやいているほどだ。「私の屋敷では半分も収められなかった」。アフリカに来て四年経った一七七五年の末ごろには、ムッシュ・ターマイトは科学者としての自分の評判に確信をもち、英国に戻れば英雄として出迎えられると思っていた。そこで彼は、標本をまとめてカリブ海行きの奴隷船エリザベス号の切符を手に入れた。

スミースマンが乗り込むなり、船長は虫や植物を入れた彼の収納箱を引っつかむと中身を全部空けた。そして代わりに船乗りたちのピストルを詰め込んだ。収納箱に頑丈な鍵がついていて、暴動や奴隷の反乱が起きても銃をしっかり保管しておけるからだった。ところが船長には、すぐにもっと大きな心配事ができた。エリザベス号は古い屋根のように隙間から水が入り込み、浮かんでいるためにつねに水を汲み出していないといけなかったからだ（西インド諸島に到着して数週間後、この船には、航海に適さないとの判定が下った）。エリザベス号に乗っていた二九三人の奴隷のうち、五四人がアメリカ大陸へ渡る途中で亡くなっている。

スミースマンは西インド諸島到着後すぐに英国へ出発するつもりだったが、それまでの旅のあいだにまたマラリアに罹り、ひどく弱っていたので、大西洋を戻る航海で厳しい冬の風を浴びたくはなかった。そこで、数か月休むことにしたのである。ところが、準備万端と思えたころには、アメリカ独立戦争が起きており、アメリカの私掠船が英国の船をあちこちで拿捕していた。いきなり取り残されてしまったスミースマンは、トバゴ島に身を落ち着けることになり、その後四年間、いろいろな島で博物学の調査をしていた。とりわけ彼は、カリブ海一帯のヒアリを調べた。ヒアリはあちこちの島で群れをなして大移動し、その数はとても多くて、モーセさえファラオに対してそれを降らせるのをためらったように思われた［訳注：旧約聖書でモーセは、エジプトで奴隷になっていたイスラエルの民をファラオ（エジプト王）から解放すべく、神の助けを得てエジプトにもたらした十の災いのなかに、虫を降らせるものがある］。ヒアリは島々の動物をも襲い、馬や牛を一夜にして骨だけにしてしまった。現地の人々は、その大群をアリの「暴風」と呼んでいた。

しかし、そうした年月のほとんどのあいだ、スミースマンは奴隷制について考えて過ごした。西インド諸島はいろいろな意味でのどかで（青々と緑が茂り、目新しい標本だらけだった）、彼は動植物を集めてまわる楽しい日々を送っていた。だが、ときおり農園のそばを歩くと、鞭の音が響き、そのあとに悲鳴が聞こえた。男女の奴隷を公衆の面前で鞭打つのも目撃し、彼らの体に縦横に付いていた長く波打つ傷跡がスミースマンの眠りを妨げた（奴隷の持ち主はよく、そうした傷にろうそくの蠟を垂らしたり、トウガラシをすり込んだりして痛みをひどくしていた）。トウガラシを奴隷の目に直接入れることもあった）。アフリカではまだ、スミースマンは奴隷を使う現場から離れていられた。しかし、農園での虐待は彼の倫理的判断を正し、スミースマンはふたたび奴隷制を拒否することとなった。

スミースマンはようやく三角貿易の最後の行程をたどることになり、一七七九年の八月に英国へ向けて出発した。予想はできていたが途中で海賊が船を捕らえ、彼の残りの標本――数年分の仕事――をすべて海へ捨ててしまった。スミースマンは無一文で英国へ戻り、彼が想像していたような英雄としての出迎えはなかった。シロアリの塚について高く評価される論文は確かに王立協会に提出した。だが、高慢な会長はスミースマンが自分たちのランクの紳士にはふさわしくないと判断し、彼が会員に選ばれるのを事実上阻止した。スミースマンは悲嘆に暮れたにちがいない。紳士の科学者になるという夢が打ち砕かれたのである。

そこで彼は、独り立ちして科学の講演者となり、満員の聴衆を前に、ヒアリやシロアリにかかわる冒険の話をした。スミースマンは奴隷制廃止運動を進める一端も担った。じっさい、科学の講演の最後は必ず奴隷制にかんする短い訓話で締めくくった。「この忌まわしい政策は」と彼はあるとき言っている。「ヒトのある種［人種のこと］を貶(おと)めて、ほかの種の一部を贅沢にふけらせるものです」

ひょっとしたら奴隷貿易にかかわった日々に罪悪感を抱いていたためかもしれないが、スミースマンは、シエラレオネに自由な黒人が農業を営む植民地を作る基金も集めだした。対象となる黒人には、北米で独立戦争中に英国に味方して自分の主人たちと戦った奴隷も含まれていた。何百人もの男女がこの基金に加わり、そのなかには、異人種間で結婚して、嫌がらせを受けないどこかに住みたがっていた数十組の夫婦もいた。スミースマンは、パリへ行ってベンジャミン・フランクリン［訳注：アメリカ独立宣言を起草したひとり」に会い、この著名なアメリカ人に自分のプランを支持してもらおうとまでした（パリ滞在中にスミースマンは、たまたまモンゴルフィエ兄弟による一七八三年の世界初の気球飛行を目にしていた。その光景に触発された彼は、葉巻形で左右に翼がついた独自の気球も設計した。球形のモンゴルフィエのものより舵がきくのではないかと思ったのである）。

ところが一七八六年七月、入植者がアフリカへ発つ予定を立てるまで数か月というときに、スミースマンはまたもやマラリアに罹った。当時はまだ、南米諸国がキニーネをため込んでいたので、わずか三日後に――だれかが彼のためにそれを手に入れる間もなく――彼は死んだ。それでも四〇〇人の入植者がその年に出航したが、雨季の真っ最中に目的地に到着し、スミースマンのコネや知識も失ったため、生きるために食べ物の施しを請わなければならなかった。三か月のうちに、彼らの三分の一が亡くなった。やがて残りの入植者を現地の首長が追い出し、掘っ立て小屋を焼き払って、ヘンリー・スミースマンの贖罪という大いなる夢ははかなく消え失せた。

若くして世を去ったものの、スミースマンは、間接的だがひとつ実際に、奴隷制廃止運動を前進させた。一七八六年の初めに、彼がシエラレオネの植民地のビジョンについて小論を記すと、それを読んだスウェーデンのふたりの科学者――鉱山技師のカール・ヴァドストロームと植物学者のアンデシュ・スパーマン――が大いに感化され、一七八七年の終わりにアフリカへ向かった。ふたりはアフリカ大陸の奥地を訪れる計画を漠然と立てていたが、結局セネガルにあるフランスの奴隷貿易の港から動けなかっ

た。それから数か月間で目にしたものに愕然とした彼らは、スミースマンとは違い、憤怒の感情がむしばまれるほど長くはとどまらなかった。

ふたりは急いでロンドンへ戻り、「奴隷の地下牢」や「鎖でつながれて血まみれで横たわっている」男女の話を人々にして聞かせ、奴隷を安く手に入れるためにフランス人がめぐらせた悪魔のような企みも暴露した。フランス人は、自分たちで襲撃するリスクを冒さずに、対立するふたつの部族に武器を売り、両者を戦わせた。すると必ずどちらかが敵を捕虜にするので、そこへフランス人がやってきて捕虜を買い上げるのだ。ヴァドストロームはそんな戦いの直後、勝った部族がまもなく奴隷になる者たちを港へ連行し、歌いながら手をたたき、角笛を吹いていたときの様子も語っていた。「騒がしい楽器の音とともに、一方が悲鳴を上げて苦悶し、他方が大声で歓喜する様子に釘付けになった。かつて私は、これほどひどい光景を目の当たりにしたことはなかった」。なにより恥ずべきことと言えそうなのは、スパーマンとヴァドストロームがこうした企みを暴露するのに、じっくり調べる必要もなかった点だ。フランスの奴隷商人たちは、自分たちの利口さを鼻にかけて、その話をほとんどみずから吹聴していたのである。

ふたりのスウェーデン人は、しまいには英国の下院と商務省に赴き、そこでの証言がロンドンで騒ぎを起こした。騒ぎになった理由は、ふたりが明らかにした事実と、ふたりが何者であるかの両方にあった。一七八〇年代は啓蒙思想の全盛期で、当時科学者はとがめられない——社会が直面する大問題の証人として疑う余地のない——人間と考えられていた(今とは違う……)。そのため、それまで奴隷制の糾弾をためらっていた多くの人が、一気に奴隷制廃止論に傾いたのだ。科学者が奴隷貿易は悪だと言ったなら、それに異を唱えるなどおこがましいと思えたからである。

確かに、このふたりのスウェーデン人だけの力で、大英帝国の奴隷貿易が終わったわけではない。アフリカ人が多くの役割を果たした。オラウダ・エクイアーノなどの「アフリカの息子たち」のように自由になった奴隷がみずから証言し、一七九〇年代にはハイチで奴隷が血にまみれた長い反乱で勝利を収めた結果、英国の大衆は自分たちの政府が支持しているものに疑問をもつようになった。クエーカー教会も、奴隷制廃止のために長く孤独な戦いを続けていたことで称賛に値する。それでも、奴隷制廃止論者の筆頭だったトマス・クラークソンが言っていたように、スウェーデンの科学者たちが世間に訴えたとたん、「われわれを強く阻んでいた潮流が……われわれを後押しするように少し変わりだした」。このようにヴァドストロームとスパーマンは、長く奴隷制とかかわり合っていた科学が名誉を挽回し、奴隷制を終わらせる推進力になるのを助けたのだ。

スミースマンは、権威ある王立協会の会員になるという夢を実現できぬまま世を去った。彼を差し置いて、王立協会がきわめて評判の怪しいほかの科学者たちを選んでいたと知れば、とくに腹立たしかったにちがいない。とりわけそのうちのひとりは、スミースマンとおおよそ同じ時代の医師で、科学史上有数の悪名高い組織犯罪活動を率い、解剖用の死体を手に入れるために何百件もの墓泥棒に手を染めていた。

実のところ、医師は罪深い科学の歴史で単独のセクションを設けていいほどだ。医師は人間を直接相手にするので、科学に人間味を与えることが多い。しかし、人間を相手にすると、新たな倫理的ジレンマや新たな虐待の機会をもたらすことにもなる。

3

墓泥棒
——ジキルとハイド、ハンターとノックス

その連続殺人は、罪のない形で始まった。エディンバラの丘の頂に建つ有名な城の陰に隠れるようにして、こぢんまりとした石造りの下宿があり、そこでドナルドという老人がかろうじて生きていた。彼は肺に水がたまり（水腫）、乾いた陸地でほとんどおぼれていたのだ。一八二七年一一月のある晩についに老人が亡くなると、家主のウィリアム・ヘアは教会による埋葬の手配をした。

だが、そこでヘアは気づいた。教会はすぐに遺体を取りに来られなかったので、ヘアは隣人のウィリアム・バークに、黙って遺体を売っていればよかったと話した。当時、遺体を所有して売ることは違法ではなく、いかがわしくはあるが確かな市場があったのだ。エディンバラでは解剖学者がいつでも解剖用の死体を欲していて、即金で払ってくれていた。バークもこれはチャンスを逃したねと言った。ところが、ふたりはそれでふてくされずに、みずから運を切り開いた。まもなく大工がやってきてドナルドの棺を密封し、ふたりを残して去った。それから彼らはすばやく行動に移って鑿で蓋をこじ開け、ドナルドの遺体をそばのベッドに隠し、代わりに棺にゴミ――デッド・ウェイト（死重）［訳注：動かなくて重いもののこと］――を詰めて戻した。あとで教会のスタッフが棺を受け取りに来たが、何も気づかなかった。

ふたりはそれから、遺体を売り払わなければならない。ふらふら歩いてある医学校まで行ったが、解剖学者のチーフは不在。そこでヘアたちはその解剖学者のライバルのひとり、ロバート・ノックスのところへ行った。ノックスも不在だったが、あとでまた来るように助手に言われたふたりは、その晩ドナルドを何かでくるむと、ノックスに見てもらうために引きずっていった。高名な解剖学者は頭頂部がはげていて、左目は天然痘にやられて見えなくなっていた。彼はまたちょっとめかし屋でもあったが、その晩仕事をしていたなら、血だらけの上っ張りを着ていたはずだ。

バークとヘアは、ノックスの研究室で緑のフェルトを敷いた解剖台にドナルドを載せ、包みを解いた。そして、ノックスが良いほうの目で死体を眺めるあいだ、固唾を呑んで見守っていた。胃が痛くなるほどの緊張だったにちがいない。俺たちが盗んだのではないかと疑われるだろうか、と思って。

連続殺人犯のウィリアム・ヘア（左）とウィリアム・バーク（右）（ジョージ・アンドルー・ルテナー画）。

「七ポンド一〇シリング払おう」。やがてノックスがそう告げた。

ふたりは金を受け取るとそこを出た。バークはやましく思ったが、だれも傷ついたわけではない。ふたりとも、いずれにせよ金が入り用だったのだ。

だが、金とはそういうものだが、七ポンド一〇シリングはすぐになくなった。だから、ジョゼフという年老いた粉屋が数か月後にヘアの下宿に入り、致命的な熱病に罹ると、ふたりはまた企てずにいられなくなった。ヘアはなんとしてもジョゼフを片付けたかった。自分の下宿に悪疫の評判を立てられたくなかったのだ。それに、この老人がどのみち死んだも同然なら、ちょっと早めてやってもいいではないか。最初に提案したのがどちらかわからないし、あえて声に出して話を持ちかけたのかどうかもわからない。しかしそれから一日と経たずに、バークはジョゼフの顔にそっと枕を押しつけていた。そして、ヘアが粉屋の胸に覆いかぶさって肺の動きを止めた。そのようにして、ふたりは売るための新たな死体を手に入れたのだ。

いや、そうだろうか？　今度ノックスのところへ行くのは、二重の意味で気が張るものだったにちがいない。きっと熟練の解剖学者なら殺人と見きわめられるはずだった。

バークとヘアは、心配する必要はなかった。殺人ミステリーのファンなら知っているように、人の首を絞めると、たいてい舌骨が折れる。その骨はもろく、圧迫されるとひび割れるからだ。ところがエディンバラのふたりが顔と胸を押さえつけて窒息させた方法――ほどなくバークの名にちなんで「バーキング」と呼ばれるようになる――では、舌骨はそのまま残った。つまり、彼らは人を窒息死させるきわめて賢い方法に偶然行き当たっていたのである。

当時の科学捜査の水準を考えれば、殺人の証拠を見つけるにはしっかり見定める目が必要だったろう。だがどちらかと言えば、ノックスはそうした証拠を見つけ**ない**ように思い定めていた。その時代の解剖学者は皆そうだが、彼も標本の出どころについて訊かないことを心得ていた。しかし、バークとヘアが持ち込んだ死体を受け入れることによって、ノックスは科学史上最悪の犯罪行為の幕開けに手を貸したのだった。

ヨーロッパのキリスト教会がずっと昔に人間の解剖を禁止して、解剖学が非合法になったという通説は広く知られている。だが実は、イタリアの教会はしばしば解剖学者に協力し、臨終の秘跡のあとに解

剖学者のために遺体を保管していた。教会の職員が、聖人になりそうな人の解剖をうながすことさえあった。そうでなければ、巡礼者を訪れさせ、聖堂に信者を詰めかけさせるような、骨や心臓などのしなびた遺物をどうやって手に入れられるというのか？　ほかの国も同じように寛容だった。フランスのある劇作家は、劇場での公開解剖は大群衆を呼び寄せてしまうから、自分のショーの観客が減っている、と不満を漏らしていた。一七世紀になるころには、科学の名のもとにおこなわれる解剖はヨーロッパ全土でかなり一般的なものになっていた。

少なくともヨーロッパ大陸ではそうだったが、大英帝国では解剖が禁じられていた。英国の人々は、死後解剖されることで、最後の審判の日に神が死者をよみがえらせるとき、自分たちの体が切り刻まれたままになってしまうのを恐れたのだ。上品ぶった英国人は、解剖されるのが恥ずかしいとも思っていた。裸の体を横たえて、つつきまわされるのだから。だが、禁止と定めたのは世俗の役人であって、司祭や主教ではなかった。

それでも、英国政府は死体をいくらか解剖学者に提供していた。たいていは処刑された犯罪者で、「さらなる恐怖を与え、汚名を特別に刻みつけるもの」として「死と解剖」の刑を宣告された者の死体だ。しかし、伐採する木をまちがえても絞首刑になる（本当にあった）ような時代でも、医学校の需要を満たすほどの処刑はなかった（今はふつう、医学生ふたりが基礎的な解剖学の授業で一体の遺体を解剖するが、この時代には、合法的に提供された遺体のみに頼っていたら、医学生数百人に遺体が一体になっていただろう）。このように死体が不足していたために、公開絞首刑でみっともない光景も見られた。違う医学校の学生同士が、死体をめぐって激しく口論することもあったのだ。急ぐあまり、彼らはまだ完全に死んでいない人間を絞首台から引きずり下ろすことまであった。そうした人間の首は折れておらず、ただ空気が足りずに気を失っていただけで――あとで解剖台の上で不意に目を覚ますのだ。そこまで幸運でない者もいた。解剖の記録を調べた現代のある総説によれば、三六例のうち一〇例で、まだ心臓が動いていたという。だがそのときには、もう遅すぎて後戻りできなかった。

解剖の際、学生はメスで腹部を切開し、体内のひとつひとつの臓器や組織をじっくり探る。主な血管がどこを流れ、肝臓が何とつながり、神経がどのように筋肉に入り込んでいるかなどを調べるのだ。これにより、学生は身体がどのように機能し、そのパーツ同士がどのように組み合わさっているのかという、医学教育の根幹にあたるものを理解することができた。さもないと、健康な臓器の状態を知らぬまま病気の臓器を突き止めるという、不可能な仕事を医師にさせることになる。それどころか、解剖学の知識が浅いと、医師は患者の体内を探りながら動脈や神経を切ってしまい、患者が死なないまでも麻痺してしまうおそれがあった。

解剖に使う死体が足りなかったので、英国（や北米）の解剖学者は、墓泥棒をするよりしかたがないと思った。みずから行為におよんだ科学者もいれば、学生に協力を頼み、どこかの屍姦の同好会のように、学期の初めに沈黙を誓わせる科学者もいた。だが、誓いはめったに役に立たなかった。ある目撃者はこんなことを言っている。「夜の闇にまぎれて無法きわまりない出撃を繰り返し」、学生たちは大酒を飲んでは教会の墓地にどやどやと押しかけ、葬られてまもない死体を掘り出していたと。彼らにとって、それは死にいざなわれるようなおぞましいゲームだったのである。

政府の役人の多くは墓泥棒を見て見ぬふりをしていたが、それにはふたつの理由があった。第一に、

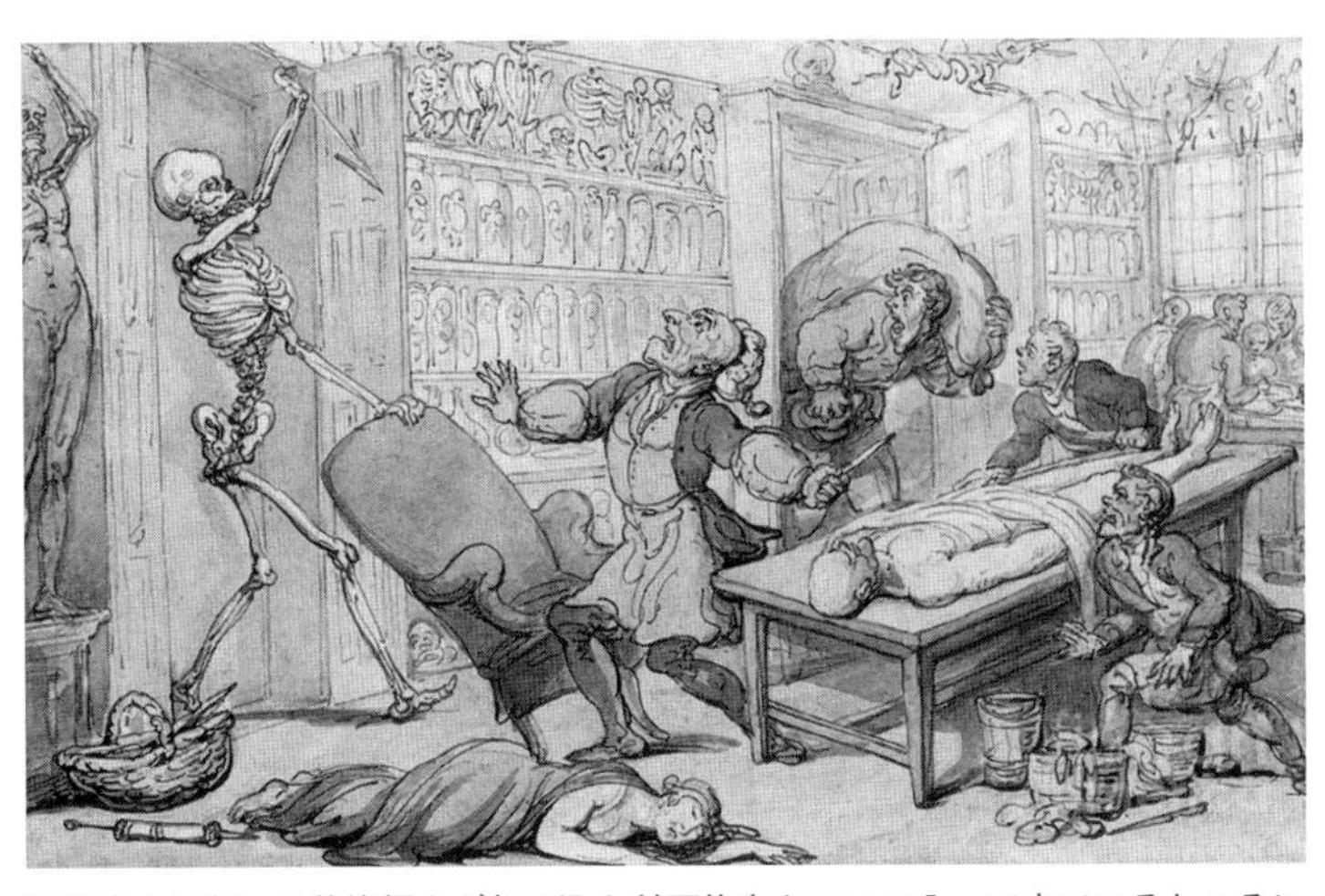

解剖室の風刺。死体盗掘人が包み込んだ死体をかついで入ってきているところに注目しよう（トマス・ローランドソン画）。

ほとんどの役人は金持ちで権力をもっていた。一方で、解剖に使われる死体のほとんどは、貧しい階級のものだった。そのため役人は、自分の家族がどこかへ消える心配をせずに、墓泥棒を容認できたのだ。もっとずるくない理由を言えば、当局も、内科医や外科医の卵が訓練する――そして忌憚なしに言えばミスを犯す――ための死体が必要なことを知っていた。そうでないと、新米が生身の患者を相手に実地で解剖学を学び、肘まで腹のなかに突っ込みながらミスを犯すようなことになるだろう。多くの役人はこのために解剖を合法化したかったが、世論がそれを阻んだ。その結果、英国の医学界は死体の調達の話になるとぎこちなく口を閉ざすようになった。訊くな、話すなと。

その均衡をついに破ったのは、ある男の執着心だった。ジョン・ハンターはいわば解剖学のウィリアム・ダンピアで、数々の発見によって敬われ、用いた手段によって非難されている。がさつで口汚く、

解剖学者で、外科医で、墓泥棒もけしかけたジョン・ハンターは、小説『ジキル博士とハイド氏』のモデルとなっている（ジョン・ジャクソン画）。

葉巻に火をつけられそうなほど赤い髪をしたハンターは、スコットランドの家族で一〇人きょうだいの一〇番目で、医学の道に進めたのは、ひとつにはきょうだいのうち六人が若くして病気で死んだからだ。彼には兄のウィリアムという手本になる人間もいた。ウィリアムはロンドンの産科医で、要人たちの妾の子をこっそり産ませることで高い評価を（高い報酬も）得ていた。ウィリアムは片手間に解剖学も教えていたが、自分の手を汚して死体を切り刻もうとはしなかった。そこで一七四八年、二〇歳のハンターがロンドンへ来て兄を補佐する解剖要員となったのである。それまでハンターは死体を切開したことなどなかったが、最初に切開の快感を得てから、やめられなくなった。

ハンターの執着心は、ふたつの形をとっていた。第一に、彼は人間の解剖にかぎらず、解剖それ自体に惚れ込んでいた。おびただしい数の動物も切開しており、「スズメの睾丸、ハチの卵巣、猿の胎盤」といった突飛なものも含まれていたのだ。ヘンリー・スミースマンと協力してグロテスクなシロアリの女王も解剖していた。第二に、ハンターは解剖を、医療改革の一手と考えていた。当時の医療は、観察と実験といったものをうわべだけ支持していたが、ふだんの治療はなお、下剤で腸をきれいにしたり、瀉血をしたり、タバコ浣腸——文字どおり、タバコの煙を尻の穴に吹き込むこと——をしたりする古くさいインチキ療法ばかりだった。ハンターは、医療の近代化を図りたいと考え、解剖を改革の基礎と見なした。病気を治すために、医師は身体を詳しく知る必要があると。彼にとって、そうして知ることのなかには、体のパーツの組み合わさり方だけではなく、さまざまな組織の感触やにおい、さらには味まで入っていた。あるときには、死体の胃液は「塩辛い」と述べ、さらに大胆に、「精液は……しばらく口に含んでいると……香辛料に似たぬくもりが生じる」とも報告している。ハンターはエジプトのミイラを解剖して味見さえしていた。

そんな型破りの方法なのにか、そうだからかなのかはわからないが、ハンターは、涙管や嗅神経など、解剖学にかかわる何十もの発見をした。人間を対象として最初の人工授精も実施し、止まった心臓を動かすのに（粗悪な電池による）電気を使う方法を開発した。さらに、子宮内での胎児の成長を記録し、歯が現代のように門歯、犬歯、小臼歯、臼歯に分類できることを正しく見抜いていた。そうした業績*を

＊ハンターは、自身の最高に巧みな発見とも言えそうなものによって、消化についての長年の論争に終止符を打った。当時、多くの科学者は、胃は熱をかけて分解するか、機械的にかきまわすことによって食物を消化すると主張していた。だがハンターは、死体の胃に穴があいているのに気づいてから、化学的に消化する説を主張した。死後、身体は胃の内側を覆って保護する粘液を作らなくなるため、胃のなかにある酸がその臓器自体を消化しだす、と考えたのである。これなら穴があくのを説明できるが、熱や機械的消化では説明できなかった。今では機械的にかきまわすのも消化にひと役買っているとわかっているが、化学的な作用が中心的な役割を担っている。

もとに、ハンターは一七六七年に王立協会の会員に選ばれた。そのうえ、熟練の切開の腕と解剖学の知識の深さによって、外科医として名声を博した。やがて彼は、ロンドンに堂々たる門構えの家を購入し、アダム・スミスやデイヴィッド・ヒューム、ウィリアム・ピット［訳注：当時の英国首相で小ピットとも呼ばれる］、ヨーゼフ・ハイドン［訳注：オーストリアの作曲家］など著名人の患者を迎え入れた。

それでも、ハンターを批判する者はいた。とくに、墓泥棒との関係に対してである。ほとんどの解剖学者は、「死体盗掘人」や「袋詰め男（sack'em-up men）」と呼ばれる連中を低俗な悪党として軽蔑していた。これに対し、ハンターは下品なやり方によって墓泥棒たちに大いに好かれていた。彼の大邸宅には、不健全な第二の裏口があった。それは死体盗掘人専用のもので、裏通りに面し、午前二時に彼らがこそこそと入り、その晩の獲物を下ろしていくのだ。ある学生の記憶では、扉の向こうは明らかに死体の「香りに満ちていた」という。ロバート・ルイス・スティーヴンソンは、このふたつの顔をもつ家とハンターの人生全般を、『ジキル博士とハイド氏』（田内志文訳、KADOKAWAなど）のモデルとしている。

墓泥棒はふつう、チームを組んで活動していた。未熟なチームは共同墓地から盗みを働いた。そこはぽっかりあいた穴で、貧民の死体で満杯になるまでほったらかしになっていたのだ。優れたチームは、念入りに計画していた。多くは女性のスパイ――あまり注意を引かない――を使い、彼女たちは病院や救貧院［訳注：貧民の収容施設］のそばをうろついて、人が死ぬのを待っていた。だれかが死ぬと、スパイは「the black」（泥棒の隠語で葬式の意味）に参列し、「hospital crib［訳注：cribは囲い付きベッドの意味］」（墓地の意味）までついていって墓の区画の場所を書き留める。スパイはまた、罠にも目を光らせていた。バネ仕掛けのライフルが地中に埋められたり、いじると爆発するような棺の「地雷」が設置されたりしたからだ。もっと地味なやり方として、小枝や石やカキの殻をなんらかのパターンをなすように区画の表面に配置し、土がいじられたらわかるようにする家族もいた。女性のスパイはこうした情報をすべてギャングに伝え、利益の分け前を得ていた。

実際に死体を盗掘するのは夜だった。袋詰め男たちは、実のところアマチュアの天文学者になる必要があった。月の出る時間や満ち欠けの状態を記録し、一番暗い時間を割り出していたのだ。守衛についてはほとんど心配はなかった。墓地に守衛がいても、ギャングは袖の下を渡すか、しこたま酒を飲ませて酔いつぶしたのである。それから泥棒たちは忍び足で埋葬したての墓へ向かい、罠があればそれを解除し、枝や貝殻のパターンを覚えてから、当たりが軟らかくて音の出ない木製のスコップで地面を掘りにかかった。

ギャングは、棺全部を掘り出すことはめったになかった――大変すぎたからだ。むしろ、棺の頭の部分だけ見える状態にすると、蓋の下に差し込んだバールをぐいと動かし、隠れた部分の土の重みを利用して板を折るのである。それから死体の両腕の下にロープを回すと、獲物を取り出せる。むごい話だが、そこで彼らは顔をつぶしてだれだかわからなくすることもよくあった。そして立ち去る前に、死体を包んでいた埋葬布を剝ぎ、宝飾品をはずして捨てた。金(きん)や衣類を盗むと罪が重くなって死刑になってしまうからだ。玄人(くろうと)なら一五分とかからずに墓を空っぽにでき、荒らされていない見かけを再現する技量にかけて、彼らはまさにピカソのような芸術家だった。複数のギャングが墓地に忍び込むので、掘ってみて墓が空っぽ――先に来たライバルのしわざ――と気づくこともあった。[*1]

（死体盗掘人には、ほかにも金儲けの手だてがあった。自分の手を汚して掘らずに、詐欺師の方法をとる者もいた。救貧院や病院へ行って死体を見つけると、泣きだして自分の服をかきむしりながら、愛する「おじ」や「大おば」だと訴えるのだ。また別の手として、一部のギャングは、解剖学者に死体を売ってから、一時間後、解剖が始まる前に共謀者にドアをノックさせた。共謀者は親族のふりをして死体を返すように迫り、警察を呼ぶぞと脅した。それからギャングの一団は町を歩いて別の解剖学者のところへ行き、ふたたび死体を売るのだ。さらに厚かましいギャングは、生きてぴんぴんしている友人を袋に入れ、解剖学者に売った。彼らは解剖学者が袋を朝まで置いておくのを期待していたらしい――それからその友人が袋から出て、家のものをごっそり盗み、こそこそ立ち去るのである。この企みは、その「死体」がまだ生きていると解剖学者が気づいてしまうと失敗に終わった)。

ギャングが得る金は、大人の死体では均一で、ハンターの時代にはおよそ二ポンドだった。ほぼ、農場労働者が一シーズンで稼いでいた額である。「小さいもの」(子ども)の場合、ギャングはインチ［訳注：一インチは約二・五センチメートル］刻みで請求した。[*2] 珍しい標本(たとえば臨月の妊婦)の場合、料金は二〇ポンド(現在の二五〇〇ドル)にもなったようで、ある熱心な墓泥棒は、ひと晩で一〇〇ポンド儲けることもあった。

どれほど実入りがよくても、この仕事には危険があった。捕まったら、投獄されるか植民地に送られるおそれがあったのだ。[*3] そして警察は見て見ぬふりをすることも多かったが、民衆は違った。墓泥棒はよくたたきのめされたり、銃で撃たれたり、金属のワイヤーで鞭打たれたりした。あるときなど、人々は痛烈な皮肉をこめて、墓泥棒を自分が掘ったばかりの穴に生き埋めにしようとした。解剖学者のなかには、保証人のようにふるまってとくに頼りになる死体盗掘人の面倒を見て、彼らの保釈を請求したり、刑期中に家族を養ったりする者もいた。しかし、解剖学者が裏切ったり、商売敵から死体を買ったりすると、ギャングは何の気のとがめもなしに研究室に押し入って死体をめった切りにし、解剖に使えなくしたのである。それはマフィアの戦術そのものだった。「かわいい死体をおもちだねえ。これに何かあったら気の毒だ」

だがハンターは、死体盗掘人と面倒を起こすことがめったになかった。ほとんどそんな余裕がなかったからだ。彼の研究は、何もかも彼らが頼りだった。後年ハンターは、兄のもとで働いた十数年間に、自分が解剖したり解剖を観察したりした死体は二〇〇〇体におよぶと見積もっている。二日に一体のペースである。

こうした死体のほぼすべては盗んだもの――ときにはハンター自身が盗んだもの――だったのだから、

＊1 夏に死んだ人は、暑さで死体が速く腐敗する点で幸運だった。そのため、あまり解剖学者にとって使い物にならず、彼らは夏に休みを取った。冬に死ぬと、ほぼ必ず死体を盗まれた。とりわけ寒い日には、死体がまだ硬直していると、死体盗掘人は死体を隠す必要さえなかった。つっかい棒をして客のように馬車に乗せ、そのまま解剖学者の裏口まで行けたのだ。そうでなければ、死体を埋葬布でくるんだり袋に入れたりするか、「豚肉」や「牛肉」のラベルを貼って樽に入れて運ぶことさえあった。この章でのちほど紹介する童謡の「牛肉」のくだりは、これで説明できそうだ。

＊2 解剖学者は、機会さえあればいつでも赤ん坊や子どもの解剖をした。ひとつには、当時の科学で注目のテーマだったヒトの成長過程を記録したかったからだ。もっと実用的な面で、赤ん坊は教育用の標本として便利だった。解剖学で神経や血管を学ぶには、色つきの蠟や水銀を体じゅうに送る必要があり、パイプで吹き込むこともあった。そのため、成長しきった大人より小さな子どものほうが、体じゅうに液体を送るのはずっと簡単だったのである。

＊3 法律上の細かい区別をいくつか明記しておこう。死体の所持は罪にはならなかった。死体は法的にだれのものでもなく、財産とは見なされなかったのだ。それでも、死体盗掘人は墓を荒らすことで逮捕された。これは違法だったのである。一方、衣服や宝飾品を盗むと確実に罪になり、えてして死刑に処された。

ずいぶんひどかった。しかし、月日が経ち、扱う死体が増えるうちに、ハンターもモラルにたこができ、ほどなく元は人間だったものが、骨と皮にすぎないものと思えるようになった。なにより忌まわしい逸話は、アイルランドの巨人チャールズ・バーンにまつわるものだ。

バーンはとても背が高かった――タブロイド新聞によれば、八フィート四インチ（二五四センチメートル）あった――ので、つま先立ちしなくても街のガス灯から自分のパイプに火をつけることができたという証言もあった。当時の学者はバーンのとんでもない背丈を、両親が干し草の山の上でまぐわったせいだとしたが、現代の医師は、下垂体腫瘍によって成長ホルモンが過剰に分泌されていたのではないかと考えている。生計を立てるために、バーンはアイルランドや英国の各地を回り、地域の農産物品評会［訳注：娯楽のイベントなどもあった］で自分を見世物にして、大きな袖にフリルをつけ、中檣帆ほどもあろうかという三角帽子をかぶっていた。一度は国王ジョージ三世にも謁見した。ジョン・ハンターは、バーンを目にしたとたん、解剖したくてしかたなくなった。

そのためにハンターは、ある日ロンドンでバーンに話しかけ、事前に金を払って死後に遺体をもらうことを申し出た。ハンターには、その申し出は名誉なことと思えた。世界随一の解剖学者に解剖されたいと思わない者などいるはずがないと（うわべだけではなく、のちにハンターは、助手たちに死後の自分を解剖させている）。しかし、ハンターは執着心をもつあまり、ほとんどの人が解剖を忌み嫌っている事実が見えておらず、バーンは申し出を聞いて絶叫せんばかりだった。ハンターを追い払ってから、その巨人は友人を集め、自分が死んだら遺体を海に葬り、あの解剖学者のものにならなくするよう、神に誓わせた。

バーンにとっては残念なことに、死は思ったより早く訪れた。一般に下垂体の疾患は関節炎とひどい頭痛をもたらすので、彼は痛みを消すために酒を飲みだしたらしい(ハンターは、自分が雇ったスパイにパブをはしごする巨人のあとをつけさせていたのでこれを知った)。バーンを泥酔させるにはとんでもない量の酒が必要だっただろうが、彼の肝臓はやがて動きを失っていった。そしてついに一七八三年六月、バーンはわずか二二歳で酒におぼれて死んだ。

ある新聞が報じたとおり、解剖学者たちはバーンの家のまわりを「グリーンランドの銛打ち人たちが巨大なクジラに群がるように」囲みだした。バーンの友人たちは幌馬車ほどもある大きな棺を注文し、バーンが生前自分を見世物にしていたことを思い、死んだ状態で展示し、見物料を取りはじめた。だが約束どおりに、遺体をだれにも渡さなかった。そうして四日間儲けてから、友人たちと葬儀屋は、故人の最後の願いをかなえるべく、海まで一二〇キロメートルの道のりを進みだしたのである。

あいにく、葬送者たちは善意ほど良識を持ち合わせていなかった。巨大な棺を引きずっていくのは、六月の暑さのなかでは汗だくになる重労働で、アイルランド人の男たちは数キロメートルごとに止まってはビールで疲れを癒やし、自分たちの友に乾杯した。彼らは責任感のある男たちだから、つねに棺を酒場のなかへ持ち込んで見張っていようとし、なかに入らないときは、安全に保管する手配をした。たとえばある酒場では、扉が狭すぎてバーンの棺台を通せなかったため、男たちは葬儀屋の提案を受け、彼が知っている近くの納屋に棺を保管したのだ。やがて、この放浪の通夜はカンタベリーの先の海岸にたどり着き、そこで男たちは小舟を借りて沖へ漕ぎ出た。それからアイルランドの巨人の棺を舳先から落とし、海の底に沈んでいくのを見守った。

そのころ、アイルランドの巨人の「死体」は実はロンドンに戻っていた。通夜が始まる前、ハンターのスパイは葬儀屋に、協力してくれたら五〇ポンド渡すという話を持ちかけていたのだ。葬儀屋は欲しくてたまらなそうな様子に気づき、すぐに金額をなんと五〇〇ポンド（現在の五万ドル）に吊り上げた。ハンターには出せないほどの額だったが、異常なまでの執着心のほうが勝り、彼は承諾した。それで葬儀屋は、バーンの友人たちを、先述の扉の狭い酒場へ案内した。棺が入らないと知ったうえでだ。すでに彼は、近くの納屋の持ち主に賄賂を渡し、藁（わら）のなかに道具や男たちをひそませていた。そしてバーンの友人たちが浮かれ騒いでいるあいだに、葬儀屋の仲間が棺の蓋をはずし、巨人を藁のなかに隠して、代わりに同じ重さを量った敷石を詰めたのである。その後、棺と死体は別々の方向へ向かった。翌朝の夜明け前には、ハンターは自宅のハイド氏の入口から巨人を引っ張り込んでいた。

不思議なことに、ハンターはバーンの解剖をしなかった。もししていたら、彼の熟練の目は下垂体腫瘍を見つけ、それを巨人症と結びつけていただろうが、その関連性が発見されるのはもう一世紀先になったのである。* しかしハンターは、バーンの友人たちを恐れるあまり、元の計画を断念した。その代わりに、死体を煮つめて骨を保存することにしたのだ。彼は巨大な銅の大桶を使い、大量のスープのように脂をすくい取って巨人の骨を取り出した。やがてハンターは、ロンドンに解剖学上の奇異なものの博物館（ある作家はそれを「ハンターが集めた人間の惨状」と呼んだ）を開設し、そこで七フィート七インチ（二三一センチメートル）の骨格が目玉となった。巨人の願いとは裏腹に、それは今日なお展示されている。

ハンターは相反するふたつの遺産を残した。彼が当代屈指の科学者で、われわれの体の仕組みについて何十もの新発見をしたのはまちがいない。そしてどんな具体的な発見をも超えて、医学に新たな精神を植えつけた。瀉血やタバコ浣腸の領域からそうした精神を引きずり出し、観察と実験を重視したのだ。それは、医学が科学的にきちんとしたものになるための大きな一歩だった。彼はまた、かぞえきれないほどの学生（ふたり挙げれば、種痘法を開発したエドワード・ジェンナーとパーキンソン病を発見したジェームズ・パーキンソン）を感化し、一七九三年に彼が死んでからは医学校への入学者が急増することとなった。

とはいえ、ハンターの道徳観念のなさは、ひどく彼の評判を落とすもとにもなった。過去の科学者を現在の道徳基準に従っていないと非難するのは公正とは言えないが、当時でさえ、人々はハンターを嫌っていた。ハンターは見事なまでに、貴族のかかりつけ医と一般大衆の両方を敵に回していたのだ。前者はハンターと死体泥棒との付き合いにたじろぎ、後者は自分たちがハンターの研究の素材になることに怒っていた。ハンターと同じ解剖学者たちさえも、彼がチャールズ・バーンの死体を盗んだときには青ざめた。ハンターは、自分がもたらした善をすべて挙げることで犯した罪を正当化する人間の好例であり、まるで、倫理がモラルの会計にすぎず、善いおこないが悪いおこないを帳消しにするかのように考えていた。

さらにひどいことも起きた。だれよりもハンターが、墓泥棒を学生たちの「無法きわまりない出撃」からひとつの産業に変え、彼が死体を大量に買いつけたことで、死体の市場はゆがんでしまったのであ

＊著名な脳外科医ハーヴェイ・クッシングが、一九〇九年についにアイルランドの巨人の頭蓋を切開し、腫瘍の明らかな証拠を見つけた。つまり、トルコ鞍（あん）という部位——頭蓋の基部にあり、下垂体を収めている鞍型のくぼみ——がバーンでは広がっており、巨人症では共通してそれが見られたのである。

る。医学校への入学者が増えると、死体の不足はさらに深刻になり、一七八〇年代におよそ二ポンドだった取引価格が、一八一〇年代になるころには一部で一六ポンド（現在の一〇〇〇ドル近く）――平均的な労働者が五年で稼ぐ額――に跳ね上がっていた。確かにハンターは怪物ではなかった。どれほど曲げやすくはあっても、少なくとも良心をもっていた。しかし、死体の価格が上がるにつれ、気のとがめがない人間もこの商売に引き込まれていった。バークとヘアのような人間も。

枕で老人の息を止めた記憶は、ウィリアム・バークを苛（さいな）んだ。彼は夜に寝付くためにウイスキーをがぶ飲みするようになり、さらに念のためナイトテーブルにボトルを用意していた。ウィリアム・ヘアのほうは平気だった。老人はどのみち死んでいたはずだから、気に病むことなどないと。

だが、その境遇から、ふたりとも儲けた金を返すことはなかった。バークはそのころ三〇代半ばで、アイルランドの貧しい家庭で育ち、若くして父親になっていた。やがて家族を養うために単身スコットランドへ移り、先の見込めない仕事――水路の掘削、兵士、パン焼き――を転々とした。本国の妻はそのうちに彼からの手紙に返事をよこさなくなり、彼はエディンバラで別の女性と同棲するようになる。ヘアの生い立ちはもっとあやふやで、彼はおそらくバークより若く、やはりアイルランドからの移民だったらしい。バークは丸く優しい顔をしていたが、ヘアは目が細く、シェイクスピアが警戒をうながしたような、細身で腹を空かせた顔つきをしていた［訳注：『ジュリアス・シーザー』でシーザーが、自分を殺すつもりではないかと疑うキャシアスを指してそうした特徴を語る］。数年間、ヘアは妻のマーガレット

バークとヘアによる殺人をかなり不正確に脚色したもの。犠牲者はほぼ必ず酔いつぶれていて、ふたりの両方が協力して殺していた――それも絞殺ではなく、椅子に座らせたまま鼻と口をふさぐ、今では「バーキング」と呼ばれる殺しの手口だった（ロバート・シーモアによる版画）。

が営む下宿屋を手伝っていたが、ぎりぎりの暮らしだった。靴の修繕屋をしていたバークも生活に苦労していた。だから、良心の呵責があろうがなかろうが、ふたたびバークが金に困ると、ヘアはまた殺しをやるように難なく友人を説得できたのだ。

アビゲイル・シンプソンという老女は、一八二八年の二月半ばにその下宿に部屋を借りた。バークとヘアは、彼女を吐くほど酩酊させたが、それでも黒ビールやウイスキーを飲ませつづけてつぶれさせた。実のところ、老女はその時点でアルコール中毒で死んでいたかもしれないが、ヘアは念のため彼女の胸に覆いかぶさり、バークはじっと動かなくなるまで鼻と口をつまんだ。シンプソンの死体はおよそ一〇ポンドで売れたようで、バークはまた夜に酒をがぶ飲みするようになったが、今度は前より少し寝付きやすかった。

ほどなく、ずっと寝付きやすくなる。あるときバークが言ったように、ふたりは「毒を食らわば皿まで」と考え、その後の一〇か月で史上最大級の連続殺人をおこない、あと一四人「バークする」［訳注：前述のバーキングのこと］こととなった。老女とその精神障害を患う孫を殺し、さらに歯が一本しかない老女を殺してから、彼女を探して訪ねてきたとされる娘も殺めた。またふたりの犠牲者については、バークたちは名前すら知らなかった。当初バークとヘアは、ただ手ごろな候補が下宿に来るのを待つだけだったが、そのうちにしびれを切らし、人を誘い込むようになった。おしゃべりで優しい顔のバークは、早朝に酒屋のそばをうろついて、毎日迎え酒が必要だが金に困っているアル中の人間を探した。そして彼らに信用されるようになると、ヘアの下宿に招いて温かい食事とたくさんの酒を与えた。そのカモがついに酔いつぶれると、ふたりのウィリアムが飛びかかる。バークは、犠牲者たちが死んでいく際に「痙攣し、腹のなかでゴロゴロ音を立てる」のを覚えていた。その後、どの死体も解剖学者のロバート・ノックスのもとへ運ばれた。

ジョン・ハンターほど才気あふれてはいなかったが、ノックスも有能な科学者で、はるかに品があった。講義で彼は、レースの飾りがついた立派なコートとシャツを着て、赤いしみだらけの指に、ダイヤの指輪をいくつもはめていたのだ。それでも、ノックスもハンターと同じく人間の肉体が好きで、毎年新たな医学生が数百人生まれるエディンバラで、死体を奪い合う熾烈な競争に加わっていた。そんなプレッシャーがあったために、扉をノックされたらだれからでも死体を安易に受け入れていた。のちにこの三人を題材にして作られた童謡には、こんなくだりがある。「バークは肉屋、ヘアは泥棒／そしてノックスって男が牛肉を買う」

確かにノックスの助手たちはバークとヘアを不審に思っていた。ひとりなど、あるとき実際に死体の出どころについて厳しくバークを問い詰めた（バークが「この死体をどこでどうやって手に入れたかと君に問いただされても、僕がそれを告げる相手は［ノックス］博士だ！」と言い返すと、助手は引き下がった）。たとえ助手がノックスに伝えても、ノックスは何もしなかったのではなかろうか。有能な解剖学者なら、バークとヘアの持ち込む死体に窒息のしるしを見て取れただろう。眼の充血、顔の紅潮、それに口のそばにははっきりわかる血の滴り。それでも、舌骨が無傷なために、ノックスには否定できる余地が十分にあった。犠牲者のほとんどはどのみち酒臭く、あいにく吐いたもので窒息することは、アルコール依存症の人ではよくあったのだ。早い話が、ノックスは当てになる仕入れ元を怒らせて自分の研究が妨げられるのが嫌で、問題の徴候が何かあっても片方だけ見える目をつぶったのである。

殺し屋のバークとヘアから「牛肉を買っていた」悪名高いロバート・ノックス博士（ウェルカム・トラスト提供）。

ノックスが「牛肉」を買うほど、バークとヘアは図太くなっていった。ある日バークは、ふたりの警官が酔っ払った女性に嫌がらせをしているのを見つけ、紳士的に彼女を家まで送ることを申し出た。そして家ではなくヘアの下宿に案内し、彼女をバークしたのだ。なにより大胆な殺人では「まぬけのジェイミー」が犠牲になった。この愛すべき「町の白痴［訳注：重度の知的障害者を指してかつて使われていた用語］」は、裸足で通りを徘徊していて、だれにでも顔を知られていた。それでもバークとヘアは彼を殺してノックスのところへ運び込んだ。そしてほかの犠牲者では衣服を燃やしていたのに、ジェイミーの衣服は友人たちにあげていた。何点かは町のほうぼうで前の持ち主に気づかれ、彼らを困惑させた。ノックスたちが集まって「まぬけのジェイミー」を解剖する段になると、ひとりの助手が死体の顔を見て息を呑んだ。ノックスは固く口を閉じて何も言わず、助手たちに準備をさせた。

こうした間一髪が続いてもバークとヘアを大胆にさせるばかりで、ふたりの連続殺人は、一八二八年のハロウィーンごろに三人殺すことを企んだところでクライマックスを迎えた。今度は客人たち——アン・グレイとジェームズ・グレイという若夫婦と、マーガレット・ドカティという四〇代の小柄なアイルランド人女性——は、ヘア夫妻ではなく、バークと内縁の妻の家に滞在している(バークはドカティを、食料品店で自分の苗字もドカティだと言って誘い込んだ)。ドカティを最初に片づけようとして、バークはかなり見え透いた言いわけをしてアンとジェームズを追い出した。その後、ヘアがバークと合流してバークの家に来る。いつものように、バークとヘアはドカティを酔っ払わせた。郷愁を誘うためかもしれないが、ふたりは彼女にアイルランドの小歌をいくつか歌わせている。それから事態は思わぬ方向へ展開した。午後一一時ごろ、バークとヘアは激しいけんかを始め、バークが年下の相棒の首を絞めだしたのだ。するとドカティが「殺人よ！　殺人！」と叫び声を上げ、上の階の住人が警察を呼んだ。

しかし、その晩はハロウィーンだったのでいたずらが多く、警察はほかのどこかで取り込み中だった。やって来る人もいなかった。取っ組み合いをしていたバークとヘアがようやく離れると、彼らは凶悪な怒りをドカティへ向け、彼女をバークした。その後、ふたりはドカティの赤いガウンを脱がせ、彼女の死体をベッドの下に敷かれた藁のなかに隠した。

驚いたことに、バークは翌朝自分の家へアンとジェームズを戻ってこさせた。彼らも殺そうと考えたのだろう。だが、バークの行動をアン――この事件を解決へ導いた主役――は不審に思った。バークが何度も不器用にウイスキーをこぼすのは、まるでにおいを隠すためのようだったし、アンが家の掃除を申し出ても、バークは断った。彼女はとくに、バークがあるベッドの下に敷いた藁に近寄らせないようにしていることに気づいた。

そしてついに一一月一日、諸聖人の祝日の遅い時間に、アンは家のなかで夫とふたりだけになり、まっすぐ藁のところへ向かった。バークとヘアがハロウィーン強盗か何かを働いて、そこにいけないものを隠しているのではないかと疑っていたのだ。代わりに彼女は腕を見つけた。それがつながる先は裸の女性で、唇に血が滴（したた）っていた。アンは夫の腕をつかむと逃げ出したが、玄関でバークの内縁の妻ヘレンに出くわした。ヘレンは金をやるから黙っていてくれと言ったが、アンとジェームズは彼女を押しのけて走り、警察へ向かった。*

しかし、警察はすぐに、容易に解決できる事件ではないことに気づいた。確かに死体はあったが、バークとヘアは、ドカティが酔っ払って窒息したと主張できたのだ。そこで警察は、少しばかり駆け引きをした。ふたりの性格を考量し、ヘアのほうが気のとがめが少ないと判断して司法取引を持ちかけたの

＊アン・グレイの行為は英雄的なものだったが、彼女の話はハッピーエンドとはなっていない。バークとヘアとのもめごとから数か月も経たぬうちに夫のジェームズが亡くなり、当時多くの未亡人がそうだったように、おおかた貧乏のままだった。

である。すると見事にうまくいった。ヘアは共犯者であるバークに不利な証言をする代わりに、すべての罪を免れた。

裁判官は彼に絞首刑を宣告する。

バークの裁判は一二月後半に始まり、二四時間ぶっ通しで続けられ、必然的に有罪の評決が下った。裁判官は彼に絞首刑を宣告する。一方、ヘアは自由の身で法廷を出た——群衆が復讐しようと待ち構えていたので、変装してではあるが。彼は、その動物の名［訳注：ヘア（hare）には一般に英語で野ウサギという意味がある］のように逃げ、何度か各地の町で間一髪だったが、やがてスコットランドを脱出して消息を絶った。ヘアの晩年は、生い立ちとまったく同じく謎に包まれている。

バークはひと月後の雨の朝に絞首刑に処された。死そのものはとくに興味を引かなかったが、牢獄をとりまく建物の窓という窓にすきまなく顔が並んでいた。当然の流れだろうが、バークの死体はロバート・ノックスの最大のライバルの手に渡り、解剖され博物館に展示された。おぞましいことに、そのライバルはバークの頭蓋からとった血に羽ペンを浸して掲示の札を書きさえした。「これは、一八二九年一月二八日にエディンバラで絞首刑に処されたWm Burke［訳注：ウィリアム・バークのこと］の血で書いている……」

ノックスも起訴されかけたが、どうにも証拠がなかった。なお知らないと言い切れたのだ。どのみちエディンバラの民衆は、彼の「はげ頭など」が特徴の人形を作った、と当時のひとりが振り返っている。民衆はその人形を焼かずに、バークした。

バークとヘアの殺人（やロンドンでの模倣殺人）への怒りによって、ついに英国の役人は解剖用死体の不足に対処することを余儀なくされた。具体的に言えば、救貧院や慈善病院の死体で引き取り手のないものや、引き取りを申し出る家族や友人がいない死体を、解剖学者に提供する法律を導入したのだ。これで訓練や研究に使える死体が増えたばかりか、死体の闇市場が駆逐され、科学者が盗人や悪党や墓泥棒との関係を絶つことができるようにもなった。

だが、この解決策がいかに良さそうに見えたとしても、引き取り手のない死体を使うこと自体に倫理的な問題がある。とりわけ、貧しい人々はそのプランを嫌がった。自分たちがほとんどの死体を提供する立場のままだったからだ。なにしろ、救貧院で引き取り手がないまま死んでいくのは、金持ちでも縁故に恵まれた者でもないのだから。

この愁訴に対する冷酷な答えとして、ある政治家は、死体を研究に提供することは貧者にできるせめてものことだと言った。そもそも、彼らが生きているあいだに公衆の金で無償の食事と医療を手に入れていることを考えてみよと(対立する別の政治家は、いわば公衆の乳を吸い尽くそうとしている人々の解剖も支持しているのかと反論した。それなら王室から始めるべきではないかと言ったのである)。さらに、そうした法律を支持する者のなかには、もっと情に訴えて、死体を提供する役割は不公平だが、医師の訓練が進めばどの階層よりも貧者が恩恵を受けると指摘する人もいた。ひとつには、病気は貧者のほうに大きな打撃を与えることが多いからだ。また、金持ちは経験豊かな医師に診てもらえるが、貧者はいじくりまわしてへまをする未熟な医者に頼らざるをえない。それならば、未熟な医者には生ける貧乏人ではなく死んだ貧乏人でへまをしてもらったほうがいい。つまり、引き取り手のない死体の解剖を許すのは、ふたつの悪のうちましなほうであり、貧者全体にとって苦痛を和らげることになるというのである。

結局、そんな主張のほうが勝って、英国議会は一八三二年に解剖法を成立させた。しかし、その法律によって大英帝国では緊張が緩和したものの、米国では怒りが収まらず、解剖学者はいつでも嫌われて、「解剖暴動」が頻発した。とくに――米国の教育機関でとりわけ名高いあのハーヴァード大学の――ある解剖学科は、著名な卒業生が行方不明になり、手際よく切り刻まれた断片となってとんでもない場所で見つかったきわめて卑劣な事件に巻き込まれている。

4

殺人

——教授と用務員

言い伝えによれば、米国で最初の解剖暴動は下品な冗談で始まった。一七八八年四月のある午後、ニューヨークの総合病院の研究室で、ひとりの医学生が女性の死体を解剖していた。不意に、彼は自分ひとりでないことに気づいた。街のわんぱく坊主たちが窓の外に集まり、口をあんぐりと開けて本物の死人に目を見張っていたのだ。

医学生はイラッとした。静かに仕事をしたかったのだ。そこで少年たちを怖がらせようとして、死体の腕をつかんで「ヤッホー！」と振ってみせたらしい。それからこう声を上げた。「これは君のママの手だよ。今掘り出したばかりなんだ！」

ワッハッハ。だが不幸にも、少年のひとりが本当に母親を亡くしたばかりだったので、彼は走って家に帰って父親に泣きついた。すると父親はスコップをつかみ、亡き妻の墓へずんずん歩いていった。そしてまさに中身が予感したとおり――空っぽ――であることに気づくと、激昂（げっこう）した。

彼だけのことではなかった。死体泥棒の被害は、いつでも金持ちより貧者のほうが多かった。裕福な人々は、モートセーフ――棺のまわりを囲んで盗みにくくする鉄の檻――のように盗難を防ぐものを設置することができた。金持ちは、故人を一、二週間見張る護衛を個人で雇うこともできた。それだけの期間があれば、死体は腐敗しすぎて解剖に適さなくなるのだ。貧者にはそんな防衛策はとれなかったし、一部の人々は米国ではとくにひどく被害を受けた。アメリカインディアンと黒人（奴隷も自由な身の人も）、それにドイツやアイルランドからの移民だ。そのため、少年の父親が墓場から戻ってニューヨークの総合病院を襲撃しようと言うと、多くの隣人が腹を立て、進んで加勢した。

総勢数百人となった暴徒が病院に着くと、医師や解剖学者はパニックになって逃げ出し、煙突にのぼって隠れた者もいた。暴徒はそのままあらゆる医療器具を通りに引きずり出し、たたき壊した。さらに、解剖標本を燃やし、腐敗の状態がまちまちの死体をいくつか埋めなおした。

だが、建物をめちゃめちゃにしても、暴徒の怒りは収まらなかった。その人数は夜のあいだも増すばかりで、翌日彼らはコロンビア大学の別の病院に向かった。米国建国の父のひとりとされるアレグザンダー・ハミルトンまで、階段に立ち、止まってくれと嘆願しなければならなかった。一方で、ニューヨーク市長は何人かの医学者を身の安全のために収監した。それでも暴徒――そのころには五〇〇〇人にふくれあがっていた――は監獄の前に詰めかけ、窓を割り、フェンスを破壊し、「医者を連れ出せ！」と声を張り上げる。夕暮れ時、恐れをなした市長はついに州兵を呼んだ。そして地元の政治指導者たちにも、来て秩序を取り戻す手助けをしてほしいと訴えた。

どれほど緊迫していても、次に起きたことがなかったなら事態は丸く収まっていたかもしれない。呼ばれてきた政治指導者のなかに、ジョン・ジェイという、将来連邦最高裁の裁判官とニューヨーク州知事になる男がいた。しかし、彼の嘆願はまるで効き目がなかった。彼のような貴族に、愛する人の墓が盗掘されることとの何がわかるというんだ？　だれかが彼に石を投げ、頭にひびを入れた。

もうひとり呼ばれていた指導者は、フォン・シュトイベン男爵だった。陸軍大将で、アメリカ独立戦争の英雄のひとりだ。彼もレンガを頭にぶつけられた。フォン・シュトイベンは、血を流してふらふらと後ろへよろめくと、州兵に発砲させるよう市長に求めたらしい。

厳密には、これは命令ではなかった。だが兵士たちはすでにおびえていて、後押しは要らなかった。大将の「発砲」という声を聞くなり、彼らはライフルの引き金を引き――群衆に向けて射撃を始めた。

資料によってまちまちだが、煙が消えたころには、多い見積もりでは二〇もの死体が通りに横たわっていた。この暴動はひとつの死体で始まったが、はるかに多くの死体を出して終わったのである。

ニューヨークは決して例外ではなかった。南北戦争以前にアメリカの解剖暴動は少なくとも一七件、ボストンとニューヘイヴン、ボルティモアとフィラデルフィア、クリーヴランドとセントルイスで起きていた。それに、墓泥棒の被害はおおかた貧者に集中していたものの、裕福な人も免れはしなかった。オハイオ州では、連邦下院議員のジョン・スコット・ハリソン——元大統領ウィリアム・ヘンリー・ハリソンの息子で、のちの大統領ベンジャミン・ハリソンの父——の遺体が盗掘され、衣服を剝ぎ取られて解剖の準備がされていたところに、家族が押し入ってそれを救い出している。*

やがて、米国のほとんどの州が、大英帝国で一八三二年に可決された法案を手本にした解剖法（別名「骨法案」）を成立させた。そうした法律は、病院や救貧院の引き取り手がない遺体をもらう権利を医学校に与えていた。しかし、その法案は米国で、大西洋の向こう側で起きたのと同じ倫理的問題をもたらした。そのうえ、引き取り手のない死体の利用は、倫理的に危ういだけでなく、科学的にも怪しくなることがじきに判明した。おかしなようにも思えるが、所得の差が人の身体構造にも違いをもたらすことがあるのだ。

この違いは、ホルモンに由来する。貧者のあいだにももちろん多くの個人差があるが、一般に、貧者は中流から上流の人に比べ、慢性的なストレスを受ける割合が高い。理由は明白だ。貧困にあえぐ人々は、概して健康上の問題を多く抱え、その治療の手段をあまりもたない。また汚染物質に多くさらされ、とくに一九世紀には、彼らの多くがしばしば住みかを追い払われたり満足に食べられなかったりもしていた。身体はそうしたストレス要因に対してアドレナリンなどのホルモンを放出して対処するので、慢性的なストレスはそのようなホルモンを分泌する腺の大きさや形に影響をおよぼす。よく働かせた筋肉のように肥大する腺もあれば、疲れきってしぼむ腺もある。そして当時解剖されていたのは貧者だけだったから、それで解剖を学んでいた医師たちは、そうした腺のあるべき状態について歪んだ見解をもっていた。彼らの科学には一貫した偏りがあったのである。

これは学術的な問題にすぎないわけでもなかった。現に、命にかかわる結果ももたらしたのだ。

一九世紀に、たくさんの赤ん坊が、今ではＳＩＤＳ——乳幼児突然死症候群——と呼ばれている病気で死ぬようになった。当然だが、医師たちは原因を知りたがり、ＳＩＤＳ死亡児の検死解剖をおこないだした。その結果、ほとんどのＳＩＤＳ死亡児でとくにひとつの腺、胸腺が非常に大きく見えることに気づいたのである。実際には、それは正常な胸腺だった。貧しい家庭の赤ん坊に多いしぼんだ胸腺に比べれば、大きく見えたにすぎなかったのだ。そうした貧困層の赤ん坊は、下痢や栄養失調のような慢性のストレス性疾患で死ぬことが多かった。一方、ＳＩＤＳ死亡児はその名のとおり突然死んでいた——下痢や栄養失調で腺がしぼむ前に。そのため、彼らの胸腺は正常なサイズなのだった。

そんなことを知らずに、病理学者はＳＩＤＳの原因を胸腺の肥大と考えはじめた。それが赤ん坊の気

＊エイブラハム・リンカーンさえ、死体盗掘の標的になった。ただしそれは、解剖のためではなかったが。一八七六年の選挙がおこなわれた日の晩（その晩が選ばれたのは、大半の人がニュースに注意が奪われているため）、数人の悪党がリンカーンの埋葬室に押し入り、彼の骨を奪って身代金を要求しようとした。金のほかに、彼らはその骨を利用して刑務所にいる仲間を釈放させようともしていた。あいにく、シークレットサービスがスパイとしてその一団に潜入していたため、企みはくじかれた。

管を押しつぶして窒息させると判断したのである。そこで、胸腺を縮小するために、二〇世紀初頭の医師は放射線を照射しだした。おびただしい数の子どもがやけどや腺の損耗に苦しみ、のちにがんを発症して一万人が早死にしたと推定されている。これは、倫理にもとる科学的な取り決めがいかに危険な科学的結果をもたらすかを示す、痛ましい例と言える。

やがて、任意の献体が広まって、引き取り手のない死体を使う必要がなくなった。功利主義を提唱した哲学者のジェレミー・ベンサムは、一八三二年、ひとつには解剖の悪評を減らすために、史上初めて科学のために献体をしていた。当時多くの人は、彼の善いおこないに得心がいかなかったが、二〇世紀半ばまでに、世界はベンサムの考えに同調するようになっていた。今日、医学校で解剖されている死体の大多数は献体によるものである。

それでも、今日の医学校も十分な死体を見つけるのによく苦労している。二〇一六年のある調査によれば、ニューヨーク市の医学校で、駆け出しの医師の訓練に必要な死体が八〇〇であるのに対し、三ダース不足している。需要と供給に五パーセントの差があるのだ。その差が四〇パーセント近くになっている州もある。インド、ブラジル、バングラデシュなどの国では、もっと不足が深刻だ。ナイジェリアの人口はほぼ二億人だが、国内のいくつかの医学校への献体は年間で一体もない。この不足を補うべく、現代の死体盗掘人が、埋葬された遺体を掘り出したり、火葬の薪の山からくすねたりして、ブラックマーケットならぬ「レッドマーケット」で売りさばいている。

いまや売るのは全身だけでもない。車泥棒が自動車を部品に切り分けるように、墓泥棒も、死体を切り刻んで個々の組織（歯、鼓膜、角膜、腱、それに膀胱や皮膚さえも）を売ることで、もっと多くの金を

――最大で二〇万ドルも――稼げる。多くの場合、故人の家族はそんなことが起きているとは知らず、葬儀場から最愛の人を連れ帰ってから、骨が塩ビのパイプに置き換わっているのに気づくこともある（少なくともこの家族は遺体のすべてを取り戻したが、二〇〇四年には、ニューヨーク湾に浮かぶスタテン島の葬儀屋が死体を三万ドルで米陸軍に売ったかどで逮捕された。陸軍は防護用の靴を死体に履かせて地雷の上に吊し、靴の性能を試していた）。確かに、移植用臓器（肺、肝臓、腎臓）を取り締まる国際法はかなり厳格でそうした売買を防いでいる。だがそれ以外については、ある解剖学教授がこう嘆いている。「死体の部位よりも［輸入される］果物や野菜のほうに注意が向けられています」。そして、やはり貧者のほうが切り刻まれるリスクは高いものの、『マスターピース・シアター』という番組のホストを長く務めたアリステア・クックの遺体でも二〇〇四年にそれが起きていた。

こうした事実から解剖学という科学に嫌気がさすとしたら、それはあなただけではない。解剖学者自身もさまざまな行為の倫理性について議論を続けており、解剖学が真に役立っているような場合――たとえば殺人事件で法医学的調査によって犯人に裁きを受けさせる場合――でさえ、その研究の奥にはつねにおぞましい暗流がある。実のところ、法医解剖の多くは、元をたどれば一八四九年にハーヴァード大学医学校で起きた残虐な事件に行き着く。多くの点で、これはその分野の過去と未来が対決した出来事だった。米国の医学を代表する人々が、これもまた死体盗掘人の闇取引なのか、もっと邪悪なことが起きたのかを明らかにする必要に迫られたのだ。

用務員に最初に「殺人」を頭に浮かばせたのは、七面鳥だった。一八四九年の感謝祭の日、彼のキッチンのテーブルには、うまそうな鳥がのっていた。上司のウェブスター博士からの贈り物だ。しかし、今彼は、ハーヴァード大学医学校の地階にある便所のレンガの壁をたたき壊していた。本当は、自宅でごちそうを食べていたかった。だが、良心に引っかかる手がかりがいくつもあったので、食べるわけにいかなかった。

失踪したジョージ・パークマン（米国立医学図書館提供）。

この事件が気になっていたのは、その用務員だけではなかった。マサチューセッツ州ケンブリッジでは、その一一月、ほとんどこの話で持ちきりだったのだ。ジョージ・パークマン博士——痩せて背が高く、硬い背筋をまっすぐ伸ばして歩くので、あごがありえないほどの角度に突き出ていた——は、ある金曜日の午後に食料品店に寄り、粉砂糖と重さ六ポンド（約二七〇〇グラム）のバターを買った。それから、その品物と、病弱な娘へのごちそう——一一月には希少だったレタスひと玉——をとっておいてほしいと店主に頼み、人と会う約束があるから、ちょっとしたら戻ってきて全部持って帰ると告げた。彼は戻ってこなかった。

六〇歳近いパークマンは、一八〇九年にハーヴァード大学医学校を卒業していたが、本格的に開業はしなかった。むしろ不動産を集めるのが好きで、彼が寄贈した土地に、ハーヴァードの医学校はずんぐりした三階建てのビルを建てていた。だがあまり品は良くなく、安アパートをいくつか所有して家賃にうるさかった。彼はまた高利貸しで儲け、きっちり回収すべく借り主をしつこく追いかけていた――とくに借り主が裏切ったときには。

そしてジョン・ホワイト・ウェブスター博士も彼を裏切っていた。ウェブスターは五六歳で、かなりの厄介者だった。ハーヴァード大学医学校をパークマンの数年後に卒業し、研修期間を過ごしたロンドンでは嬉々として公開処刑に参列していた。「八時に絞首刑、九時に朝食！」と言って下品に笑っていたのである。きっと若いころは死体のひとつやふたつ、盗んでいたにちがいない。ところが、しばしアゾレス諸島［訳注：ポルトガル西方の大西洋に浮かぶ島々］で開業医をしたのちに、ウェブスターは医学を捨ててハーヴァードで地質学と化学を教えるようになった。彼の研究室は医学校のビルの地階にあった。ウェブスターの講義には花火がよく登場し、彼は笑気（亜酸化窒素）を作って学生たちをハイにするのも好きだった。

ハーヴァードの化学者で殺人の容疑をかけられたジョン・ホワイト・ウェブスター（米国立医学図書館提供）。

だがウェブスターは、医師として働くのはやめても、医師の暮らしぶりにはどっぷり浸かったままだった。当時、一般的なハーヴァードの教授は何の助けも要らないほど裕福で、およそ七万五〇〇〇ドル（現在の二三〇万ドル）の財産をもっていた。四人に三人はほぼ人口の一パーセントにあたる富豪であり、一部の教授の邸宅は街の観光地図にのっているほど豪華で、通りかかる人々はぽかんと見とれていた。一方、ウェブスターの給料は一二〇〇ドルで、ハーヴァードの平均だった一九五〇ドルをはるかに下回っていた。ただ不自由などころか、その窮乏が彼の地位までも危うくしていた。一八四〇年代のなかごろに、ハーヴァードのイタリア人教授が破産したのち辞職に追い込まれていた。ハーヴァードの社会的基準に応じた生活ができないと、大変な結果がもたらされたのである。そのためウェブスターは、医師のころの暮らしぶりを維持することにし、ケンブリッジにふたつの客間と六つの寝室をもつ家を購入して、牡蠣（かき）とワインで贅沢に客をもてなした。しかし、彼には使用人を雇う余裕はなかった――恥ずかしいことに妻と娘たちが自宅の掃除をしないといけなかった――し、貯金が減りすぎて九ドルの小切手が不渡りになって戻ってきたこともあった。

ウェブスターは、倹約するのでなく、一八四二年にパークマンに四〇〇ドル（現在の一万三〇〇〇ドル）の融資を頼んだ。一八四七年には、また二〇〇〇ドル（六万二〇〇〇ドル）以上を借りた。ウェブスターはその後二年で借金を返済しようとはした。それでも、金銭的な規律を欠いていたため、結局鉱物と宝石の大切なコレクションを担保にするはめになっていた。ほどなく街じゅうの人がウェブスターの借金について陰で噂するようになり、それに彼は腹を立てた。あるとき床屋で散髪してもらっているときに、彼は知人がこんなジョークを言うのを聞いた。「人がサルの毛を剃るところを見たことがあるかい?」きっとウェブスターの経済的状況とは関係のない、たわいない冗談だったのだろう。どうであれ、ウェブスターはひょいと立ち上がると、床屋の剃刀（かみそり）をひったくり、勢いよく突き出した。もう少しで知人を刺すところだったのだ。

一八四九年の秋ごろには、パークマンはウェブスターに金を返せとしつこく迫るようになり、保安官もウェブスターの家財の差し押さえをちらつかせた。なんとか時間稼ぎをしようとして、ウェブスターは担保にしていた鉱物のコレクションを、パークマンに内緒で別のふたりから借りる担保にした。あいにく、そのうちのひとりがパークマンの義理の兄弟、ロバート・ショーだったのである。ある日、ショーとパークマンはたまたま街でウェブスターとすれ違い、ショーがパークマンにウェブスターの経済的状況について尋ねた。なぜ興味があるのかとパークマンが訊き返すと、ショーは鉱物の担保のことを話した。一瞬混乱したのち、ふたりはウェブスターが同じコレクションを事実上双方に売っていたことに気づいた。

パークマンはそれを知って激怒し、その後医学校の地下でウェブスターに対峙した。「返さないとひどい目に遭うぞ」と迫ったのだ。両者とも癇癪(かんしゃく)を起こし、そのビルの用務員は言い争う声を耳にした――「なんとか完済しろ」というパークマンの脅しも。とうとうウェブスターは、四八三ドル(現在の一万五〇〇〇ドル)かき集めて、感謝祭の前の金曜日までに用意すると約束した。

その金曜日が来ると、パークマンは食料品店でバターと砂糖の代金だけ払い、レタスも置いていった。それからあごを突き出したまま、ウェブスターに貸した金の回収に向かった。のちにウェブスターは警察に、パークマンは物も言わずに四八三ドルをつかみとると、すぐに立ち去ったと告げている。

そこからミステリーの幕が開ける。パークマンには習慣を強く守る強迫性障害の傾向があったので、その日、夕食までに帰ってこないと家族は心配しだした。翌朝になっても彼がいないと、家族はパニックになった。何か所かにこっそり尋ねてから、家族は消息の情報に三〇〇〇ドル（現在の九万二〇〇〇ドル）を出すと新聞に広告した。広告を見て、不安になったウェブスターは、パークマンの兄弟のもとを訪ね、彼と会ったことを話した。その話を聞いた家族は、胃が痛くなった。パークマンには、借金を取り立ててそのまま大金を持ち歩く悪い癖があった。以前、それを強奪されたことがあったから、きっとまた同じ目に遭って、今度は命を奪われたのではないかと思えたのだ。沈んだ気持ちで、家族は新聞にふたつ目の広告を打った。パークマンの死体に一〇〇〇ドル出すと。

そのあいだに、警察は近くを流れるチャールズ川をさらいはじめていた。警察はまた、地元のチンピラを何人か痛めつけて情報を聞き出した。確かな手がかりは何も得られなかった。ジョージ・パークマンが最後にはっきり目撃された場所は、ハーヴァードの医学校のビルだった。そればかりか、パークマンの飼い犬――よく一緒に借金を取り立ててまわっていた――が、主人が出てくるのを待っているかのようにビルのそばをうろついていたという噂も広まっていた。

そこで、感謝祭の数日前、警察は医学校へ赴き、嗅ぎまわった。最初に捜索したのは地下にある用務員の部屋で、ベッドの下も覗いた。手がかりはなし。そこでようやく、警察はひどく気が進まなかったが――身分の高い学者の邪魔をしたくなかったのだ――隣の部屋へ向かい、ウェブスターのオフィスをノックした。すると寛大なるウェブスター教授は、よくわかっていますよと言って彼らを招き入れ、研究室を調べさせた。いや、少なくとも研究室のほとんどをだったが。私用の便所まで調べつくすほど肝の据わった者はいなかったのだ。警察は鍵のかかったクローゼットも見つけたが、ひとりの警官がなかに何があるのか尋ねると、ウェブスターは爆発性の化学物質を保管していると答えた。それで終わりで、まもなく警察は教授にいとまを告げ、またチンピラを痛めつけだした。警察は知るよしもなかったが、はるかに怪しい容疑者がずっと目の前にいたのである。

エフライム・リトルフィールドは、ただの医学校の用務員ではなかった。あごひげがもみあげまで細くつながり、髪の分け目が上のほうにあるため、温厚なクエーカー教徒のようにも見えたが、解剖学の授業のために死体を調達するという汚れ仕事にも手を染めていた。彼は妻とともに医学校の建物の地下に住んでいたので、いつでも死体盗掘人と顔を合わせる機会があったのだ。リトルフィールドは、ちょっとした裏稼業をするのもためらわなかった。一年前、地元のある医者が妊娠第二期の中絶をしくじって、患者を死なせてしまった。その後、医者は死んだ患者とその胎児をハーヴァードの医師オリヴァー・ウェンデル・ホームズ・シニアに売ろうとした。

ハーヴァードの用務員、エフライム・リトルフィールド（米国立医学図書館提供）。

だがホームズは、当時としては珍しく倫理的な態度を見せて、買うのを拒否した。せっぱ詰まった医者は、リトルフィールドに死体の処分を頼み、リトルフィールドは承諾した――五ドルでだ。彼は金を手に入れたが、医者は結局捕まり、リトルフィールドは金で動くという噂が医学校の名誉を傷つけた。

この闇商売のせいで、用務員はパークマン失踪事件で第一の容疑者となったにちがいない。だから警察は、実際に医学校で彼の部屋を捜索したのだ。そこで、嫌疑を晴らすためだったかもしれないが、リトルフィールドはそれから数日かけて自分で調査をおこない、どうにも疑いをぬぐえなかった上司のウェブスター博士に狙いを定めた。

リトルフィールドの部屋はウェブスターの研究室の隣にあり、毎朝研究室の暖炉(だんろ)に火をつけることも用務員の仕事だったので、彼は自由に研究室に出入りしていた。ところがいきなり、パークマンが失踪してから、ウェブスターは部屋に鍵をかけはじめた。それでもなかの暖炉はまだ赤々と燃えており、裏側の壁がさわれないほど熱く、リトルフィールドは部屋が火事なのではないかと不安になりもした。さらに不可解だったのは、七面鳥だ。ウェブスターは働いてくれているリトルフィールドをほとんど無視していたし、借金があることも知られていた。それなのに、感謝祭の二、三日前、ウェブスターは用務員に八ポンド（約三六〇〇グラム）の鳥をあげたのだ。なぜ？　それに、なぜそれを配達させるのでなく、リトルフィールドに街を歩いて取りに行かせたのか？

不審に思ったリトルフィールドは、嗅ぎまわりだした。ある日、研究室のドアをノックした彼は、ウェブスターに無視されると、床に這いつくばって息を殺し、ドアの下のすきまを覗いた。ウェブスターの足だけがなんとか見え、教授は何かを暖炉のほうへ引きずっているようだった。その後、リトルフィールドは開いた窓からウェブスターの研究室に忍び込みもしたが、急いで探したのでおかしなものは何も見つからなかった。

そこで今度は徹底的に調べることにした。感謝祭の日、医学校の建物はもぬけの殻になっていた。八ポンドの七面鳥は冷めていたが、リトルフィールドは手斧と鑿(のみ)をつかむと、妻を見張りに立たせて地階の下の小部屋に忍び込み、ウェブスターの便所の下に通じるレンガの壁をたたき壊していった。警察は教授の便所まで調べるのは渋ったが、用務員は嫌がりはしなかった。

だが、彼はちょっと悠長だった。小部屋には五層のレンガがあり、手斧は道具として不十分だったので、リトルフィールドは九〇分もすると寒さと空腹で作業をやめた。その晩、ストレス解消のためだったかもしれないが、彼は妻と一緒に社交ダンスをしに行き、午前四時まで外出していた。翌朝はかなり疲れていて、いくつか雑務もあったが、*なんとか重い足を引きずって近所の鋳物工場へ行くと、金槌と上等な鑿と金てこ(かな)を借りた。新しい水道管を通すためだ、とリトルフィールドは説明した。そしてまた小部屋に戻ったのである。

しばらくは作業がはかどった。やがて彼の耳に、頭上のフロアを金槌で四回たたく音が聞こえた。「ガン、ガン、ガン、ガン」。ウェブスターが帰ってきたことを知らせる妻の合図だ。リトルフィールドはすべてを放り出して大急ぎで階段を上がったが、合図は誤報だった。それでも、ほどなく本当にウェブ

＊リトルフィールドの雑務のひとつ——感謝祭の翌朝にした仕事——は、ハーヴァード大学医学校の高名な教授ジョン・ウォーレンのために骨相学で使う胸像を移動させることだった。私の著書『空気と人類』(寒川均訳、白揚社)を読んだ人なら、ウォーレンは医学界で初めて麻酔の使用を支持した外科医だと知っているだろう。これは、ある点では非常に新しい考え方をしているような科学者が、ほかの点では不思議と古くさい考え方をすることがある好例と言える。
麻酔とのつながりはそれだけでもなかった。ウィリアム・モートン(歯科医で詐欺師でもあり、麻酔を発見した人物)もチャールズ・T・ジャクソン(自分のアイデアをモートンが盗んだと主張していた人物)も、のちにウェブスターによる殺人の裁判で証言している。ジャクソンは、ハーヴァードの医学校の建物で自分が目にしたいくつかの奇妙な薬品のしみについて、検察側に有利な証言をした。信じがたいことだが、ウェブスターとジャクソンは裁判の休憩中、互いに話をするのを許されていたので、ウェブスターは自分に敵対したことを非難した。ジャクソンはすぐに再び証言することを申し出た——今度は弁護側の性格証人［訳注：被告の性格について証言する証人］として。

ハーヴァードのジョン・ホワイト・ウェブスターの研究室から回収されたジョージ・パークマンの遺体（米国立医学図書館提供）。

スターが帰ってきたので、リトルフィールドはとぼけてごまかし、小部屋に戻れるときを待った。

数時間後、ついにレンガの一番奥の層に穴があいた。彼はランタンをかざし、暗闇を覗き込む。ところが、すきま風が灯火を吹き消しそうになった（穴をあけていた場所を考えれば、すきま風は悪臭とともに彼の顔に吹き付けたにちがいない）。それでも、リトルフィールドはさらに穴を広げてもう一度覗き込んだ。今度はランタンに覆いをしてからそれを穴へ差し入れた。それは、エドガー・アラン・ポーの推理小説から飛び出してきたような瞬間だった。そこに見えたのは、おおかた便所で予想のつくものだったが、暗がりに目が慣れると、彼はひとつ違うものに気づいた。糞尿のたまった穴の真ん中に、白くすんだ光を放つもの、人間の骨盤があったのだ。

リトルフィールドは大急ぎで警察を呼んできて、ついに警官たちは研究室の徹底的な捜索に乗り出した。その結果、暖炉に残った灰のなかから骨のかけらと入れ歯が見つかり、便所では脚の部分もいくつか発見され、全部が板の上に広げられた。なによりぞっとさせられたのは、ひとりの警官がウェブスターのもっていた大きな木箱――トラブルの原因となった大切な鉱物を保管していた場所――を調べたときだった。底のほうに、ぶよぶよして明らかに岩石とは違うものの感触があったのだ。それは、内臓を取り去った胸郭のなかに左の腿を詰め込んだものだった。まるで人間のターダッキン［訳注：鶏肉を詰めた鴨を七面鳥のなかに詰め込んでローストした料理］である。

人々は仰天した。あのハーヴァードで殺人？　ある新聞はこう書き立てた。「路上でも、市場でも、いたるところで、人々は青ざめた真剣な表情で挨拶を交わし、『そんなことがあるんでしょうか？』と問いかけている」。詩人のヘンリー・ワズワース・ロングフェローは、ハーヴァードでイタリア語を教えていて、ウェブスターを友人と思っていたが、肩を落とした。「だれの心も」と彼は嘆いている。「この悪行によって汚（けが）されている」

だが、多くの人がウェブスターを絞首刑にしようとしていたとしても、地域の検事たちは証拠を眺めてぐっとこらえていた。バークとヘアの事件と同じく、立証することは容易ではない。確かに死体はあったが、それには頭がなかった。これは本当にパークマンなのか？　なにしろ、医学校の建物にはしじゅう死体が出入りしているのだ。たとえパークマンだったとしても、だれかが別の場所で殺していたのかもしれない。あるいは、自然死したあとで見つかって、死体が医学校に売られた可能性もある。警察は、リトルフィールドへの容疑もぬぐえなかった。そもそも、死体を見つけたのはだれだ？　だれもが、彼が死んだ母親と胎児の始末をたった五ドルの報酬で請け負ったことも覚えていた。もしかしたら、パークマンの死体にかかっていた懸賞金が目当てだったのかもしれないし、死体盗掘人と共謀していたのかもしれなかった。どのように考えても、いたるところに合理的な疑いがひそんでいた。

このスキャンダルのきわどさからすれば、一八五〇年三月に開かれたウェブスターの裁判は、それまでの米国史上で最大の訴訟となりそうだった。市の役人たちは、法廷へ傍聴人の群れを出入りさせるのに、家畜の誘導に使う通路を用意した。一一日間で、六万人がそこを歩き、新聞各紙はツイッターのように時間ごとに記事を更新していた。この訴訟は、ボストン広域圏内の階級間の分断もあらわにした。ボストンの貧困層は、ウェブスターを精神病質者（サイコパス）と非難し、絞首刑にしろと言っていた。一方で、お高くとまったケンブリッジ市民は、リトルフィールドを上司に濡れ衣を着せた卑劣な奴だと蔑（さげす）んでいた（外部の新聞もふた手に分かれた。ヴァージニアのある新聞は、「二足動物のなかでも一番汚らわしいあのエフライム・リトルフィールド」と激しい言葉をぶつけていた）。この訴訟の裁判長は作家ハーマン・メルヴィルの義父だった。彼はまたハーヴァードの監査委員会の一員でもあり、ふつうなら利害が衝突していたはずだ。ただし、被告と殺された被害者の双方がハーヴァードの卒業生だったが。弁護側・検察側双方の代表もハーヴァードの卒業生で、さらに二五人の目撃者もそうだった。それは半分裁判だったが、半分同窓会でもあったのである。

　ウェブスターの抗弁は単純だった。「私はハーヴァードの人間で、リトルフィールドはそうではありません。だからふたりのどちらかというのなら、当然彼がやったのです」。ウェブスターの弁護団は、もう少し具体的に、当局は殺人の武器を見つけておらず、パークマンがどのようにして死んだのかがわかっていないと指摘した。さながらゲームの「クルー」〔訳注：殺人ミステリーの謎解きをするボードゲーム〕のようで、検察官たちは殺した道具が大槌（おおづち）だと言ったり、ナイフだと言ったり、ウェブスター自身の「手足」ではないかと言ったりしたのだ。陪審は、武器がなく、死体に傷が見つからなくても、有罪の評決を下せるのだろうか？　しかも、死体だらけの建物での事件で？

それでも、検察側にはやってみるべき大仕事がひとつあった。死体が見つかったのは医学校で、世界屈指の解剖学者たちの目と鼻の先だった。彼らは人体の情報を読み取る専門家であり、同僚としてウェブスターに敬意を払っていたが、便所の死体は罪のあかしを物語っていたのである。

まず解剖学者たちは、死体がパークマンのものであることを立証した。彼らの何人かはかなり前からパークマンと知り合いだったので、その熟練した目で木箱にあったやせぎすで台形をした胴体を彼のものと見分けられた。また、パークマンのかかりつけの歯科医（やはりハーヴァード出身）も、暖炉で見つかった焼け焦げた入れ歯がパークマンのものだと認めた。自分でそれを作っていたからだ。さらに歯科医は、入れ歯が人間の頭のなかで焼かれていたことに気づいた。暖炉にそれだけ入れて焼いたのなら、入れ歯はすぐに火が通り、ポップコーンのようにはじけていたはずだった。はじけていなかったから、人間の肉のように水分のあるもので守られていたわけである。まさしく法歯学の名人芸だった。

パークマンを殺した犯人についても、手がかりはウェブスターを示していた。死体を切り分けた者がだれであれ、胸骨と胸郭と鎖骨を切り離すプロの手腕が表れていたのだ。胸には厚い筋肉と腱があるので、胸骨を折らずに取りはずすのは難しい。死体の解剖をしたことのある者にしか、切るべき場所はわからないだろう。かつて医師だったウェブスターならそれができたが、リトルフィールドは、死体の売買にはかかわっていても、メスを扱ったことはなかったのである。

それでも、ウェブスターに不利な証拠がこれほどありながら（きれいな切断、焼け焦げた入れ歯、死体が彼の便所で見つかったという事実）、ハーヴァード寄りの陪審なのだから彼は無罪になるだろうとだれもが思っていた。審理は土曜日の午後八時前に終わり、陪審は三時間後に評決をもって法廷へ戻ってき

ハーヴァードで起きたウェブスター＝パークマン殺人事件を劇的に再現した絵。

た。メルヴィルの義父は傍聴人たちを静かにさせてから、評議の結果を尋ねた。

ウェブスターは審理中ずっと超然として、いっさい感情を見せなかった。ところが、有罪の声が響きわたると、ある証人によれば「銃で撃たれたかのように跳ね上がり」、椅子にまたドスンと沈み込んだ。二メートルほど後ろでは、エフライム・リトルフィールドが泣き崩れていた。

ウェブスターの裁判は、あまりにも有名になったため、米国の法医学を大きく前進させた。一五〇年後にO・J・シンプソンの裁判が、DNAの証拠を一般に周知させたときと同じように。そればかりか、この裁判は、一世紀におよぶ墓泥棒と解剖暴動のあとで、解剖学に対する評判を回復させた。解剖学者は、殺人犯をつかまえただけでなく、富裕層の教授の罪を立証して貧しい用務員の容疑を晴らすことによって、解剖の界隈でよく見られた階級差別を覆したのである。事実、ある傍聴人は、米国史上最も公正な裁判かもしれないと言っていた。「平等で正しい裁判としてこれほど明確なケースは見たことがなかった。金（かね）や高名な友人、有能な弁護士、祈り、嘆願、あるいは科学界での評判という威信をもってしても、彼を救えなかった」

そして、確かにウェブスターはパークマンを殺していた。彼は、絞首刑が執行される予定の数日前、ついにそのことを自白している。ウェブスターいわく、最後に会った運命のいっときに、パークマンがひどく罵（のの）しり、大学を首になるぞと言っておどした。首になるというのは破産への最後の一歩だ。一気に逆上したウェブスターは、そばにあった薪（まき）を手にとると、厄介者のこめかみに打ちつけた（元医師として、殴るべき場所を心得ていたようだ）。パークマンはその場に崩れ落ち、パニックになったウェブスターは死体をバラバラにし、焼きはじめたのである。

この自白は、温情を求める最後の嘆願なのだった。ウェブスターは州知事に、自分は殺人ではなく故殺［訳注：事前の殺意なしに一時の激情によって人を殺すこと］をおかしたのであり、死刑ではなく懲役刑となるべきだと言った。それでも知事の心は動かされず、ウィリアム・バークと同じように、ジョン・ホワイト・ウェブスターも数日後に解剖とかかわりのある殺人によって絞首刑に処せられた。*

解剖学史はスキャンダルにまみれているが、少なくともこれだけは言える。常軌を逸したバークとヘアによる殺人は別にして、死体をあさられて解剖された人々は、何も感じていない。それでも不名誉にはちがいないが、少なくとも苦しみはないのである。

だがあいにく、必ずしもそうではなかった。大半の医学研究は生体でおこなわれており、のちの章でわかるように、一九世紀の解剖学者も、二〇世紀になされる野蛮な実験のいくつかを見れば身もだえていただろう。また、苦しんだのは人間だけではない。医学研究では、動物を目的ではなく手段として扱うことも多く、彼らの苦痛は付随的な被害として軽視されている。実験で有益なデータが得られるとしても、それは深刻な倫理的ジレンマとなる。ところが、トマス・エジソンの場合は真に罪深い領域に入り込む。彼は、商売敵の評判を傷つけるだけのために、馬や犬を電気で拷問にかけたのだ。

＊この事件の悪評は、ウェブスターの死をもって終わりではなかった。人々はその後も飽きることがなかったので、ハーヴァードもしかたがないとあきらめ、ついに事件現場を観光名所にした。リトルフィールドも地元で伝説的な人物となり、ときたまおみやげ目当ての人間が彼に飛びかかり、記念に髪の毛を切って持ち帰っていた。

事件は人々の記憶にも長く残った。マーク・トウェインは、一八六一年にアゾレス諸島を訪れたとき、ウェブスターのふたりの娘に会えて喜んでいる。娘たちは父親の暗い影から逃げるようにして移住してきたにちがいなかった。チャールズ・ディケンズが一八六九年に米国を訪れた際、マサチューセッツ州で見物したがった場所は、パークマン殺害現場だった——地元の人々は悔しがり、街にはもっと見るべきところがあると彼に言った。二〇世紀初めになっても、ハーヴァードの著名な天文学者ハーロー・シャプレーが、この事件についてのジョークで大いに笑いをとっていた。自分にとって一番の驚きは、長い歴史のなかで、ハーヴァードの教授を殺したハーヴァードの教授がひとりだけということだと言ったのである。

5

動物の虐待

――電流戦争

ホールに集まった人々は、これから何を見せられようとしているのかわからなかったが、犬の姿を目にしてすぐに身を固くした。一八八八年七月、場所はニューヨークのコロンビア大学だ。ハロルド・ブラウンという電気技師が、三五キログラムの雑種のニューファンドランド犬をステージに引っぱりあげ、金網で囲った木の檻に押し込んだ。聴衆の不安げな様子に気づいたブラウンは、この犬は「手のつけようがない野良犬で、すでにふたりの人間に咬みついています」と言って安心させようとした。聴衆のひとりだった記者には、その犬がおとなしそうに見え、明らかにおびえているように思えた。

犬が縮こまっているあいだに、ブラウンは交流電流（ＡＣ）と直流電流（ＤＣ）で利点を比べる文書を読み上げ、交流のほうが命の危険があると強調した。話を終えると、彼はそこにいるだれもが恐れていたことに取りかかり、犬の右の前足と左の後ろ足に湿った綿を巻いてから、綿のまわりに裸の銅線を巻きつけた。その銅線を発電機につないで準備が完了すると、ブラウンはスイッチを入れた。

三〇〇ボルトの直流電流が一気に犬を襲う。とたんに犬は体を硬直させ、ブラウンが電流を切るまで固まったままだった。それからブラウンは、四〇〇、五〇〇、七〇〇、一〇〇〇ボルトとどんどん電圧を上げて、その実演を繰り返した。電流が流れるたびに、そのあと犬は鳴いてぶるぶる震えた。あるときなど、檻に激しく体をぶつけすぎて、頭で金属の網を破っていた。「目にした人々はおぞましい見世物に耐えかねてホールを出ていった」と先ほどの記者は書いている。「（犬の）生気はひどく失われていて、聴衆には生きているのか死んでいるのかがわかりかねた」

ここでひとりの人が立ち上がって、このかわいそうな獣を解放してくれとブラウンに言った。ブラウンはニヤニヤしながら「交流電流を試せばこの犬も苦しくなくなりますよ」と答えた。そして直流の発電機を交流の発電機に取り替えると、三三〇〇ボルトの電圧で犬に電流を流した。このとき別の記者はこう書いている。「犬は哀れなうめき声を上げつづけ、何度か痙攣を起こして死んだ」

目撃したひとりは、その実演に比べれば闘牛もふれあい動物園に見えると言っていた。一方でブラウンは、大得意だった。交流は直流より低い電圧で命を奪うという自分の主張を証明できたと思ったのだ。そして自分の後ろ盾となっている人にも喜んでもらえると確信した。その人とは、ニューファンドランド犬やほかの動物の拷問を提案した男、米国の聖人とも呼ばれたトマス・エジソンである。

周知の話だが、トマス・アルヴァ・エジソンは、正規の学校教育は三か月も受けなかったものの、進取の気性と非凡な才能を併せ持っていたため、何十もの革新的なテクノロジー——株価の表示機、投票の記録機、映画用カメラ、火災報知機など——の発明に（少なくとも開発に）寄与した。とくに声を記録する蓄音機という機械は、一九世紀の人々を仰天させたあまり、多くの人はそれが手品でないとは信じられなかった。また、電球を発明したのはエジソンではないが、彼が率いる創意工夫チームは、暗くてもろく、高価で火災の危険があった電球を、安くて安全に世界を照らせる装置に変えたのである。エジソンは、確かに米国人民の英雄と言うに値する。

一方でエジソンは、ひどい人間になることもあった。彼も助手たちも皆、過酷な日々を過ごし、いつも真夜中過ぎまで働いて研究所のクローゼットで寝ていた。それなのに、エジソンだけが「彼の」発明として名誉を独り占めしていたのだ。彼は事業で裏切りも働いた。一八七〇年代にエジソンは、新しい

トマス・エジソンと彼が発明した初期タイプの蓄音機――すばらしい発明だが、あまり彼の儲けにならなかった（フランス国立図書館のデジタルライブラリーGallica提供）。

電気機器の開発を、ある電信会社から五〇〇〇ドル（現在の一万一〇〇〇ドル）で引き受けた。彼は仕事を仕上げたが、それからライバル会社に三万ドルで権利を売ったのである。電球でも、エジソンは何度か嘘をつき、完成させたと公表している。自分の会社へ投資を呼び込みながら、天然ガス企業の株価を暴落させるためだった。多くの人は、「（エジソンの）良心があるべきところは空っぽだ」と愚弄した企業の重役の言葉にうなずいていた。

だが、あくどい才気にあふれていたエジソンの発明には、大きな欠点がひとつあった。ほとんど金にならなかったのだ。蓄音機さえ、どんなにすばらしかろうが、ほとんどおもちゃとして使われただけだった。当時、まだ録音された音楽の市場はなかったからだ。定収入がなかったエジソンは、心底情熱を注いでいた自分の研究所に資金をつぎ込めなかった。さらに彼は、非凡な才能をもつ人間として、どうにかして世界を変える必要を感じており、ばらばらの小道具の寄せ集めではそれはなし遂げられないのだった。

やがて一八八〇年代に、エジソンは見事なアイデアを思いついた。街に電気をめぐらすという考えである。そのころでも、大半の大都市の住民は、頭上に張りめぐらされた電線網の下を歩きまわっていた。だが電線のほとんどは電信やアーク灯のためのもので、ひとつの用途に特化し、使っている会社や店は限られていた。エジソンは電線をあらゆる会社や店、さらには人々の家にまで引き込むことを提案した。しかも、エジソンの電線はひとつの用途に限らず、モーターや織機、電球など、あらゆるものに電力を供給するものだった。そしてエジソンは、発電機から人々が使う装置への送電線まで、各段階で特許を取っていたため、街に電気をめぐらすことによる利益はすべて、彼の懐に入るはずだった。彼はまた、その時代の多くの人と違って、電気がどれほどの革命を起こすのかを理解しており、だから米国を電化する人物になりたかった。そこでマンハッタンから始めてその技術を完成させ、国じゅうに展開していこうとしたのである。

そこでひとつだけ問題があった。エジソンの特許は直流電流にもとづいていた。直流では、川と同じように、電子が一方向にだけ流れる。これに対し、交流電流はすばやい潮の満ち引きのようなものだ。電子は初めある方向に流れてから逆方向に流れ、一秒間に何十回も方向を変える。直流も交流も有用な電力を提供できるが、さまざまな理由で消費財では直流がこれまでずっと主流となっている。自動車や電話、テレビ、家電、コンピュータはどれも、内部で直流を用いている。しかしエジソンの計画には、送電も含まれていた。発電所から家や工場に電線で電気を送ることである。そして送電にかんしては、一八八〇年代には交流と直流で明確な利点と欠点があった。

直流の利点はやはり、モーターなどの消費財の内部が直流の電力で動いていることだった。電源も直流なら、装置に接続する前に交流から直流に変換する面倒や非効率を避けられる。だが直流の欠点は、初期費用が莫大になることだった。当時の直流電流の伝送にかかわる制約を考えると、エジソンは街の数ブロックごとに発電所を造る必要があった――しかもそれを何キロメートルにもわたってやることになるのだ。さらに、発電所と各家庭を銅線で結ばないといけなかった。銅は高価な金属だ。そのうえエジソンは、わが社は電線を地下に埋めると言っていっそう自分の首を絞めた。理由はいろいろあったが、彼は頭上に電線が見えるのを嫌っていたのである――ひどく見た目が悪く、危険で、切れやすいと。そこで彼の会社は石畳の道路をはがし、下に電線を敷設していった。エジソンもたいしたもので、何度も作業員とともに溝に入り、泥まみれになって石を引き上げていた。しかしその事業は費用がかかり、作業は交通の邪魔にならないよう夜にしかできなかった。

一方、交流は初期費用が安くて済んだ。なぜなのかを理解するには、電線を流れる電気を、パイプを流れる水にたとえて考えるといい。パイプが太いほど、水の流量は多くすることができるが、太いパイプは価格が高くなる。したがって、一日に決まった量の水を送る必要があって、細いパイプを使わなければならない場合、最善の手段は水圧を増すこととなる。つまり、圧力が高いと、細いパイプの欠点を埋め合わせられるのだ。

同じような原理が電気でも働く。銅線が太ければ多くの電力を届けられるが、高価になる。高価にならないようにするとしたら、電線のなかの「圧力（pressure）」――科学者が電圧（voltage）と呼ぶもの――を増さないといけない（エジソンの時代には、実際に多くの人が「electrical pressure（電気の圧力）」を電圧の意味で使っていた）。ここで鍵を握るのは、交流電流では送電時に電圧を上げるのが容易ということである。すると、電線が細くて銅をほとんど使っていなくても、交流で多くの電力を送れるようになる。直流ではそうはいかない。当時、直流で電圧を上げることは難しかったのだ。

要するに、直流の電力システムには太くて高価な銅線が必要だが、交流のシステムにはそれが要らないということなのである。おまけに、電圧を高くできるおかげで、交流のシステムでは数ブロックごとに発電所を造る必要がない。ひとつの発電所で、街全体に送電できる。こうした条件は、街を直流で電化するというエジソンの計画を、非常に不利な状況に追い込んでいた。

それでも、そのころの交流電流には大きな欠点がひとつあった。機材が貧弱だったのだ。直流と違っ

電気の天才でエジソンのライバルだったニコラ・テスラ（ナポレオン・サロニー撮影）。

て、時間と才能を使って良質で信頼性の高い交流のモーターや発電機、伝動装置を作るエジソンのような人はいなかった。そのためエジソンは、自分の機材が優れていること――と輝かしい世評――によって、建造や銅線のコストの高さはカバーでき、市場で決定的に有利になると考えていた。じっさい、そのとおりになっていたかもしれない。セルビア人の若き移民ニコラ・テスラがいなければ。

科学者は突飛なのがいいとあなたが思うのなら、テスラに勝る者はなかなかいない。彼はときおり火星人と話していると言っていたし、食事時に目の前にある深皿やカップの容積を衝動的に計算することもあった。あるときは「たとえば銃を突きつけられでもしなければ、僕は他人の髪を触らない」と語り、桃や真珠を見ると具合が悪くなった。なぜなのかはだれにもわからなかった。だが、純然たる知力でテスラと張り合える人間は、古今を通じてほとんどいまい。自分で考案したものをテストする必要もほとんどなかった。頭のなかですっかりできあがっているようで、もうギヤが動いているのだった。あるとき友人と街の公園を歩いていたテスラは、足を踏み出しかけて固まった。それからだらんとした顔になると、友人はテスラが痙攣を起こしているのではないかと思った。しかし実際には、新しいタイプの電気モーターが、自然に全部頭に浮かんでいたのだ。テスラは、急に動きだすと地面に棒でアイデアをスケッチし、そのすばらしさに微笑んだ。ここまで来ると、彼には実際にその機械を作る必要はなかった。テスラにはうまく働くとわかっていたし、本当にうまく働いたのだった。

ヨーロッパで電気工学を学んだのち、二八歳のテスラは一八八四年に米国へ渡った。到着したときにもっていたのは、四セントと詩の本、それに彼をエジソンに推薦する書簡だけだった（書簡には「私はすばらしい人物をふたり知っており、あなたがそのひとりで、もうひとりはこの若者です」と記されていた）。

これに心を動かされ、三七歳のエジソンはテスラを技術者として雇ったが、すぐにふたりは衝突した。この対立を生んだ要因のひとつは、科学的な見方の違いである。エジソンは直流を支持していたが、テスラは、これからは交流の時代と考えていた。おまけに彼は、エリート意識があって、エジソンの最大の才能――がむしゃらに働く性向――を蔑んでいた。電球のフィラメントになる良い材料を見つけるために、エジソンと助手たちは、馬の毛、コルク、芝、トウモロコシのひげ、桂皮、カブの根、ショウガの根、クモの糸、マカロニなど、何千種類もの材料をせっせと試していた。この手当たり次第のやり方にテスラは発狂しそうになった。「エジソンは、干し草の山から針を見つけるとなれば」とテスラはぼやいている。「すぐにミツバチのような勤勉さでもって、探し物が見つかるまで藁を一本一本調べていった。……私はそんな姿をほとんど哀れみの目で見ていた。少しばかり理論や計算に頼れば、彼の労苦の九〇パーセントはなくせるはずとわかっていたからだ」。どうしてだれも自分のようにして名案を思い浮かべないのか、と思ったのである。

しかし、火花を散らした真の原因は、性格の不一致だった。テスラは極度の潔癖症で、品の良いスーツを着ていた。エジソンは野暮でだらしなく、そのしみのついたシャツと汚い爪がセルビア人には嫌でたまらなかった（ある記者は、エジソンは「プルーンの注文に急いで応じる田舎の店主にしか見えなかった」と言っている）。また、テスラが笑うところはなかなか想像できないが、エジソンはまぬけな悪ふざけが大好きだった。お気に入りのひとつは、金属の流し台に電池をつないで、クランクを回して電荷をためるというものだった。だれかカモが流し台に触って痛みに飛びのくと、エジソンはげらげら笑ったのだ。

実のところ、そのふざける癖が、最終的にテスラとの関係を破壊した。一八八五年の春、エジソンは直流発電機を改良しようとして困り果てていた。非効率で故障しやすく、問題を回避する手だてがわからなかったのだ。彼はテスラに、欠陥を直してくれたら五万ドル（現在の一五〇万ドル）払おうと言った。テスラはへとへとになるまでがんばって、発電機の性能を大きく向上させた。ところが、彼が約束の手当をもらいに行くと、エジソンは体をよじって大笑いした。「テスラ」と彼は言った。「君には僕らアメリカ人のユーモアがわかっていないね」。そして、僕はずっとふざけていて、そんなばかげた額の金を払うつもりなんかなかったと——嘘かもしれないが——告げたのだ。テスラは物も言えないほど激怒し、即刻エジソンの会社をやめた。しばらくは食べるために溝を掘る仕事をするはめになっていたが、嘘つきのために働きたくはなかったのである。

だが、仕事をやめたことは、結果的にテスラのためになった。まもなく彼は、ピッツバーグで、交流のテクノロジーに多額の投資をしていた起業家ジョージ・ウェスティングハウスと仕事をすることになる。テスラのような無名の男を雇うのはギャンブルだったが、それから数年で、その判断は十分に報われた。テスラはやがてウェスティングハウスの会社のために交流の装置の特許を四〇件取得し、それまで交流のテクノロジーを悩ませていた問題の多くを取り除いた。むろん、電球を開発したエジソンと同じように、テスラもすべてをひとりでやったわけではない。装置の重要な部分を発明した人々もほかにいて、それどころかテスラは、自分のアイデアを実現する仕事を見下し、それを自分の下についた者たちに任せていた。それでも、テスラの非凡な才能とウェスティングハウスの事業の手腕があいまって、交流の電力はたちまち手ごわい存在に見えるようになった。

さらに、商品市場の急変が、交流の勝算を一気に高めた。一八八七年、フランスのがめつい投機家たちが世界に供給されていた銅を買い占め、価格を一ポンドあたり二〇セント（現在の三ドル）にまで吊り上げた。それまでの倍である。これは、ウェスティングハウスにとってはあまり痛手にならなかった。彼の会社は、細い電線を使ったまま電圧を上げることができたからだ。一方、エジソンは破滅の危機に直面した。彼の直流システムは電圧を簡単に上げられなかったので、送電のために太い電線が必要で、銅価格の急騰は彼の構想全体をおびやかした。

エジソンにとってさらにまずいことに、ウェスティングハウスは積極的に攻めていた。ウェスティングハウスは一八八六年の一一月、ニューヨーク州バッファローで最初の交流発電所を稼働した。それから一年もしないうちに、さらに六八の発電所が稼働するか建設中になっていた。交流は、当時米国人の大多数が住んでいた小さな町や郊外で、とくに人気があった。そうした場所は人口密度が低かったので、数ブロックごとに発電所を造るのは理にかなっていなかったのだ。ウェスティングハウスの方式は、総合的に見てはるかにコストが安かった。

ほどなく、エジソンは敗北寸前となっていた。そこで彼は、やけくそになって、自分に残されていた唯一の手段を行使した。利点で交流を打ち負かせないのなら、広報活動で打ち負かそうとしたのだ。エジソンは、交流は公共への脅威だと宣言し、自分の名声という優位な立場を利用して人々に交流への不信感を抱かせた。要は、宣戦布告をしたのだ。いまや歴史家たちは、その戦争を「電流戦争」と呼んでいる。

エジソンにとって、この戦争は金のためだけのものではなかった。確かに彼は、愛する研究所に資金をつぎ込みたかったが、一方でまた電気の魔術師という評判も得ていたので、この領域でだれかに出し抜かれるという考えは、彼を憤慨させ、科学にかかわる彼の自尊心をおびやかしたのである。エジソンはまだ、米国に電気の力で革命を起こすという夢ももっていた。ただし、米国が自分のやり方でやってくれればの話だったが。じっさい彼は、数年前、自分が考えた米国の電気産業の未来像に異を唱えた重役たち全員を会社から追い出していた。代わりに取り巻き連中で固めたが、この種の集団思考はえてして倫理の盲点に陥る――あるいはもっとひどいことにもなる。結局エジソンは、いつしか勝者が独り占めする競争に入り込んでいて、敗北は預金口座だけでなく自意識をもおびやかすことになった。危険が自分個人に降りかかっていたのである。心理学者によれば、人はこうした状況に陥ると、モラルを踏みにじって汚いことをしようとする。そしてエジソンが表立って交流をけなしだしたとき、彼を諫める人間は周囲に残っていなかった。

交流が危険だとするエジソンの主張には、実はちょっとばかり根拠があった。高電圧の直流電流に命を奪うおそれがあるのはまちがいない。なにしろ雷は直流電流だ。しかし、交流は押しては引き、行きつ戻りつする電流なので、体の組織に直流以上のダメージを与え、同じ電圧なら交流のほうが命を奪いやすい（たいてい心臓がダメージを受けたり、神経が焼け焦げたりする）。そのうえ、そもそも交流の発電所ははるかに高い電圧で送電していたので、確かに恐ろしいことのように思われた。

少なくとも、無知な人々にとっては。交流は電線のなかでは高電圧で送られるが、その電圧は人々の家のなかではるかに安全なレベルに「下げられる」のだから。ところが、交流を悪魔のように言うエジソンは、いつもその不都合な事実には触れなかった。ほかに彼が主張したことがらは、まったくの嘘だった。新聞には、交流を引き込んだ家では、どんな金属の物体も――ドアノブも、手すりも、照明器具も——住人を殺すおそれがあると語っていた。そのため、交流の電気を使う家の人々は、ベルを鳴らしたり家の鍵を使ったりするのを急に怖がるようになった。電線の埋設についても、嘘の主張があった。前にも述べたとおり、エジソンたちは石畳の道路の下に送電線を埋めていたが、ウェスティングハウスたちは頭上に電線を張っていたので、電線が切れて人々に電撃を加えるおそれはあった。だがエジソンは、たとえウェスティングハウスが電線を地下に埋めても、交流は「マンホールから上がってきて」下水の怪物のように人々を襲うと言い放った。エジソンの話では、交流電流には安全なレベルはなかったのである。

公正な見方をすれば、退廃した一九世紀末の米国の資本主義はかなりえげつない争いを繰り広げていたので、エジソンの主張がどんなに偽りでも、そこでやめていれば許されていたかもしれない。しかし、すぐにエジソンは、けなすだけではだめだと考えた。人々に交流の危険性をわからせる——恐怖で縮みあがらせる——必要があると。つまり、食うか食われるかの(dog-eat-dog)世界で成功する最良の手だては、本物の犬(dog)を殺すことだと決断したのだ。

動物を殺すのに電気を使ったのは、エジソンが最初ではない。その名誉を勝ち取っていたのは別の人間で、彼は将来の死刑をめぐる争いにかかわっていた。

一八八〇年代、ニューヨーク州は犯罪者を処刑する方法としてもっと人道的なものを探し求めていた。一般的な方法だった絞首刑には、ひどいイメージがありすぎた。米国南部の私刑(リンチ)だけでなく、ヨーロッパの乱痴気騒ぎの公開処刑（酔っ払いが集まって処刑された者をニヤニヤ眺め、あとで解剖学者たちが死体をめぐってけんかをする）をも思い起こさせたのだ。処刑人がしくじることもよくあった。囚人の首に回すロープが少なすぎて、のどをゴボゴボ言わせたまま吊していたり、ロープが多すぎて、台から落としてポキッと音を立てたときにはからずも首がちぎれてしまったりしたのだ。もちろん、囚人が首を吊られている途中で吐いたり、便を漏らしたり、射精したりすることも多かった。衛生的とは言えなかった。

一八八六年、ニューヨーク州はもっと良い方法を考案すべく、三人からなる委員会を設置した。まず大事なこととして、三人は歴史資料をくまなく調べ、考えられる死刑の方法を四〇ばかり拾い出した。十字架にはりつける、毒ヘビに咬ませる、油で煮る、鉄の処女（アイアンメイデン）［訳注：女性をかたどった箱の内側に長い釘が多数突き出ているもの］に入れる、窓から放り出す、大砲にこめて発射する、鞭で打つなどである。どれも残酷だとして却下され、結局、かなり近代的なふたつの方法に支持が集まった。薬物注射と感電死だ。どちらも人を穏やかに殺せそうだと思われた。たとえば一八八一年の八月、レミュエル・スミスという男が友人たちとバッファローの発電所に侵入し、アースが不十分な装置に触れ、ピリピリする快感を味わった。その晩遅く、泥酔したスミスはふたたび快感を求めてそこへ戻り、誤って感電死してしまったのである。解剖の結果、体内の損傷はほとんどないことがわかり、この種の事故をもとに、医師たちは、電気で人を即座に痛みもなしに殺せると結論づけた。

それでも、委員会のふたりのメンバーは薬物注射への支持を表明した。一方、三人目のメンバーであるバッファローの歯科医アルフレッド・サウスウィックは、感電死のほうを支持しており、ひとりでなんとかしようとした。そのころバッファロー市は、野良犬を収容所へ持ち込んだ人に一頭あたり二五セントを払いはじめたばかりだった。地元の腕白小僧がその制度をフルに活用し、収容所の檻はすぐに野良犬でいっぱいになり、係員がとうてい世話できないほどになっていた。そこへサウスウィックが首を突っ込み、殺処分の手伝いを申し出た。彼は木の檻を作り、亜鉛の床を電線につないでから、水を二センチメートルほど張り、なかにテリアを入れた。さらにテリアに金属の口輪をはめ、それも電線につなぐ。準備が整うと、サウスウィックはレバーを動かして通電した。テリアはうつぶせになって死んだ。さらなるテストで二七匹の犬を殺したが、一頭たりとも吠えたり頭突きをしたりせず、苦しむ様子は見せなかった。

こうしたテストによってサウスウィックは、電気処刑が死刑の方法として申し分ないと確信した。そこで自分の主張を補強するために、彼は一八八七年一一月、世界一有名な電気技師に宛てて手紙を書いた。このすばやく容易な処刑方法に対し、エジソンの支持が欲しかったのだ。

エジソンは拒否した。サウスウィックに、死刑は野蛮だと思うし、人道的な理由から死刑に反対すると告げたのだ（あるときエジソンはこう言っている。「どの人間にもすばらしい可能性があるのだから、僕は役に立つ最後のチャンスをつぶす処罰の方法を支持しない」）。つまり、彼はサウスウィックの言うことを決して支持するつもりはなかったのである。

どれほどがっかりしたにせよ、サウスウィックは一二月にエジソンに返事を書いた。国々は太古より罪人を処刑してきました、と彼は述べた。それが現実なら、苦痛を最小限にとどめ、人を処刑するもっと人道的な方法を見出そうとすべきではありませんか、と。

サウスウィックは、ふたたび突っぱねられることを予想していたにちがいない。ところが、エジソンの返答は彼を驚かせた。サウスウィックには知るよしもなかったが、その手紙のやりとりは、ウェスティングハウスが交流の発電所を大いに拡大しているさなかになされていた。直流のテクノロジーは窮地に追い詰められ、エジソンの非凡な才能がたたきのめされていたのだ。エジソンは返信にそんなことをほのめかさなかったが、彼の答えはそれを考えると関係がありそうに思われた。できることなら死刑は絶対に廃止したい、と彼は書いていた。しかし、その日が来るまでは、国家は「できるかぎり人道的な方法」を採用しようと努めるべきで、電気処刑はその目的にかなっていると。それからエジソンは、数種類の発電機で人を殺せるが、「一番効果的なのは『交流』の機械で、主にこの国ではジョージ・ウェスティングハウス氏が製造しています」とわざわざ付け加えていた。

色めき立ったサウスウィックは、モルヒネ注射に傾いていた委員会のメンバーたちにエジソンからの手紙を見せた。すると彼らの気が変わった。トマス・エジソンが電気を支持するのなら、それでもう十分だったのだ。一八八八年六月初め、彼らはニューヨーク州に対し、電気処刑を公式に推薦した。

エジソンは決して遠回しにほのめかしたわけではなかったが、委員会は、死刑に交流を使うか直流を使うかを明確にせず、選択を先送りした。ところが翌日、エジソンのシンパのひとりが新聞に、委員会の決断をうながす扇動的な投書を載せた。彼は交流を「忌まわしい」テクノロジーとして非難し、交流の電線をニューヨークの街路の上に渡すのは「火薬工場でろうそくを燃やすぐらい危険だ」とも書いていた。

この投書を見て面倒な事態を予感したウェスティングハウスは、数日後に和解を提案する手紙をエジソンに書き送る。「一部の人々に、相当な危害を加え、私たちのあいだの摩擦をひどくする組織的な企てがあったようです。もうそれは終わりにしましょう」。彼はさらにひとつ申し出をした。何年も前、エジソンに脅威と見なされていなかったころに、ウェスティングハウスはニュージャージー州メンローパークにあるエジソンの研究所を見学していた。そこで、返礼としてピッツバーグにある自社の本部をエジソンに見学させて、「友好関係」を築き上げる提案をしたのである。

エジソンはその申し出を突っぱねた。行く暇がない、と言ったのだ。

ところがなんと、エジソンには、ウェスティングハウスに対して新たな陰謀を企む暇はあった。先述の新聞の投書が、交流と直流でどちらが優れているかについて、技術者のあいだで大変な騒ぎを巻き起こし、ある記者が六月半ばにエジソンにコメントを求めた。エジソンは直接答える代わりに、自分の研究所へ来るように言った。記者が訪ねてみると、首にロープを巻いた犬が一頭いた。犬の足元のブリキ板は発電機につながっている。そばに水の入った皿が置いてあり、それも発電機につながっていた。犬がかがんで水を飲むと、回路が完成して犬が死ぬ、とエジソンは説明した。

ところが犬は、エジソンたちの思いどおりにはならなかった。何かが変だと気づいて、自分から水を飲もうとはしなかったのだ。エジソンの助手たちが犬の首をロープで引っ張って下げようとすると、犬は振り切って逃げた。助手たちはロープと犬を元へ戻し、ふたたび綱引きをはじめる。とうとう、一度強く引っ張られたところで、犬がすべってよろけた。足が水の入った皿にバシャッと入ると、一五〇〇ボルトの電流が犬の心臓と脳を貫く。甲高い鳴き声をひとつ上げ、犬は倒れて死んだ。記者は圧倒されて、記事を書き上げた。記事のなかで、彼は律儀にエジソンがとくに訴えたい点に触れていた。交流電流が使われていたと。

そこから事態は一気にひどくなった。最初にあの新聞の投書をした人物は、ハロルド・ブラウンという電気技師で、多少なりともエジソンを信奉していた。しかし、彼の手厳しい非難を、何人かの技術者が批判し、交流の危険性についての主張を裏付ける証拠がほとんどないと訴えた。そこでブラウンは、エジソンに会ったこともなかったのに、そのメンローパークの魔術師に手紙を書き、もっと——犬を電気処刑して——証拠を得るために研究所を使わせてもらえないかと尋ねたのである。

ブラウンが驚いたことに、エジソンは承諾した。実のところ、自分の研究所を見知らぬ人間に使わせるというのは、エジソンには珍しいことではなく、彼はときおりかなり寛大な態度を示していた。しかもこのときは、一番の助手をブラウンに貸して手伝わせている。ここで珍しかったのは、エジソンがその研究に対して付けた条件だった。ふだんなら、エジソンは対等な関係での協力を奨励し、アイデアを率直にやりとりさせていた。科学の理想である。ところが彼は、実験について黙っているようブラウンに言った。さらに、人に鳴き声を聞かれないよう、研究は夜にだけおこなうという条件も付けた。

バッファロー市のときと同じように、エジソンの研究所のそばに、野良犬一頭につき二五セントを払う掲示が出ると、地元のごろつきどもがまたそれに応じた。ブラウンは野良犬をきちんとした計画に従って電気処刑の実験をするつもりだったが、実際には手当たり次第の実験となった。大小さまざまの犬——セッター、テリア、セントバーナード、ブルドッグ——に、三〇〇から一四〇〇ボルトの直流と交流の電撃を加えたのだ。それでも結果は一致していた。絶え間なく続く苦痛である。犬は飛び上がって鳴きわめき、痛みに弱々しい声を上げた。そしてショックで気絶しなかったものは「猛烈に逃げようと

馬を電気で殺す「実験」を描いたもの。背景に犬小屋がいくつかあって、犠牲になる動物がほかにも待機しているのがわかる。

した」とブラウンは記録している。一頭は目から血を流しだした。

これをひと月続けたブラウンは、十分な自信をつけて、コロンビア大学で雑種のニューファンドランド犬を痛めつけたあの実演に挑んだ。新聞の報道は怒りを呼び、まともな人間なら恥じ入ってコソコソ逃げ出していたはずだ。ところがブラウンは、数日後にまた実演をおこない、交流電流で犬をもう三頭殺してから医師に解剖させた。最終的に、彼はエジソンの助手に、実験結果は交流の危険性を「見事に示している」と報告している。

それに異を唱える人々もいた。ブラウンが残酷なだけでなく、彼の実験は何も証明していない、と彼らは言ったのだ。一部の犬には最初に直流で電撃を加えて打ちのめし、弱らせているので、それぞれのタイプの電流がどれほど死に影響したのかは判断しかねると。

さらに、犬は小型の動物だ。ヒトに交流で電撃を加えたら、反応が同じになる保証はないのである。

そうした批判に応えて、ブラウンは一八八八年一二月、エジソンの研究所でもう一度実演をおこなった。今度は大型の動物を電気で殺し、そのために交流のみを使用した。まずは五六キログラムの子牛で、両目の中間に電極を貼り付けると、七七〇ボルトで死んだ。次に六六キログラムの子牛は、七五〇ボルトで死んだ。それから、あらゆる疑念をなくすために、ブラウンはエジソンの助手とともに、一五ドルで手に入れた五四〇キログラムの馬に電線をつないだ。別々の足に電極を付けて、電流が心臓を通るようにしたのだ。エジソンは以前、交流は一万分の一秒で獣を殺すと記者に断言していた。だが実際には、馬は六〇〇ボルトで五秒生きながらえ、さらに同じ電圧を一五秒かけても死ななかった。最後に七〇〇ボルトの電流を二五秒流すと、馬は息絶えた。エジソンはその死体の処分に五ドルを払った。

こうした実験によって、ブラウンは一番の目的をなし遂げていた。人々に交流電流への恐怖を植えつけるという目的である。それでもエジソンのチームは、犬や馬を痛めつけると人々に好かれないことに気づいていた。チームの主任を務める電気技師は、獣たちが苦しむ様子に嫌気がさしたと個人的なノートに書き留めている。ところが、直後に出版された雑誌の記事で彼は、動物たちは「瞬時に痛みもなく」死んだと言い張っていた。

だれもがこのプロパガンダを信じたわけではない。ある批判者は、ブラウンを「トカゲのように冷たい血をもつ殺しの科学の興行師」と言ってのけた。エジソンにも火の粉が降りかかった。ウェスティングハウスは、汚れ仕事をさせるためにブラウンを雇ったとして、エジソンをかなりおおっぴらに非難した。エジソンは、一笑に付してそれを否定し、ブラウンは完全に単独でやっていると言った。実際には、エジソンは研究所のスペースも装置も助手も貸していたのだが。

自分への非難の声に応じて、ブラウンはウェスティングハウスの男っぷりを挑発し、新聞に決闘――電気の決闘――を提案する広告を出した。交流が安全だという自信がウェスティングハウスにあるのなら、自分を直流の発電機に、ウェスティングハウスを交流の発電機につないでみようじゃないか、とブラウンは言ったのである。一〇〇ボルトから始めて、どちらかが降参する――またはくたばる――まで五〇ボルトずつ上げていこうと。「業界の多くの人は残念に思ったが」とある歴史家は述べている。「その決闘は実現しなかった」

最終的にエジソンのチームは、四四頭の犬、六頭の子牛、二頭の馬を、交流の評判を落とすために殺していた。エジソンは殺せるサーカスの象を探しさえして[*]、その計画が頓挫するとがっかりした。だが、こうした動物の死は何の役にも立たなかった。ウェスティングハウスは市場でエジソンを打ち負かしつづけたのだ。一八八八年の末までに、エジソンの会社は年間四万四〇〇〇個の電球に電気を送れるだけの設備を作って売っていた。ところがウェスティングハウスは、四万八〇〇〇個の電球に電気を送れるだけの設備を、一八八八年の一〇月だけで売っていたのである。

エジソンにはひとつだけ望みが残されていた。直流を救うためには、交流と死とのつながりを、だれにも否定できないほど明確にする必要があった。すると、人間を殺すほかなかったのだ。

一八八九年三月二九日の朝、ニューヨーク州バッファローで、ウィリアム・ケムラーというアルコー

ル依存症の果物商人が、妻のティリーを手斧のとがっていないほうで殴り殺した。ティリーはほかの男といちゃついていたから、当然の報いだとケムラーは言った。手についた血を拭き取ると、二八歳のケムラーは通りを歩いて目覚めの一杯を飲みにバーへ行き、そこで警察に捕まった。ケムラーの弁護士さえ、彼を「怪物」と呼び、彼も自分からそれを認めたがった。そして「絞首刑になる覚悟はできている」と言った。ケムラーは、ニューヨーク州では絞首刑は禁止になっており、自分が電気椅子で処刑される史上初めての人間になる予定だとは知らなかった。

電気椅子は、シラキュースにほど近いオーバーン州立刑務所に設置された。刑務所の職員たちは——エジソンの名前に惑わされて——エジソンの信奉者であるハロルド・ブラウンに協力を求め、ブラウンはもちろんウェスティングハウスの発電機の使用を勧めた。ウェスティングハウスが刑務所への販売を拒むと、ブラウンは第三者に金を払って中古品を設置してもらい、シリアルナンバーを消して追跡できないようにした。それからエジソンの手下たちが新聞にウェスティングハウスの装置を選んだ事実を公表したのである（のちに、ブラウンの机から盗まれた書簡の山から、エジソンがブラウンに電気椅子の製作に

＊象の殺処分は意外に多くおこなわれていた。象は野獣なので、動物園で狭い檻に閉じ込められていたり、サーカスで芸をするようにせかされたりすると、かんしゃくを起こした。調教師のなかには、わざわざひどいことをする者もいた。ある調教師は、酔っぱらって、火のついたタバコを象に食べさせた。当然かもしれないが、そのように虐待された象が襲いかかって人を殺すこともあり、そうなると象は殺された。ある学者は、厚皮動物の殺処分を三六例見つけ出しており、そのなかには、一九〇三年に感電死させられた象のトプシーもいる。エジソンが象を殺したかったことと、ほかの多くの動物を電気で殺していたことから、今でも多くの人が、エジソン自身がトプシーの死にかかわっていたと思っている。それは間違いだ。電流戦争は一九〇三年にはとうに終わっていたのである。しかし、エジソンの映画会社が殺処分の様子を記録しており、それは残虐な映像となっている。

対して五〇〇〇ドル［現在の一五万ドル］を支払ったことを示す有力な状況証拠が見つかっている。どうしてブラウンの机から書簡が消えたのかは、だれにもわからない。しかし、一部の歴史家は、ウェスティングハウス――エジソンに劣らず汚いことができた――がこの窃盗の手はずを整えたと考えている）。

ウェスティングハウスは、反撃のために、ニューヨーク州の議員たちを買収して死刑を廃止させようとした。その戦術が失敗に終わると、今度は裁判に訴えた。ブラウンが犬や馬を痛めつけたことを考えると、電気椅子が残酷で異常な刑罰となるかどうかは大問題だった。じっさい、ケムラーに付いた有能な弁護士バーク・コクランは、その訴訟を引き受けた理由を聞かれ、自分の妻がかわいそうな犬の話を耳にして、だれかが自分たちの飼い犬にそんなことをするという考えに耐えられなかったのだと答えている。実を言うと、ウェスティングハウスはコクランにひそかに一〇万ドル（現在の三〇〇万ドル）支払っていた。そうでなければ、ケムラーに彼を雇う金などあるわけがなかった。ところがコクランは、電気処刑について当然の不安を提起しただけだった。

残念ながら、コクランによる異議に勝ち目はなかった。残酷で異常という問題についての公聴会で、州検事たちは問題を解決してくれそうに思えた人物として、だれより賢く高名な証人を召喚した。トマス・エジソンである。解剖学や生理学のことは何も知らないとあっけらかんと認めながら、彼は、ケムラーは電気椅子で瞬時に痛みもなく死ぬはずだと証言した――交流電流を使えばと言い添えて。エジソンとブラウンは、内輪でよく交流を「処刑電流（executioner's current）」とさえ呼んでいた。

（エジソンのチームが英語をねじ曲げてライバルを貶め（おとし）ようとしたのは、これだけではない。electrocute［電気処刑する］という言葉はまだ広まっていなかったので、新聞や雑誌は、電気による死の呼び方について読者

ニューヨーク州のオーバーン州立刑務所にあった、悪名高い史上初めての電気椅子（米国議会図書館提供）。

に案を募った。人々は続々と案を寄せ、たとえばelectricize、voltacuss、blitzentod、electrostrike、electrothanasiaが挙がった。エジソンの弁護士による案はもっと狙いが直接的だった。彼は、ケムラーはwestinghoused［ウェスティングハウスされる］と言ったのである）。

エジソンのおかげで、ケムラーは電気椅子の禁止を訴えた裁判で負けた。そして二日後の一八八九年一〇月一一日、世間はケムラーに待ち受ける運命を垣間見た。その日の正午過ぎ、ひとりの電気修理工が、マンハッタンの商業地区にある街路の上をクモの巣のように渡された電線にからまり、うっかり電流が流れている線に触れてしまった。彼は何秒かで死んでしまったようだが、電線に引っかかったままなので、電気が体に流れつづけた。聖書の悪魔か何かのように、口から青い炎が吹き出し、左右の靴から火花が散っていた。ときおり血が飛び散っているのに、何千人もの人が下に集まって目を見張り、金切り声を上げていた。だがこの出来事があっても、ケムラーの処刑は残酷ではないという人々の確信は揺るがなかった。なにしろ、トマス・エジソンが保証していたのだから。

ついにケムラーは、一八九〇年八月六日の夜明け直後に処刑されることになった。処刑室に入ってきた彼は、不思議なほど冷静に見え、集まった立会人や記者に穏やかに話しかけた。この日のために髪を切ってもらったばかりだったが、刑務官たちの手ですっかり剃られて台無しにされ、坊主頭に電極を貼り付けられた。刑務官はシャツを切り裂いて、ケムラーの背骨のあたりにも電極を貼り付けた。そしてケムラーは椅子に座る（一目瞭然の見かけは別にして、それは結構快適だったらしい）。彼の両腕を押さえつける革ひもを刑務官のひとりがうまく結べなくなっていると、ケムラーは優しく語りかけた。「落ち着くんだ、ジョー。うまくやってくれよ」。最後に刑務所長が革のマスクをケムラーの顔にはめる。それからそばの扉をトントンとたたくと、それが隣の部屋にいる電気技師にスイッチを入れさせる合図だった。

電流が貫くと、ケムラーの体はぴんと伸びた。口がゆがんでニヤリと笑ったようになり、手のひらに爪の一本が深々と食い込んで血が出はじめた。一七秒でそれは終わった。電気技師が電流を切ると、ケムラーはそれまでのたくさんの犬と同じようにぐったりした。立ち会っていた医師たちが彼の顔に指を押しつけ、赤と白のまだらの圧痕を指摘する。まごうことなき死のしるしだ、と彼らは言った。立会人のなかには、動物収容所の犬を処刑したバッファローの歯科医、アルフレッド・サウスウィックもいた。

「これが一〇年におよぶ仕事と研究の集大成です」と彼は宣言した。「私たちは今日、ひとつ高度な文明に進んだのです」

唯一の問題は、ケムラーが死んでいないということだった。彼の手のひらはなお血を流しつづけており、立会人のひとりが、出血に一定のリズムがあることに気づいたのだ。心臓が動いているしるしである。「なんてことだ、彼は生きている！」とだれかが声を上げた。それが合図になったかのように、ケムラーは傷ついた雌豚のようにうめき、痙攣し、マスクを通して紫の泡を吹いた。

室内は大混乱に陥った。「電流を流せ！」だれかが叫ぶ。あいにく、二度目が必要になるとはだれも考えていなかったので、技師たちがふたたび発電機を動かすのに数分かかった。そのあいだ、ケムラーはうめき声を上げて震えつづけていた。

ようやくふたたび電流が流された。混乱のなかで、二度目の電撃がどれほど長かったかはだれも覚えていなかった。見積もった時間は、六〇秒から四分半まで幅がある。だが、それはケムラーを殺してなお余りあった。毛が燃えて皮膚が焼けるにおいが部屋に充満した。立会人のひとりが嘔吐し、別のひとりは気絶し、もうひとりは泣いていた。*

検死解剖のあいだ、ケムラーの体はすっかり硬直していて、台にのせても座った格好のままだった。医師たちは、電極が彼の背中を背骨まで燃やし、脳のほとんどが黒く炭化しているのに気づいた。それ

*ある歴史家は、ケムラーは死に直面しても落ち着きすぎていたからひどい目に遭ったのではないかと記している。（刑務官や立会人のように）少しパニックでも起こしていたら、きっと皮膚に出た汗が体にもっとよく電気を流し、すぐに彼を死なせていただろうと。

でも医師たちは、ケムラーの死亡を宣告するのに三時間を要した。当時、死の法的な定義は、身体がもはやそれ自体の熱を生み出せなくなった時点とされていた。ケムラーの体はウェスティングハウスされて非常に熱くなっていたため、午前の中ごろまで冷めなかったのである。

立ち会いを許された交換条件のひとつとして、新聞記者たちは、ありのままの事実以外、死にざまについては何も明かさないよう約束させられていた。だが、約束など知ったことではなかった。それはその年一番ホットなスクープとなり、派手な見出しが躍った。サウスウィックは、強がってすべてうまくいったと言い張った。死はとても穏やかに訪れ、「ご婦人方もその部屋にいられただろう」と述べたのだ。ほかの立会人はもっと正直だった。「生涯、あの拘束された姿が目に浮かび、あの音が耳に響きつづけるだろう」とひとりは言っている。ウェスティングハウスはその死に立ち会わなかったが、いみじくもこうまとめている。「彼らは斧でならもっとうまくやれたはずだ」

トマス・エジソンは、直すべき欠陥があることは認めながら、次の処刑は「即座に、今日のオーバーンのような事態は起こらずになし遂げられるだろう」と予想していた。彼は残酷な男ではなかった——ケムラーが苦しむのを楽しんだわけではない。しかし、戦争では何もかも正当化される。それに、交流ほど危険なテクノロジーに何を期待できるのかというわけだった。

エジソンやブラウンの行動を、今とは時代が違い、社会がまだ動物をうまく扱っていなかったと言って、大目に見たくもなるかもしれない。だが、多くの人は当時残酷な科学研究に反対していたし、エジ

ソンの時代よりはるか昔から人々は反対していた。

一七世紀のフランスの思想家ヴォルテールは、「[犬を]台に釘で固定して生きたまま解剖する……野蛮人」を軽蔑していた。一八世紀の英国の文学者サミュエル・ジョンソンもそれに賛同し、「まちがいなく大きな犠牲を払って知識を得ている。人間性を犠牲にして……学んでいるのだ」と付け加えている。解剖学者のジョン・ハンターは、頻繁にそうした攻撃の対象になっていた。なにしろ、鳴きわめく犬や豚を相手によく新しい外科技術を試していたからだ。彼はまた、妊娠した犬の静脈に、流産するかどうかを確かめるだけのために酢を注射するようなこともしていた（じっさい、流産した）。一部の昆虫学者は、生きた昆虫にピンを刺すことにさえ反対した。ときには何日も、昆虫が苦しみもだえていたからだ。そのような反対の声は、まばらでもなかった。強大な新聞王ハーストの系列諸紙は、「生体解剖者」を動物虐待だと声高に非難していた。今日エジソンを擁護する人は、無知をもって彼を弁護することはできない。

エジソンのころから状況は明らかに改善されたが、動物を用いる実験は今も、一部の科学者のあいだですら問題になっている。その一因は、死ぬ動物の数そのものにある。医学研究は二〇世紀後半に急激に拡大し、二〇〇〇年までに、米国の科学者だけで年間五億匹のマウスとラットと鳥に加え、犬や猫や猿までも実験に使っていた。おそるべき規模である。

よくある弁護は、動物実験は薬や治療法の開発を通じて人命を救っているというものだ。確かにそのとおりだが、それには但し書きがある。動物実験は、過去にどれほど役に立っていても、現在では期待に添わないことが多い。ヒトで知られている二六の発がん物質の調査から、齧歯類にもがんを引き起こすものは半数に満たないことがわかっている。当たるかどうかなら、コインを投げたほうがましなのだ。新薬となると、さらに心もとない結果になる。二〇〇七年に米国保健福祉省長官――いいかげんな情報源ではない――は、「治験薬の一〇に九つは臨床試験で失敗する。基礎的な研究や動物実験をもとに、ヒトでの効果を正確に予測することはできないからだ」と認めている。そうした失敗は、実はよくあって、ほとんど当たり前になっている。何度耳にしたことだろう？　何か驚くべき治療法で、がんや心臓病、アルツハイマー病の徴候がマウスで魔法のように治癒した――しかしヒトでは失敗したという話を。

これは意外に思うようなことではないのかもしれない。進化の歴史で、齧歯類とヒトは七〇〇〇万年前、まだ恐竜が地球を支配していたころに分かれており、われわれと齧歯類は大きく異なる生理機能をもっている。ペニシリンは、実はおなじみの実験動物であるモルモットにとっては致命的な毒だ。もしもこの薬が最初にモルモットで試されていたら、世に出ていなかっただろう。進化の面でわれわれに近い親類さえ、われわれとは異なる生体機構をもっている。ＨＩＶ（ヒト免疫不全ウイルス）はヒトの免疫系を破壊するが、チンパンジーにとっては無害で増殖が遅い。こうした事実から、一部の人は動物実験を手厳しく批判しつづけている。ある人は動物実験を、「医療の現実とほとんど結びつかない、内部で自己完結した世界」と言っていた。

もちろん、それでも動物実験から治療法も生まれている。少なくとも、ヒトに試される前に有害な薬を排除することはでき、それは決してささいなことではない。しかし、ここ二、三〇年のあいだに、実験室で使う動物の数を減らし、それに代わる手段を見つける動きが出てきた。そうした手段の候補には、シャーレで育てたヒト臓器（オルガノイド）を使ってテストしたり、コンピュータプログラムを使って既知の化合物と比較することで、新たな薬物の効果を見積もったりするものがある。一部の動物は、初歩的だが法律上の権利も獲得している。たとえば、米国政府はもはやチンパンジーでの生体医学研究を支持しておらず、サル全般の使用についても条件が厳しくなっている。また、米国環境保護局は最近、二〇三五年までに哺乳類での毒性試験を段階的に廃止し、鳥類での試験を大幅に減らすと宣言している（両生類と魚類での試験は継続する予定）。なにより意外に思われそうなのは、タコの知能そのものから、[*]いくつかの国際的なグループが、タコでの実験に特別な許可を義務づけるべきだと考えていることだ。タコは無脊椎動物で、ふつうはわれわれの道徳規範には触れない動物なので、これは注目に値する。

全体的に見れば、現代の実験動物の生涯は、一八八〇年代に比べればずっと良くなっている。しかし、虐待の報告は今なお世界じゅうの研究室からなされており、過激な実験（猿から猿への頭部の移植など）は跡を絶たない。エジソンの犬のうめき声は今も反響しつづけているのである。

最終的に、ウィリアム・ケムラーの苦痛をもってしても、交流の優位はなくせなかった。一八九三年のシカゴ万国博覧会の前、ゼネラルエレクトリック社は博覧会敷地の照明について、エジソンの直流設

＊タコはいろいろな芸当ができ、物でお手玉をしたり、ビンの蓋を開けたりすることができる――やり方を教わらなくても。あるいは、ドイツの水族館のオットーというタコを考えてみよう。オットーは、夜に水槽を照らす明かりを嫌がっていたらしい。そこで、水槽のへりに体を引き上げ、明かりに水を吹きかけてショートさせることを覚えた。彼はそれを三晩続けて繰り返し、水族館のスタッフは立て続けに回路が焼き切れる理由がわからず戸惑った。スタッフはついに夜にそのフロアで寝ることにして、オットーを取り押さえたのだ。

備を提案して五五万四〇〇〇ドル（現在の一六〇〇万ドル）で入札していた。だがウェスティングハウスは、それより一五万五〇〇〇ドル安い値を付けて契約を勝ち取った。その後、品質とコストの差は広がる一方だった。一八九六年になるころには、ナイアガラの滝近くの交流発電所がなんと三〇キロメートルも離れたバッファローに電力を供給していた。直流ではとうてい太刀打ちできない距離だった。ナイアガラの発電所が稼働してまもなく、エジソンは電流戦争での負け*を認めた。技術革新においてエジソンに匹敵する人間は歴史上ほとんどいないが、彼の愛した直流は、二〇世紀の安価な電力の革命にはほぼ何の役割も果たさなかった。

エジソンの敗北は必然だったと主張する歴史家もいた。直流の欠点にもっと早く気づいて交流に切り替えていたら、彼の名声だけでも市場で勝利を収めていたはずだというのである。そうかもしれない。だが、テスラの特許がなければ非常に不利だったし、エジソンはとにかく頑固な人間だった。実に残念だったのは、潔く身を引いて、馬や子牛や犬を電気処刑の苦痛と蔑（さげす）みから解放しなかったことだ。しかも、ウィリアム・ケムラーはどのみち処刑されたとはいえ、エジソンは彼に、法学史上屈指のむごたらしい死をもたらした。実のところ、のちのインタビューや回顧録でエジソンは、動物を虐待したことや電気椅子の開発に手を貸したことにはいっさい触れていない。

どれほど激しかったとしても、エジソンがウェスティングハウスやテスラと演じた諍（いさか）いは、科学の歴史でいくつもあった争いのひとつにすぎなかった。じっさい、米国の科学者同士で、もうひとつえげつない対立が一九世紀後半にピークに達しており、やはり動物が厄介ごとに巻き込まれていた。幸い、エドワード・ドリンカー・コープとオスニエル・チャールズ・マーシュの諍いにかかわった動物が苦痛にさいなまれたのは、はるか昔のことだった。どちらの男も古生物学者で、恐竜の化石をめぐって争っていたのだ。そして電流戦争とは違って、この「骨戦争」は、彼らの分野を前進させたばかりか、科学史上有数の面白いほど意地悪に満ちたエピソードにもなった。

＊インターネットでは、エジソンはテスラの人生で悪役として描かれがちだが、ジョージ・ウェスティングハウスはひどくテスラをだましていた。一八八〇年代の後半に、ウェスティングハウスはテスラと気前のいい特許権使用料契約を結んでいた。彼の装置による発電で一馬力ごとに二ドル五〇セントを払うという契約である。ウェスティングハウス社が途方もないペースで拡大を続けたので、使用料は一八九三年までに一二〇〇万ドル（現在の三億二三〇〇万ドル）に達していた。会社が破産してしまうほどの額だ。そこでウェスティングハウスは、テスラに契約の破棄を頼み込んだ。「君の決断がウェスティングハウス社の運命を決する」と彼は言った。信じがたいことに、テスラは頼まれたとおりにした。エジソンと違って、ウェスティングハウスはテスラを信頼しており、テスラは助けなければならないと思ったのだ。こうしてふたりは契約を反故にした。

残念ながら、ウェスティングハウスはテスラに対し、彼ほど寛大ではなかった。ずいぶんあとになって、ウェスティングハウス社がとんでもなく儲かっていたときに、テスラは古巣へ戻ってきて、頭を下げ、あの金を少し返してくださいと頼んだ。ウェスティングハウスは拒み、テスラはやや苦しい生活に陥り、住んでいたニューヨークのホテル代も満足に払えぬまま生涯を終えた。テスラの哀れな晩年についてもっと知りたければ、ポッドキャストThe Disappearing Spoon (samkean.com/podcast)のエピソード18を見るといい。その話には、なんとドナルド・トランプも登場する。

6

妨害行為

――骨戦争

エドワード・ドリンカー・コープは有頂天になった。たった今、宿敵オスニエル・チャールズ・マーシュを出し抜き、しかも屈辱的きわまりない形でそれをなし遂げたのだ。

一八七二年八月、コープとマーシュがそれぞれ率いるチームは、ワイオミング州南西部で化石の発掘をしていた。どちらのチームも重武装で、相手との接触を避けようとしていたが、荷馬車の砂埃にまみれた轍がいたるところにあったり、放置された道具がときたま見つかったりして、敵の存在をうかがわせていた。ある日、コープは好奇心に負けて、マーシュのチームが岩を砕く様子を遠くから数時間こっそり眺めていた。

マーシュたちが荷物をまとめて去ると、コープはそこへ忍び入って、あたりを探った。するとうれしいことに、見過ごされていた頭蓋骨の破片が見つかった。そのそばに、歯も何本か散らばっている。それどころか、その頭蓋骨と歯の特異な組み合わせは、全く新しい種の恐竜であることを示唆していた。それをマーシュが見逃していたことで足取りが軽くなったコープは、骨をポケットにしまい、野営地に戻っていった。

彼はまったく知らなかったが、実はからかわれていた。コープがこっそり見ているのに気づいたマーシュの仲間たちが、発掘現場に別の生物種のものである頭蓋骨と歯をそれっぽく撒いたのである。彼らはコープを陥れて大恥をかかせようとしていて、コープはまさにその罠にかかった。すぐに彼は自分の「発見」について論文を発表したが、あとで撤回するはめになる。

競争というのはおかしなものだ。時間とエネルギーを無駄にする。卑劣な本能をかき立て、つまらぬ感情でわれわれを消耗させるのだ。しかし、一方で競争は、人を高みへと押し上げる。互いに相手を出し抜こうと躍起になりながら、マーシュとコープは恐竜などの新種を何百も見つけ出し、いくつもの博物館を標本でいっぱいにした。ふたりがなし遂げた仕事は、恐竜を、トカゲのあいまいな分類群から古今を通じて屈指の有名な動物へと一変させた。美しい不死鳥のように、地球の歴史とそのなかでのヒトの位置づけについてのまったく新しい理解が、ふたりの憎しみの灰から生まれ出たのである。

不思議なことだが、コープとマーシュは、まるで違う気性をもちながら、初めは友人だった。マーシュは地道に人生を歩んだ。少年時代はナイアガラの滝の東にある農場でのんびり狩りや釣りをして過ごし、もしもおじのジョージ・ピーボディがいなければ、一生のんびり過ごしていたかもしれない。なぜかはわからないが、その裕福な銀行家はこの少年が気に入り、学費を与えてニューハンプシャー州の格式ある寄宿学校フィリップス・エクセター・アカデミーに入らせた（入学時の年齢は二〇歳だったので、クラスメートはマーシュを「パパ」と呼んだ）。学校は、マーシュのなかに思いがけなくひそんでいた、博物学への情熱を呼び覚ました。そこでおじのジョージは、その後また律儀に甥をイェール大学にも行かせたのである。大学に入ってマーシュは、下宿の屋根裏に鉱物や化石を山ほどため込んだので、その下に住んでいた驚くほど寛大な女家主は、天井を補強して梁が曲がらないようにしないといけなかった。

やつれた顔に小さな目をぎらつかせていたマーシュは、家庭をもちたかったが、いつでも女性の前では不器用になった（あるとき彼は、自分が興味をもった女性を、これまでに見たなかで「最もかわいい小さな

オフィスで仕事中の短気な古生物学者エドワード・ドリンカー・コープ（samkean.com でほかにも写真が見られる）。

脊椎動物」と呼んでいる)。一生独身で過ごす覚悟をした彼は、一八六〇年にイェール大学を卒業するとヨーロッパへ渡り、おじの金で数年間、あちこちの博物館や大学で研究していた。

一方でコープは、駆け足の人生だった。マーシュがカメとすれば、彼はウサギだ。コープはフィラデルフィア郊外で育ち、博物学の神童と見なされていた。一三歳の夏にある農場で働いていたとき、六〇センチメートルのヘビの首根っこをつかみ、シューシュー音を立てて身をくねらせているそれを、嬉々として農場主の家族のところへ持ってきた。家族はあわてふためき、毒ヘビだとわめきちらした。ところが、ヘビが咬みつこうとするすきに、コープは冷静にヘビの歯を調べ、彼らがまちがっているわけを説明した。毒液を注入する牙がないと。だから心配ないと言ったのだ。

二一歳までに、不気味な笑みを浮かべ、立派な口ひげをたくわえたコープは、三一本の科学論文を発表し、科学者として見事なスタートを切っていた。だが同時に、彼には短気という評判もあった。クエーカー教徒として生まれ、平和主義者として育ったコープだが、根はけんか早かったのだ。ある友人は、コープの生き方を「どんな犠牲をもいとわぬ戦争」と表現していた。一番頻繁に衝突していたのは父親で、商人だった父親は息子に土地を買い与え、農業をさせようとしていたため、コープの将来をめぐってふたりの言い争いが絶えなかった。コープはほかの科学者ともよく口論した。あるときなど、科学の会合をおこなっていた部屋の外の廊下で研究者仲間のひとりと殴り合い、ふたりとも目のまわりにあざができた。相手の男はなんと、コープの大の親友だったのである。

一八六一年、コープはスミソニアン協会で研究するため、ワシントンDCへ移った。だが、彼は結構な女たらしで、職場で面倒な恋愛関係に陥ってしまった。この時期から彼の手紙はほとんど失われている（あるいは破棄されている）ので、詳しいことは謎のままだ。彼の恋人は掃除婦だったのか、女相続人だったのか、『ロミオとジュリエット』のモンタギューにとってのキャピュレットだったのか？　それはだれにもわからない。ともあれ、コープの父親は息子を「X夫人」から引き離すために海外へ送り出した。その旅で、コープは南北戦争での北軍の徴兵を免れることにもなった。

海外に出た米国の若い博物学者として、コープとマーシュは自然にヨーロッパで出会った。一八六三年、ベルリンの会合でのことである。相変わらず、三二歳のマーシュはそこで何か月も地道に研究していたが、二三歳のコープは、あちこちの博物館をはしごして大急ぎで街を駆け抜けていた。のちにマーシュは、コープはベルリンでほとんどいかれていたと言っている――まだ失った恋人に恋い焦がれている心が不安定なハムレットだったと。それでもマーシュは年下の仲間が気に入り、ふたりは数か月ごとに手紙をやりとりするようになる。米国へ戻ってから、コープは新しい種類の両生類の名前をマーシュにちなんでつけ、マーシュもその栄誉を受けたお礼に水生爬虫類の名前をコープにちなんでつけた。

ところが、ほどなくふたりの関係はほころびていく。最初の小競り合いには、ニュージャージー州にあったいくつかの恐竜発掘現場がかかわっていた。恐竜は、一八一七年に英国で初めて特異なものとして認知され、メアリー・アニングのようなアマチュアの化石ハンターが、初期にいくつかの発見の担い手となった。しかし、北米では恐竜の存在は一八五八年まで知られておらず、その年に博物学者のジョゼフ・ライディが、ニュージャージー州の採石場でカモノハシ竜（ハドロサウルス）の骨を発掘した（よくあるように、最初は採掘場の労働者たちが日々の採掘の際に骨に気づいていたが、採石場のオーナーから知らせを受けた科学者たちがあとを引き継いだ）。ライディの許可を得て、コープは一八六六年にその採石場で作業にとりかかり、一体の肉食恐竜（今ではドリプトサウルスと呼ばれている）を発掘した。この発見に狂喜したコープは、翌年に教職をやめて父親を失望させ、新妻と娘を発掘現場の近くに住まわせて発掘を専業にした。自分たちの発見という機会に乗じて、ライディとコープは彫刻家を雇い、フィラデルフィアの博物館にハドロサウルスの八メートルのレプリカを設置した。史上初めて、恐竜の骨格が設置されたのである。それは芸術と科学の見事な融合であり、[*]その噂はすぐにコネティカット州ニューヘイヴンにいたマーシュにも届いた。

コープと同じように、マーシュも成功を収めたところだった。おじのジョージ・ピーボディにせがんでイェール大学に自然史博物館を建ててもらおうとし、少し上品に恐喝まがいのことをして、仲介の見返りを期待しているとイエール大学に伝えたのである。ピーボディはしぶしぶ一五万ドル（現在の二六〇万ドル）を出し、その見返りにイェール大学はマーシュを博物館の管理者に任命したうえで、北米では初めてのポストとなる古生物学の教授に指名した。

＊ライディとコープのものは、最初に設置された全身骨格ではあったが、史上初の恐竜の復元模型ではなかった。わずかばかりの骨片から、英国の古生物学者たちが一八五〇年代に、ロンドンのある公園のために何体かの恐竜の彫像をひどい憶測によって作っていたのだ。それがずいぶん大当たりしたので、ニューヨーク市の職員たちもセントラルパークに同じような怪物のセットを作る計画を立てた。その計画は実現していただろう――ほかならぬボス・トゥイード［訳注：ニューヨーク市政を牛耳った政治家］がやってきて作りかけのセットを壊し、彫刻家を街から追い出さなかったなら。このとんでもない話については、samkean.com/podcastのエピソード6に詳しい。

ちなみにマーシュも一度、一体の生物（サイに似た「恐角獣」という哺乳類）の骨格を、張り子で骨の型をとって作り、設置している。張り子の紙として、彼は自分が見つけたなかで最も厚く丈夫な素材を手に入れた。ずたずたに引き裂いた米ドル紙幣だ。そのため、この獣は、文字どおり一〇〇万ドルの骨格だったのかもしれない。

こうして、職業の面ではマーシュが米国の化石探しの頂点に達したが、科学の面ではコープとニュージャージーの標本が栄誉を独占した。そこで、マーシュはコープに採石場を訪ねてもいいかと尋ねる手紙を書いた。コープが承諾すると、ふたりは一八六八年三月にみぞれのなかを歩きまわり、掘っては探し、楽しい一週間を過ごした。最後にマーシュはコープの寛大さに礼を述べ、列車の駅へ向かい——すぐに発掘現場へ引き返した。そして彼は、採石場のオーナーに賄賂を渡し、コープと手を切り上物の化石を自分に回すように頼んだのである。それからは、えり抜きのものはすべてイェール大学に届くようになった。

コープはこの裏切りをのちのちまで知らずにいたが、わかったころにはすでに、彼とマーシュは別の出来事をめぐって仲違いしていた。その数年前、カンザス州で頁岩（けつがん）の土地を切り開いていた鉄道工事の人間が、あっと驚くようなプレシオサウルスという絶滅した水生爬虫類を発見していた。この骨格はコープのもとへ持ち込まれ、彼はその獣をエラスモサウルスと名づけた。名前の意味は「延べ板の爬虫類」、もっと華やかな言い方をすれば「リボンの爬虫類」で、何メートルも伸びた途方もなく長い尾にちなんでいた。それからコープはフィラデルフィアの博物館に骨格を展示し、その身体構造についての論文を急いで書き上げたのである。

マーシュはふたたびコープのもとを訪れてその骨格を眺め、またもや嫉妬に駆られた。ところが、近づいてよく見ると、しかめっ面が急に晴れやかな顔になった。マーシュは大きな間違いを見つけたのだ。急いだあまり、コープは椎骨の上下を逆さまにしていた。つまり、背骨のてっぺんを末端とまちがえて、頭蓋骨を獣の尾部に取り付けていたのである。「リボンの爬虫類」は、途方もなく長い尾をもってなどいなかった。途方もなく長い首をもっていたのだ。

のちにマーシュは、自分は優しく間違いを指摘したと断言している。だがコープは、「辛辣」で冷酷だったと主張していた。ともあれ、ふたりは背骨の向きをめぐってけんかをしはじめた。裁定を求めた彼らは、コープとともに博物館で働いていたライディを呼んだ。ひととおり調べたあとで、ライディは頭蓋骨をもぎ取ると、延々と歩いて「尾」の先端まで行き、そこに頭蓋骨を付けなおした。

コープは屈辱にまみれた。どれほど成果を出していても、彼はまだ若い科学者で、このように目立つ間違いを犯すと、キャリアが台無しになるおそれがあったのだ。そこで、エラスモサウルスの論文をのせた号の雑誌を残らず買い上げて破棄することにし、研究者仲間に自腹で買い取るからもっていたら郵送してほしいと頼み込みさえした（のちに彼は、間違いを修正した号を新たに出版している）。マーシュはコープに頼まれたとおりに自分がもっていた雑誌を送ったが、それからこっそり二部購入して生涯手放さなかった。彼はこの出来事を愉快に思っていたのである。一方でコープは憤慨し、自分をさらし者にしたマーシュを許せなかった。

たとえマーシュがコープに恥をかかせなかったとしても、ふたりの気質はいずれ仲を引き裂いていただろう。コープはせっかちで、マーシュはおっとりしていた。コープは人当たりが良かったが、マーシュは警戒心が強かった。さらに、マーシュはチャールズ・ダーウィンが新たに唱えた進化論が正しいと心から信じ、米国でいち早く擁護者となっていたが、コープは創造論者［訳注：生物は神が創造して以来変わっておらず、進化などないと考える人々のこと］に共感し、進化を事実として受け入れるのに苦労していた。受け入れてからも、彼は進化のプロセスにおいて神の果たす役割を残していたが、マーシュはその考えを鼻であしらっていた。
それでも、互いに気にくわないと思ってはいても、ふたりの関係は、背景をなす環境が変わっていなければ、きっとあからさまな憎しみにまで悪化していなかっただろう。米国のはるか東の博物館でぬくぬくとしているあいだは、ふたりの対立はまだ行儀のいいものだった。だが、無法地帯の米国西部に移ると、コープの「どんな犠牲をもいとわぬ戦争」が避けられなくなったのだ。

大昔、北米大陸の内部は広大な内海、いわばアメリカの地中海だった。無数の生物が死んで内海の底や岸に埋もれ、地殻の浸食と隆起によってやがて遺骸があらわになった。その結果、これまでで最高に化石の豊かな地層のひとつができあがったのである。一九世紀のなかごろには、西部のいくつかの場所ではあまりにも化石が多かった――原初のピクニックの残骸のように、地面にただ散らばっていた――ため、ワイオミングのある羊飼いが、太古の骨で家をまるごと建てたこともあった。骨の丸太小屋である。

この化石だらけの噂が南北戦争後に東へ伝わってくると、一八七〇年にマーシュは西部で化石探しをする遠征隊を組織した。資金の一部は、おじのピーボディの遺産だ。主力をなす作業員はイェール大学から集めた十数名の威勢のいい若者たちだったが、米国陸軍が大きな支えとなった。一八七〇年代には、実は東海岸からヨーロッパへ行くほうが、ミシシッピ川より西のあちこちへ行くよりも楽だった。そこでマーシュの一団は、陸軍とその辺境の砦を補給のために大いに頼りにしたのである。そのうえ、米国

愛想のない古生物学者オスニエル・チャールズ・マーシュと部族の代表レッド・クラウド。クラウドはマーシュを「これまでに私が会ったなかで最良の白人」と呼んでいた（イェール大学提供）。

政府が西部の土地からインディアンの部族たちを（根絶やしにするとまでは言わないが）追い払おうとしていたので、マーシュたちは軍の力がなければ待ち伏せされ殺されてもおかしくなかった。事実、最初に立ち寄ったネブラスカの砦で彼が会ったアンテロープ（エダツノレイヨウ）ハンターは、前日に矢が体に刺さったままよろよろ歩いていたのだった。

マーシュの最初の一団は全部で七〇人で、そのなかには軍の護衛やポーニー族のガイド数名も含まれていた。だれもがボウイナイフ（鞘付き猟刀）と騎兵銃と六連発拳銃をもっていた。護衛の一行のなかでとくに注目すべき人間はウィリアム・コーディで、彼はのちに大西部ショーの興行主バッファロー・ビルとして知られるようになる（当時はまだ有名ではなく、ビルは陸軍で斥候を務めていた）。仲間が去ると、ビルは太古の巨大な「雷竜」について、周囲の土ぼこりで息が詰まりそうな土地がかつては水底だったことについて語るマーシュの話を聞いていた。彼はただうなずき、内心にやにやしながら調子を合わせていた。若いときにはよく法螺話（ほらばなし）をしていたビルだったが、マーシュにはかなわないと思った。こんなにどでかい嘘はついたことがなかったのだ！

二日目、バッファロー・ビルは一団から離れ、化石発掘の手伝いを断った。だが、マーシュに同行する兵士たちは熱心に協力していた（ポーニー族は乗り気でなかったが、マーシュが太古のウマの化石をいくつか見せると大喜びして豹変した）。断崖に骨を探す際、化石掘りたちは形だけでなく質感にも目を向けた。骨は岩よりもなめらかでつやがあり、えてして見るからに中身がスポンジ状なのだった。そうして化石が見つかると、鑿やナイフ、スコップ、つるはしで、どれほど大変であっても掘り出した。化石掘りたちは、四つん這いになり、鼻を地面にこすりつけるようにして、自然に転がり出た骨片や歯も苦労して探しまわった。壊れやすい組織は綿や辺境地域の新聞紙で包み、葉巻箱やブリキ缶に詰め込んで東部へ持ち帰った。かさばる大腿骨――なかには二五〇キログラムのものまであった――は、石膏に浸した黄麻布(バーラップ)の帯でくるむこともあった。これは、骨折のときに医師がギプスを作るのと同じ基本的な方法である。

一団は、発掘地点から次の地点へ、摂氏五〇度近い気温のなかを最長一四時間も歩きつづけた。食料はまあまあふんだんにあった――バッファローのステーキ、野ウサギのシチュー、缶詰の野菜や果物――が、水は乏しかったので、雷雨のときに帽子にためて飲まないといけないこともあった。クマやコヨーテが付きまとい、夜にはネズミやサンショウウオがテントに群がった。ところがマーシュにとっては、そんな苦難も化石採集の高揚感を損ないはしなかった。恐竜以外にも、彼の仲間はマストドン［訳注：ゾウに似た太古の大型哺乳類］、太古のラクダやサイ、数種の絶滅した馬を発掘した。実を言うと、彼らがユタにたどり着いたとき、モルモン教の創始者を引き継いでいたブリガム・ヤングが、馬の化石についてマーシュに問いただしている。この詰問はマーシュをとまどわせたが、ヤングは関心をもつ理由を明かした。モルモン教の教義によれば、馬の起源はユーラシア大陸ではなく南北アメリカ大陸なので、ヤングはそれが正しいと言える証拠を探していたのである。当時の博物学者はだれもその考えを支持していなかったが、マーシュの研究は最終的にヤングが正しいことを明らかにした（一方でイェール大学の作業員たちは、むしろヤングの二二人の娘にあれこれ訊きたくて、地元の劇場のボックス席で気を引いていた）。

一二月に旅を終えるころには、マーシュは列車の車両をいくつも満杯にするほどの化石をイェール大学に送っていた。しかし、なによりの発見が、カンザスの発掘地点でまさに最後の一時間のうちに訪れた。道から外れた岩をいくつかつつきまわるうちに、マーシュは地面に骨の半分が落ちているのに気づいた。長さは一五センチメートルほどで、太いストローのように穴があいている。手の骨の一部で、小指の断片に相当すると彼は判断した。だが、何の種なのかはわからなかった。

残念ながら、辺りが暗くなってきていて、マーシュには、残る半分の骨を探す時間がなかった。できたのは、そばの岩の表面に十字の印を刻み、次のシーズンに戻ってこられるようにすることだけだった。マーシュは骨片のことばかり考えて冬を過ごした。その特異な形から、プテロダクティルス（翼手竜）のものだと結論づけたが、ただ問題は、それまで知られていたプテロダクティルスはすべて、翼幅が短く、タカ以下だということだった。この骨が本当に小指に相当するのなら、獣は巨大で、翼幅は少なくとも六メートルはあった。「竜」だと思ったと、のちにマーシュは振り返っている。

それはまさに、栄誉を勝ち取れそうな大発見だった――竜のサイズについての判断が正しければ。だが、骨のもう「半分」が実はずっと小さかったり、これがそもそも小指の一部ではなかったりしたらどうなるだろう？　いつになくマーシュは慎重さを失い、論文の出版を急いでしまったが、それから数か月、気をもみながら過ごすことになる。これは自分にとって、頭蓋骨を尾にくっつけたように、コープに復讐の機会を与えるものになってしまうのだろうか？

翌年の春、マーシュは最初にカンザスの発掘地点に滞在した。皆でテントを張るとすぐに彼はそこを飛び出し、チョーク（白亜）に刻んでおいた十字を見つけた。何分か探しまわったところ、骨のもう半分に加え、ほかの翼の骨もいくつか岩に埋まっているのを探し当てた。竜は、完全にマーシュの期待どおりに大きかったのだ。それは出世を約束する大発見で、世界じゅうの古生物学者がひどくうらやむほどのものだった。

だれよりもうらやんだのが、コープである。ライバルはおじの財産を使って遠い西部で派手な発見をなし遂げていたのに、コープはニュージャージーにとどまり、かつかつの暮らしをしていた。とくにいらだたしかったのは、コープの父親にたんまり金があったからだ。父親はその金を骨探しに使わせようとせず、あくまで息子を豪農にしたがっていた。そしてとうとう、何年も口論したあげく、コープは自分が受け継ぐ予定の農地を父親に売らせた。それはもうギリギリのタイミングでもあった。売却の直後に、マーシュが新たな化石について一連の論文を発表し、コープは嫉妬に駆られたのだ。

発見そのものだけでなく、コープはマーシュが恐竜研究におよぼしそうな悪影響についても嫌がっていた。精神分析というほどではないが、コープは恐竜を不思議なほど自分に似ていると思っていた。すばやくて機敏だと。一方でマーシュは、恐竜をむしろ自分のほうに近いと思っていた。ゆっくり着実に動き、たいていはただのしのし歩いていたと。もちろん、ふたりとも相手の考えをばかげていると否定していたが、マーシュが突然有名になって、彼の見方が古生物学に定着するような影響力が強まっていた。そこでコープは、農地を売って手に入れた金で、一八七一年の九月にみずから西部へ採集旅行へ出かける準備をした。アキレスが今、戦場でアイアースと一緒になるのである［訳注：アキレスとアイアースはトロイア戦争で友軍として戦い、アイアースはアキレスに次ぐ強さを誇った］。

コープの遠征の噂は、当然ながらマーシュにも届いた。マーシュがニュージャージーの採石場に横入りしたことを思えば、コープが西部に来ることに不満を訴えるのは――とくに西部の広さを考えたら

――欺瞞の極みと言えただろう。マーシュは当たり前のように憤慨した。そこで軍の関係先に、この闖入者を信用するなという警告を広めた。そのため、コープが辺境に着いたときには、砦にいた多くの兵士や斥候が彼を冷たくあしらったのである。ある砦では、彼は飼い葉置き場に寝かされた。コープはそんな冷遇にもかまわず砦から出かけていった。

　コープの遠征は、マーシュのものとは雰囲気が違っていた。マーシュはいつでも狩りをしたがり、道の左右に現れた獣を銃で仕留めていたが、コープは平和主義者で銃をもつのさえ拒み、五人の兵士による護衛はあくまでしかたなしに承諾していた。マーシュは原野の暮らしを楽しみ、皆とわいわいやって喜んでいたが、コープは毎晩焚き火のそばで真面目に聖書を朗々と読み上げ、仲間にばかにされたり、あきれられたり、げっぷで邪魔されたりしても気にしなかった。マーシュもコープも馬に乗りながら地層のレクチャーをしたが、コープは草花についても語っていた。コープはまた、娘のジュリアに心温まる手紙（クエーカー教徒が気軽な二人称として使う「thee」や「thou」がちりばめられていた）も書き、ときおり遭遇するガラガラヘビをとらえてアルコールに漬け、娘のために持ち帰りもしていた。

　それから数年間、幾度もの採集旅行で、コープの一行は多くの苦難に耐えた。竜巻が襲い、流砂が待ち受け、アルカリ性の高い（あるいは不潔な）水たまりは即座に彼らの腹を下し、激しい砂塵嵐はそのあと何日も肌に砂が出てくるほどで、虫の群れは非常に攻撃的なあまり、ベーコンの脂で肌を覆わないと、生きながら食べられてしまうおそれがあった。それでもマーシュと同じように、どれほどの苦難でもコープの興奮は冷めなかった。あるときコープはたった二日で新種の化石を一〇種も見つけ、絶滅種全体では、イタチ、マストドン、魚、巨大なカメなど何十種も発見している。なによりすばらしかったのは、マーシュの竜よりずっと大きなプテロダクティルスを発掘したことだ。これでコープは得意になれた。確かにその仕事は彼に犠牲も強いた。一日じゅう太古の獣のことばかり考えたあと、夜になって次々と見る夢のなかに、そうした獣たちが出てきた。それは恐ろしい体験だった。「昼間に痕跡を見つけたあらゆる動物が、夜にコープをもてあそんでいた」と仲間のひとりが振り返っている。「空中に放り上げ、蹴飛ばし、踏みつけたんだ。俺が起こすと、彼は心底感謝してから横になり、また襲われていた」。それでもコープは、翌朝にはまた躊躇なく出かけて発掘を始めるのだった。それほど取りつかれていたのである。

コープは全部でまさに何トンもの化石をフィラデルフィアに送った。そしてウサギのようにすばしこいおかげで、すぐに発見の公表という点でライバルを追い抜いた。マーシュも何トンもの化石をイェール大学へ送っていたが、ひと足早く西部で活動を始めていたのに、すばしこいコープのほうがしばしば先を越していたのだ。彼は雑誌に次々と論文を載せ、マーシュも手に入れていながらまだ分類記載できずにいた種について、優先権を主張した。コープはまた、あごのかけらや余分にある椎骨からまったく新しい種を思い描くのも厭(いと)わなかった。一八七二年だけで、五六本の論文を量産した。週に一本を上回るペースだ。

ところが、次第にマーシュは、コープが勝っている理由はスピードだけではないのではないかと疑うようになった。ふたりの反目は、このときまでマーシュが主に火付け役だった。活動拠点を守るための妨害は、彼が始めていた。しかし、よくよく調べると、マーシュにはコープもずるい戦い方をしだした気配が感じられたのである。

たとえば、マーシュとコープが同じ種をほぼ同時に発掘したケースが何度かあった。だがマーシュは、そうした種にかんするコープの論文をじっくり読むうちに、発見したと思われる日についていくつか矛盾があることに気づいた。考えられるなかで一番嫌な結論に飛びついた彼は、発見の優先権をものにするために論文の日付を前倒しにしていると言ってコープを非難した（下手な言い訳だが、コープは誤りを認めながらもそれを秘書と版元のせいにした）。同じころ、マーシュはコープから化石が何個か入った小包を受け取っていた。一緒に入っていた手紙でコープは、カンザスの駅で待機していたマーシュの発送荷物の箱から誤って「抜き取られていた」骨だと説明していた。とんでもない偶然だが、その骨はそれからコープのもとに送られていたというのである。マーシュはその手紙を愚弄と受け止め、激怒した。とくに、コープがその荷物のなかで最も貴重な標本を戻してこなかったからだ。

その報復として、マーシュは権威あるアメリカ哲学協会に、コープの行動を譴責し、それまで傘下の雑誌に掲載されていた彼の論文を取り消すよう求めた。協会はそこまではしなかったが、その後コープが提出した論文の一部を拒絶することには同意した。協会の拠点がコープの地元フィラデルフィアだったので、この拒絶はともすれば彼のキャリアをひどく傷つけてしまいそうだった。コープは、その制裁を跳ね返す手段に訴えるほかないと思った。コープの父親は、一八七五年に亡くなったとき、息子に二五万ドル（現在の六〇〇万ドル）を残していた。そこでコープは、真っ先に『アメリカン・ナチュラリスト』という科学雑誌を買収した。そうして、自分の論文を、ほかでは拒絶されても好きなだけ早く公表できるようにしたのである。また編集者として、その気になればいつでもマーシュを批判することができた。マーシュの元助手が書いた記事では、彼は「ずる賢い扇動家」と呼ばれ、「ひどく融通の利く良心」の持ち主と非難されていた。さらに、別の助手についての追悼記事でコープは、謝辞もなしに部下のアイデアを盗んでいたとマーシュを責めていた（あとでわかるが、この告発にはある程度根拠があった）。

ほどなく、事態はエスカレートした。縄張りを広げるためでもあったが、一八七〇年代の半ばにコープと、それ以上にマーシュが、西部での実際の発掘作業を本職の化石ハンターたちに任せるようになった。当然かもしれないが、そうした「骨屋」たちは、自分たちのボスの敵対感情や悪辣な行為を受け継いでいた。コープの手下たちは、ときにスパイ活動をおこない、食品雑貨を売るという口実でマーシュの野営地に潜入を試みた。マーシュの手下もコープの野営地の偵察を始め、マーシュに暗号で報告した。コープは「B・ジョーンズ」、運良く化石を見つけたというのは「健康」で、金がほしいときは「弾薬」がほしいと言ったのだ。発掘地点の場所については固く秘密が守られ、コープの仲間のひとりは、夏にどこで過ごしていたかを親にも言わなかった。

じきに何人かの化石掘りが片方の野営地からもう片方の野営地へ脱走し、高い報酬を餌に喜んで秘密を売った。一方で忠実なままの者もいて、崖の上へのぼり、下で掘り集めている連中に石を投げつけた。（マーシュのつけた十字のように）あとでまた来るために刻んだしるしを見つけたら、骨屋たちはそれを消した——そのあと自分たちが戻ってきて化石を横取りしたのである。彼らはまた、発掘し終えた場所にがれきを詰め込んだり、真偽は定かでないがそこをダイナマイトで爆破したりして、将来ライバルが来て掘らないようにもしていた。なによりひどかったのは、マーシュの一団がある地点で発掘作業を終えたとき、コープたちがあとで見つけるおそれがあるよりはと、マーシュがたくさんの骨の化石を足で粉々に踏みつぶしていたことだ。精神的な重圧がかかりすぎて、味方の仲間同士でも乱闘騒ぎになることがあった。マーシュの腹心のひとりが別のリーダー格に銃を突きつけ、決闘を挑んだりもした。

やがて、争いが激しくなりすぎて、化石掘りのなかには付いていけなくなる者も出てきた。ある者はやめて羊飼いになり、ある者は教職に戻った。科学者の仲間もうんざりした。北米で初めて恐竜を発見したジョゼフ・ライディは、なんと恐竜の古生物学から完全に手を引き、それはもはや紳士の分野ではないと考えたのである。

それでも、ときおり化石が踏みつぶされることはありながら、古生物学の分野は大いにこの争いの恩恵にあずかりもした。ふたりの競争がわかっていたため、どちらの手下もいっそうがんばり、片方のチームだけでは無理なほど広く探しまわった結果、この時期にいくつか代表的な恐竜が初めて発掘されている。トリケラトプス、ステゴサウルス、ブロントサウルスなどだ。[*] マーシュとコープは、遠征の支度や標本の作成に私財も投入していた。マーシュだけでも、それまでだれも見たことのない、とりわけ見事なブロントサウルスの標本を作り上げるのに三万ドル（現在の七二万ドル）を費やしている。実のところ、このふたりのライバルのおかげで、古生物学は、米国の科学者が明らかに世界をリードするような一分野となったのだ。化学や物理学や生物学と違って、古生物学の最先端の研究は、ロンドンでもパリでもベルリンでもなく、ここ米国でおこなわれるようになった。罪深い科学にも良い面がある。

古生物学以外の分野も恩恵を受けた。チャールズ・ダーウィンは、みずからの進化論の正否は化石記録が明らかにするはずだと確信し、コープとそれ以上にマーシュがそのためにきわめて重要な役割を果たした。マーシュがとくに入れ込んでいたもののひとつ、歯がある太古の鳥は、恐竜が現生の鳥に進化したとして当時論議を呼んでいた理論の立証に役立ったのだ。それに劣らぬ成果として、マーシュは六

○○○万年におよぶ馬の進化を二八種にわたってたどり、足指が四本でキツネほどの大きさをした動物から蹄をもつ堂々たる現生の乗用馬に至る変化を明らかにした。ダーウィンのブルドッグと呼ばれるトマス・ヘンリー・ハクスリーは、マーシュのもとを訪れて馬の進化について尋ねたときに、圧倒されている。それまでだれひとり、現生の動物の系統を太古の形態からたどった者などいなかったのである。また、ハクスリーが何かに異を唱えたり、中間種の形で証明を求めたりするたびに、マーシュが助手を遣わせてまさにハクスリーが求めるものを手に入れてこさせたことにも、やはりうならされた。「き、君は魔法使いなんじゃないか」とハクスリーは言葉につっかえながら言った。「僕がほしいものをなんでもぱっと出してくる」。ダーウィンも同様にマーシュに魔力を感じ、歯のある鳥についての成果を「す

＊そう、そう、わかっている――クレームの手紙は待ってほしい。厳密には、ブロントサウルス（美しい名前）はアパトサウルス（耳障りな名前）と呼ぶことになっている。ところが一部の科学者によれば、ブロントサウルスが復活しようとしているようだ。

この名前をめぐるごたごたは、一八七七年に、マーシュがいくつかの椎骨と骨盤のかけらからアパトサウルスを思いついたときまでさかのぼる。二年後、彼は、ある場所の竜脚類の頭と別の場所の竜脚類の骨格を組み合わせて、同じぐらいおおざっぱな根拠からブロントサウルスという名前をつけた。何人かの研究者仲間はこのつぎはぎ恐竜に疑問を呈したが、マーシュの名声によってブロントサウルスの名は一九七五年まで使われつづけた。だがこの年、古生物学者たちがいくつかの標本を調べなおし、ブロントサウルスとアパトサウルスは同じ獣であるという判定を下したのだ。すると、科学の命名規則によって、アパトサウルスのほうが先なので、ブロントサウルスは正式名称ではなくなった（ブロントサウルスの名がその後も残りつづけたのは、博物館の展示の書き換えが遅くて人々の頭からなかなか消えなかったのも一因だ）。ところが、一部の科学者によれば、ブロントサウルスはやはりれっきとした種かもしれないのだという！　彼らは古い骨格をあれこれ比べ、マーシュの元の骨片がアパトサウルスとは十分に異なり、別種と見なせると言っている。だから、愛すべきブロントサウルスが復活を果たすかもしれない。答えはいずれわかるだろう……。

ばらしい」と称える手紙を書き送っている。

しかし、この初期段階のコープとマーシュの反目は彼ら自身とその分野の両方に利益をもたらしたが、ふたりの戦いが犠牲の多い最終段階に達すると、そうとは言えなくなった。

互いに相手に対する態度はひどかったが、コープとマーシュはどちらも強い倫理観はもっていた。コープは平和主義者で、毎晩聖書を読んでいた。マーシュのほうも、自身の評判を落とすリスクを冒し、西部でアメリカインディアンに対するひどい虐待と戦っていた。

インディアンの権利を擁護するマーシュの活動は、一八七四年、現在のサウスダコタにあたる地域のバッドランズという荒れ地を訪れた化石探しの旅のあとに始まっている。地元の部族たちは初め、その地帯にマーシュを入らせなかった。彼の「遠征」が、本当は近くにあるブラックヒルズから金を盗掘するための口実だと思い込んでいたのである。部族の長老たちは、自分たちへのひどい扱いについての不満をワシントンに戻って伝えることをマーシュが約束してからようやく、しぶしぶ彼の通行を認めた。マーシュが一一月にその土地へ入ると、凍てつく寒さで、ときどき食事をしながらひげのつららを折らないといけないほどだった。インディアンたちが驚いたことに、マーシュは金を探さないという約束を守り、荷馬車に太古の骨を満載しただけで戻ってきた。

その後、部族の代表レッド・クラウドがマーシュを呼び、自分たちの不満の根拠を示した。国に土地を引き渡す代わりに、部族は食料品や生活必需品をもらう契約をしていた。レッド・クラウドはマーシュにその年配られたものを見せた。腐った豚肉、かび臭い小麦粉、虫に食われた衣類、すり切れた毛布。だれもが知っていたように、マーシュも、インディアンに物資を配る者が不正を働いていることは知っていた。だが、このときまでどれほどひどいのかは知らなかった。唖然とした彼は、この件についてワシントンの役人たちに——いや、大統領その人に——かけあうと約束した。レッド・クラウドはうなずいてマーシュに礼を述べたが、たいして期待はしていなかった。それまで約束が破られたことが山ほどあったからだ。ふん、きっとマーシュもいかさまに荷担しているのだろうよと。

ふたたび予想に反して、マーシュは一八七五年に科学の会合があってワシントンへ赴いたおり、その旅を利用して西部でのインディアン管理官の改革運動に着手した。なかでも彼は、インディアン・リングという役人集団に的を絞った。この集団は、がめつくて腹黒く、米国陸軍でもインディアン殺しで最も名高いジョージ・アームストロング・カスターにさえ嫌われていた。マーシュはこの集団のメンバーとじかに会い、改革の要求が拒まれると、頼み込んでほかならぬユリシーズ・S・グラント大統領との面会にこぎつけた。彼は何人かの社会派ジャーナリストを説得して、暴露記事も書かせた。窮地に陥ったインディアン・リングは、マーシュが飲んだくれで、おそらくはイェール大学の連中と「失態」を演じたという噂を広めだす。このときばかりは、マーシュもぐっとこらえて反撃しなかった。何か反撃することによって、インディアンのための運動に害がおよぶことを恐れたのである。

何か月かがんばって、ついに一八七五年の終わりごろ、マーシュはインディアン・リングの醜聞を明るみに出し、要職の役人を何人か辞任に追い込んだ。それでインディアン管理官たちの不正は決して終わったわけではなく、ましてやインディアンの土地を不当に奪うことも止みはしなかった。それでも、レッド・クラウドはマーシュの努力に心を打たれた。「彼もほかの白人と同じで、ここを立ち去れば私のことなど忘れてしまうのだろうと思っていた」とレッド・クラウドはのちに語っている。「だが彼は違った。約束どおりすべてを大いなる父［グラント大統領］に話してくれたから、これまでに私が会ったなかで最良の白人だと思う」

この改革運動によって、マーシュはいささか著名人となり、ワシントンで多くの尊敬を集めた。では、その新たに得た名声と道徳上の優位をもって何をしたか？　もちろん、エドワード・コープを攻撃したのである。

一八七〇年代を通じて、米国政府の複数の部局が、国内の詳細な地図を作るための地質調査をバックアップしていた。マーシュとコープもそれぞれ違う調査に従事し、自分たちの出資に対し利益を得ていた（実のところコープは、与えられた任務から離れてたびたび化石探しをするので注意されていたが）。ところが、連邦議会のケチな連中が、同時に四つの調査を進める考えを嫌がった——無駄に思えたのだ。一八七八年、彼らは全部をひとつの調査にまとめる提案をした。

その決定に、マーシュはチャンスを感じ取った。彼はすでに、ワシントンでの名声を利用して米国科学アカデミー（NAS）の副会長になっていた。だが会長が死去してまもなく、マーシュが実権を握った。そして幸運な偶然によって、連邦議会が地質調査の統合についての助言をNASに求めてきたため、マーシュはもてるかぎりの政治的影響力を発揮して——ラザフォード・B・ヘイズ大統領と面会さえして——コープが手伝っていた調査を終わらせた。そのうえでマーシュは、新たに統合された調査の主任古生物学者を自称した。統合にあたっての公式な見解で、彼は誇らしげにこう語っている。「これは米国の科学にとってすばらしいことです」。そうかもしれない。まちがいなく、オスニエル・マーシュにとってはすばらしいことだった。

一方で、コープは打ちのめされていた。すでに遺産の多くを使い果たしていたうえに、今度は外部からの主な資金源が断たれたのだ。あわてた彼は、残りの金のほとんどを西部の鉱山会社数社につぎ込んだ。地質学にかんする自分の高度な知識が、儲かる投資先を選ぶうえで有利になると考えてのことだった。しかしそうはならなかった。当時の採鉱はおおむね合法的なギャンブルで、おまけに胴元が確率について嘘をつくこともあるハンディまであったのだ。詐欺や誇大宣伝があふれ返り、一八八〇年代の半ばになるころには、コープはすっかりたたきのめされていた。ペンシルヴェニア大学での教職がなければ、破産してしまっていただろう。

それからとどめの一撃が来た。一八八九年、コープのもとに、手元の化石をすべてワシントンのスミソニアン協会に引き渡すよう命じる書簡が届いたのである。コープは標本の多くを集めるのに自分の金で七万五〇〇〇ドルを費やしていたのだが、地質調査と同時におこなっていたので、政府はそのすべてを要求する権利があると見なしたのだった。書簡は内務長官から届いていたが、コープは背後にマーシュがいると確信した。

破滅を前にして、コープは最終兵器を出すことにした。マーシュの助手がたいてい数年で彼を嫌うようになることは、古生物学界隈ではよく知られていた。マーシュは報酬を出し惜しみ、アイデアを盗み、助手の独立を認めなかった。すでにコープは、この不満を利用しようとして、ある年、プリンストン大学とイェール大学が戦うアメフトの試合の際にこっそりニューヘイヴンに行き、人目を忍んでマーシュの部下たちに会い、造反をあおっていた。その企みは失敗に終わったが（助手はコープも嫌っていたのだ）、それでもコープは手紙でゴシップを集めだし、机の右下の引き出しにしまっていた。その束を彼は「マーシュ資料集」と呼んでおり、化石を押収する脅しが来てから、ライバルの悪事を暴露することにした。

そこで彼は、ウィリアム・ホジーア・バルーにコンタクトをとった。バルーはかつて『アメリカン・ナチュラリスト』でコープのアシスタントを務め、今はタブロイド紙『ニューヨーク・ヘラルド』の記事を書いていた。コープは以前、ある化石にバルーの名前をつけ、バルーもコープを崇拝していた。あるときなどバルーは、コープはチャールズ・ダーウィンよりもはるかに有能だとまで言ってのけている。コープの話を聞いて、すぐにバルーは、地質調査の統合の裏にどれほど汚れた話があるのかを記事にする――そして意図的に、その過程でマーシュを中傷する――ことを承諾した。

当時の低いジャーナリズムの基準をも破り、バルーは自分が記者だとは明かさずに、かつてマーシュの助手を務めていた数人に聞き込みをおこなった。むしろ、同業の人物について噂話がしたいだけの科学者仲間のふりをしていた。その策略は功を奏し、バルーは貴重な話を集めることができた。元助手のひとりは、マーシュの仕事を「これまでに見たなかで……一番のおそるべき誤りと無知の集成だ」と言った。また別のひとりは、地質調査がタマニー・ホール［訳注：ボス・トゥイードのもとでニューヨーク市政を牛耳り、腐敗した政治をおこなった派閥団体］に劣らぬほどどっぷり不正に染まっていたと訴えた。さらにもうひとりは、「［マーシュが］二日つづけて科学で正直な仕事をするのを見たことがない」と言い放ち、マーシュは「嘘が自分の目的にかなうのなら決して本当のことは言わない」とも付け加えた。

バルーの名誉のために言っておくと、彼はその記事を公表前にマーシュにも見せ、返答の機会を与えた。さらに、地質調査のチーフにも記事を見せている。チーフはすぐに反論の筆を執ったが、マーシュは別の手段を講じた。ペンシルヴェニア大学へ赴き、コープを解雇させて完全に破産させようとしたのだ。大学が渋ると、マーシュはさらに奮起して、学長のスキャンダルをかき集めだした。学長は卑しい脅迫に巻き込まれた格好で、マーシュは自分の言うとおりにしないとマスコミにばらすぞと脅したのである。

マーシュが策を弄したものの、バルーの記事は一八九〇年一月一二日に掲載された。ある歴史家は、「名誉毀損法を軽んじる態度」を示しており、「良識による抑制」すら欠いている、といみじくもまとめている。発言を引用されていたほぼ全員が、記事を非難した――マーシュについて語ったことを撤回はしなかったが（むしろ、バルーの姑息な取材方法に抗議していた）。それでもバルーはお構いなしだった。臆面もなく、自分の情報源となった人間の反応をただ集めて、別の特ダネ記事に仕立て上げたのだ。「大騒ぎが起きている」と彼は続報に書いている。「ずいぶんひどい戦いだ」。これで記者が務まるなら楽なものだ。

マーシュの――冷たく、正確で、意地の悪い――反論は、一週間後に発表された。彼は、このようにコープをさらし者にするのは心が痛むが、相手は選択の余地を残さなかったと主張した。そしてコープによる非難は、古臭く、退屈で、嘘ばかりだと訴えた。「この［コープの不実ぶりの］件について私がもっている証拠をすべて提示しようとしたら、まこと、『ニューヨーク・ヘラルド』日曜版の付録を埋め尽くしてもそれにかんする半分も収められまい」（ここで「まこと（verily）」などと聖書風の言葉が使われているのは、おそらくコープによるクエーカー教徒の言葉遣いに対する皮肉だろう）。最高に意地の悪い罵（ののし）りは、馬の進化についての成果をロシアの科学者から剽窃したという非難を受けての答えに現れている。「コワレフスキーは最後には自責の念にかられ、みずからの頭を撃ち抜いて不運なキャリアに終止符を打った。コープはまだ反省もせずに生きている」。さらに反論の末尾でマーシュは、最後にもう一度、コープが二〇年前にプレシオサウルスの頭蓋骨を尾にくっつけていたことも世間に思い出させていた。

結果的に、そうした記事はふたりのどちらをも窮地に陥らせた。コープはひとりの敵をたたきのめすどころか、敵を増やしただけだった。いまやだれも彼を信用していなかったからだ。マーシュの反論も了見が狭くずる賢いように見え、まもなく彼は地質調査での古生物学者のポストを失った。大局的に見れば、このスキャンダルはふたりの対立の炎を鎮めることにもなった。マーシュは六〇歳を前にして、年を感じていた。ほぼ五〇歳だったコープは、もっと調子が悪かった。妻は経済的な苦しさから去ってしまい、彼は家の簡素なベッドにひとりで眠り、傍らにいるのは、ペットのカメと、悪夢を見させる化石だけだった。やがてコープは腎臓病にかかり、無謀にも自分でモルヒネやホルマリン（死体の固定液）、ベラドンナ（ナス科の有毒植物）を薬として注射しだす。そんな独自の治療では効果がなく、コープは一八九七年に腎不全で亡くなった。ある歴史家はこう述べている。「体から毒を排出できなかったことが、最終的に彼の命を奪った」

不遜にも、コープは天才の神経学的根拠を研究していた同僚に、自分の脳と頭蓋を遺贈している。伝え聞くところによれば、コープの遺贈は、マーシュに対する死後の挑戦でもあったらしい。どちらが大きな脳をもっているかをはっきりさせるべく、自身の体を科学のために残すよう、宿敵に勝負を挑んでいたのだと。それが事実かどうかはともかく、マーシュは挑発に乗らなかった。彼は一八九九年に亡くなり、コネティカットで埋葬された。そのとき、おじから受け継いだ財産は一八六ドルしか残っていなかった。あとのすべては愛する化石につぎ込んでいたのである。

『ニューヨーク・ヘラルド』の記事のひとつで、ある地質学者は、コープについて、どちらの男にも等しくよく当てはまることを語っている。「亡霊のようにいつまでも付きまとう敵が自分自身だと、彼が気づく機会［さえ］あればよかったのだが」

しかし、ふたりとも悪辣だったとはいえ、マーシュとコープが博物学に与えた影響の大きさは計り知れない。一八六〇年代の初めごろ、世界の科学者に知られていた恐竜は一二属ほどだった。マーシュはひとりで一九属、八六種を発見した。コープはそれに二六属、五六種を加え、*全部でなんと一二〇〇本もの論文を記している（おそらく科学者のなかでも最高記録だろう。彼の全出版物のリストは一四五ページにおよんでいる）。そしてマーシュが種の数では勝っているが、恐竜の生態についての考えは、コープのほうが優っていた。マーシュはずっと恐竜を自分のような――ゆっくり歩む――爬虫類と見なしており、

＊実を言うと、コープとマーシュが見つけた恐竜の種のすべてが今も認められているわけではないし、とくに元の名前で呼ばれていないものも多い。ひょっとすると、どの科学よりも古生物学は絶えず証拠となるものをまとめたり、分けたり、分類しなおしたりする必要があるのかもしれず、つねに新たな種が現れては消えている。じっさい、コープが見つけた二六の属のうち、現在残っているのは三つにすぎない。だが、どれほど削られようが、コープとマーシュによる分類の記録には度肝を抜かれる。

それは一世紀にわたり世の常識となっていた。ところが今では、コープの見方――彼のようにすばしこいとする見方――のほうが正確のように思われている。

さらに重要なのは、コープとマーシュが地球の生命に対するわれわれの理解にコペルニクス的転回をもたらしたことだ。ふたりのおかげで、人類は初めて、恐竜がかつてこの惑星をどれほど完全に支配し、どれほど長い期間――およそ一億八〇〇〇万年で、これまでのホモ・サピエンスの存続期間の六〇〇倍――そうだったかを知ることができた。トリケラトプスやティラノサウルスのような後期の恐竜が生きていた時期は、一億五〇〇〇万年前に死に絶えたステゴサウルスのような初期の恐竜の時代よりも、実はわれわれの時代のほうにはるかに近い。このように考えると、たまたま巨大な小惑星がぶつからなければ、われわれのような哺乳類はまだ地下で穴を掘っている毛むくじゃらの小動物という目につかない分類群だったかもしれないのも納得がいく。

大衆もふたりの争いの恩恵にあずかった。マーシュはたくさんの木箱をいっぱいにするほど化石をため込んだので、彼が死んで六〇年経ってもまだ後継者たちは箱から中身を取り出していたし、彼とコープのコレクションは米国の多くの博物館に行きわたっていた。「骨戦争」以前、一部の学者を除けばだれも恐竜のことなど知らなかった。コープとマーシュは恐竜を有名にした。どの子どもも最初に博物館で見たがるものになったのである。そのためにふたりは、ただ太古の骨を掘り出しただけではない。それを展示し、みずからの書いたもので人々の想像力をかき立てたのだ。恐竜の親類であるプテロダクティルスについてコープが述べたこのくだりを読んでほしい。「この奇妙な生き物は、革のような翼を波の上で羽ばたかせ、ときどき海へ飛び込んでは、のんきに泳いでいる魚をたくさんつかまえていた。あるいはまた、安全な高さまで舞い上がり、もっと強い海のトカゲ類の戯れや戦いを眺めていた。日が暮れると海岸に群がり、翼手のかぎ爪のついた指で崖にぶら下がっていたとも考えられる」。この男は、夢でもなんでもこうした獣をほとんど「見る」ことができ、まさしく予言者のように、自分が見たものを世の人に伝えることができたのだ。

結局のところ、骨戦争は、ある面では彼らにとって不道徳なスリルがあった。嘘つきや妨害行為、背信行為や暗号である。だれも肉体的に傷つきはしなかったから、それに全体として科学に大きな恩恵があったから、今われわれは、マーシュとコープの罪を知ってクスリと笑うことができる。そうは言えないのが、二〇世紀に起きた次のいくつかの話だ。犠牲者は気難しい学者ではなく、助けを求めた相手――「危害を与えてはならない」という誓いを立てていた医師――を信頼し、そして裏切られた患者だった。

7

誓いを破る
——倫理的にありえない

禁煙。有機農業。着色料や保存料が無添加の食品。健康のための方策として、この三つすべてに共通することは何だろうか？　どれも、ナチスの医師が最初に手がけたのである。確かに、第三帝国統治下の保健医療としてふつうに思い浮かべるものではないが、こうした方策のもととなった「純粋性」への固執は、ナチスの医師の悪名を高めた多くの残忍な実験ももたらした。

ナチスは純粋性に取りつかれ、タバコや加工食品や農薬がドイツ国民の体を汚（けが）しているのではないかと懸念した。悪魔のようなナチス親衛隊（ＳＳ）がミネラルウォーターをビンに詰めて売っていたほどである。その後ナチスは、この純粋性という考えを個人の体から国民全体にまで広げ、害毒と見なされた者、とくにユダヤ人を社会から一掃する考えに取りつかれるようになった（ナチスの副総統ルドルフ・ヘスの言葉どおり、「国民社会主義は応用生物学そのもの」だったのだ）。当然のなりゆきとして、ナチスの医師は、非アーリア人を対象とする医学実験が許されるばかりか、道義上の職務だとする結論に至る。そうした「人的素材」の死は社会から不純物を取り除くことになり、実験で得られる知見は「ドイツ民族」の健康と福祉を高めることになるからだ。

たとえば第三帝国のもとでおこなわれたおぞましい実験には、毒入りの弾丸で人を撃つ、麻酔なしで手足の移植手術をする、おがくずやガラスを傷口にすり込んで回復の経過を調べる、腐食性の薬剤を目に吹きかけて目の色を変えようとするといったものがある。そんな実験で、少なくとも一万五〇〇〇人が亡くなり（第3章とは違い、ナチスの解剖学者は解剖用死体に事欠くことはなかった）、さらに四〇万人が、手足を失ったり、傷あとが残ったり、生殖できなくなったりしている。こうした実験の多くは、動物に対しておこなえばナチスの法律のもとで違法だっただろう。だが猿や犬や馬と違い、ユダヤ人や政治犯に対しては法律による保護は皆無だったのである。

信じられないことだが、こうした医師の多くは「危害を与えてはならない」というヒポクラテスの誓いやこれに類するもの——現在の医学生がするのと同じ誓い——を立てていた。これはきわめて古くからある医療倫理の声明のひとつで、由来は古代ギリシャの医師ヒポクラテスにまでさかのぼり、まさに先ほど例としてあげたような残虐行為がなされないためのものに思えるだろう。では、ナチスの医師はこの誓いを破っていると感じていただろうか？　まったく感じていなかった。ヒポクラテスの誓いは医師のふるまいが対象であって、患者にとって何が最善であるかについてはほとんど触れていない。医師は患者を大切にするものと信じているからだ。倫理をめぐる状況が正常であれば、これで問題はない。だが一九三〇年代のドイツでは、集団主義の精神——個人の権利をかえりみず、むしろ人種の「権利」を重視した露骨な功利主義——が根づいていた。そして医師は、だれよりもこの精神を受け入れた。ある歴史学者が記しているとおり、医師は「ほかのどの専門職よりもナチ党に加わった時期が早く、数も多かった」のである。彼らは治療者として、社会の病を「治し」、ユダヤ人やジプシー〔訳注：北インドに起源をもつ放浪民族で、彼ら自身はロマと自称している〕や同性愛者といった「がん」を取り除くというナチスの言い回しに惚れ込んだ。つまり、医師はヒポクラテスの誓いの意味を「患者に危害を与えてはならない」から「社会に危害を与えてはならない」にすり替え、それに従ったにすぎなかった。彼らのひとりはあけすけにこう言っている。「私が立てたヒポクラテスの誓いは、壊疽(えそ)を起こした虫垂を人体から切り取れと告げている。ユダヤ人は人類にとって壊疽を起こした虫垂だ。だから私はそれを切り取る」

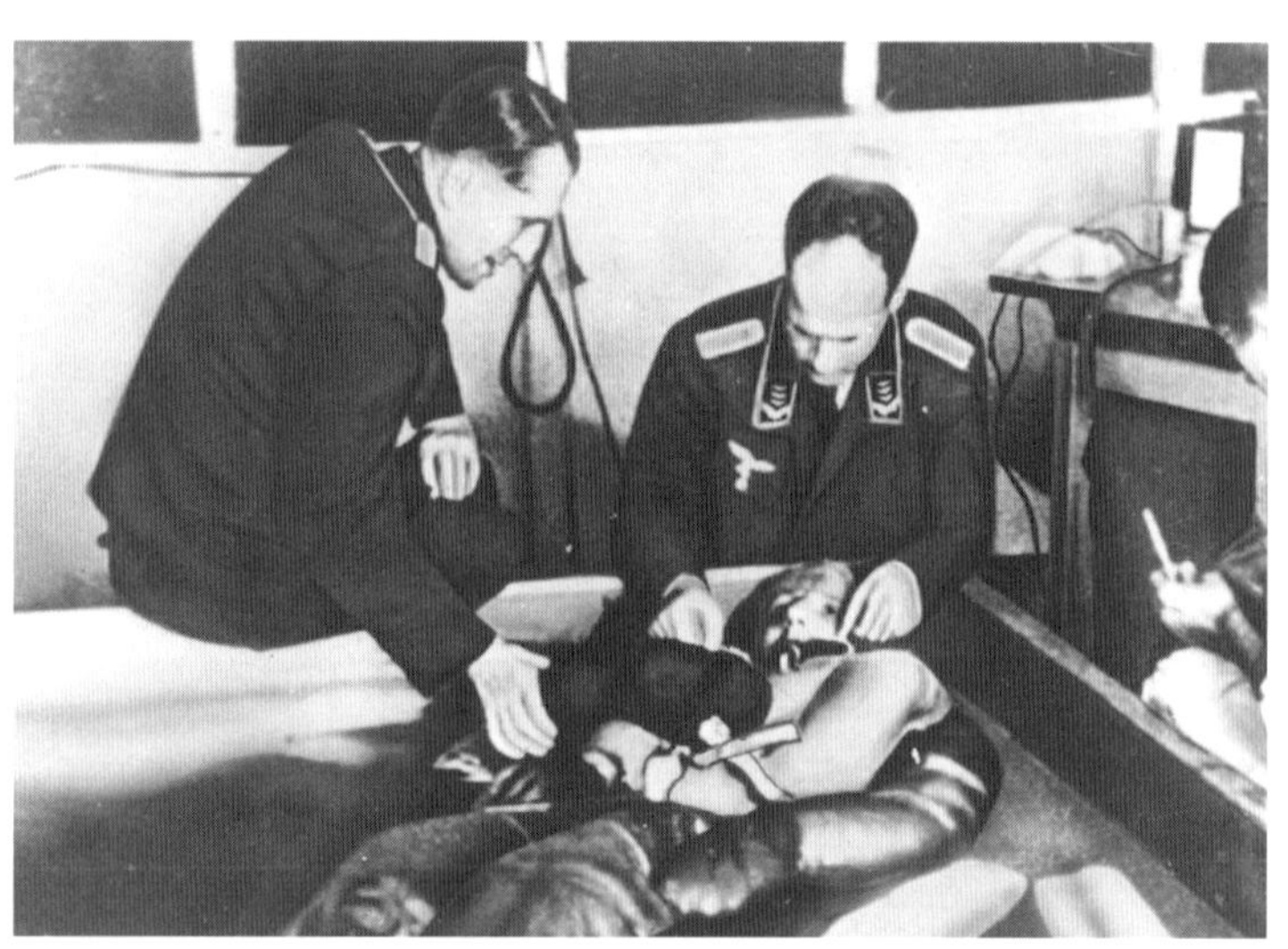

低体温症について調べる残忍な実験で、囚人を氷水のなかに入れて押さえつけるナチスの医師（米国立公文書記録管理局提供）。

全部でドイツの医師のほぼ半数はナチ党に加わっていた。彼らのおこないは、現在まで医学に暗い影を落としている。絶たれた命があるばかりか、道義上許されない形で知見を得たナチスの医師の名を今でも冠したままの病気や症候群がいくつかある。もっと切実なのは、無理やり参加させられた（強制収容所などの）囚人を対象とした実験によるデータの扱いをめぐり、科学者の意見がいまだに分かれているという問題だ——確かに汚れてはいるが、それでも今日、命を救えるかもしれないデータなのである。

はっきり言えば、ナチスの医学研究の大半は無視して葬り去っていい。たとえばヨーゼフ・メンゲレがおこなった一卵性双生児の縫合に、医学的価値はまったくない。そうした行為を「医学」と呼ぶことさえ忌まわしく思える。*

だが、すべてのケースがそれほど単純なわけではない。ある実験で、ナチスの医師は囚人に毎日海水をがぶがぶ飲ませ、どれだけ生き延びられるかを調べている。またそれに関連した研究では、低体温症について調べるために、直腸に体温計をさした状態の囚人を、氷水を張った水槽に入れて押さえつけた。さらに別の研究では、きわめて高い高度（およそ二万メートル）がおよぼす影響を明らかにすべく、減圧室（気圧を下げた部屋）に人間を閉じ込めた。SSの隊長ハインリッヒ・ヒムラーがこうした研究の一部をみずから要請しており、それはまちがいなく残忍な実験だった。海水の実験では、被験者はのどが渇いたあまり、わずかな水滴を求めて、モップをかけたあとの床をなめはじめた。減圧室の実験では、頭蓋のなかに生じた圧力の不均衡をどうにかしようとした被験者が、必死に髪をかきむしった。氷水に浸からされた人々は、手足が少しずつ凍りつくなか、痛さで泣きじゃくり、何人かはこれ以上がまんするぐらいなら撃ち殺してほしいと懇願した。

しかし医師には、こうした実験をおこなうにあたり、冷酷だが合理的な根拠があった。飛行機のパイロットは気圧の低い環境によくさらされ、船乗りが真水のない無人島に取り残されることもよくあり、兵士が冬に風雪にさらされることも往々にしてあったのだ。医師は、こうした人々が生理学的にどんな経過をたどるのか、そしてなによりどうしたら彼らの命を救えるのかを知りたがっていた。たとえば氷水に浸からせる実験では、被験者の深部体温が摂氏二七度を下回ると蘇生を試みている。強力な太陽灯、やけどしそうに熱い飲み物、温めた寝袋、強い酒など、さまざまな方法が試された。呆然としている被

＊ナチスの狡猾さを示す恐ろしい一例は、椅子の下にX線管を取りつけた特別な机だ。「好ましからざる」階級の女性が、なんでもない書類に記入するあいだ、この机を使うことになる。座った女性はそのあいだ知らぬ間にX線を浴びていた。それは、こうした女性を不妊にする秘密の策略のひとつだったのである。

験者を氷水から引っ張り出し、娼婦に仕立てた女性の囚人とベッドに放り込み、おなじみのやり方で血流を戻させようともした。

さて、ここからが肝心な話だ。理由は明らかだが、一九四〇年代以降、同様の実験をおこなった医師はいない。じっさい、一九九〇年代に低体温症の研究をしたある医師は、人の深部体温をおよそ三四度よりも下げることは倫理的にできないと判断し、そこから下の現象はすべて推測だった。そのため、瀕死状態の人の蘇生について唯一手に入るデータがナチスのものという場合もある。これが問題となる。ナチスのデータは医学の通念と矛盾していることもあるからだ。低体温症にかんする古くからの通念では、患者を毛布などでくるみ、患者自身の体温でゆっくり温めるべきだとされていた。医師は、このようにゆっっくり温めればショックや内出血を防げると考えていたのだ。ところがナチスの医師は、そのような受動的復温に効果がないことを見出した。*湯に入れてすばやく能動的に温めるほうが、多くの命を救えたのである。

では、現代の医師は、データが倫理にもとるという理由でそうした知見を無視すべきなのだろうか？ たとえば氷が割れて、愛する人――わが子――が川に落ちたとする。その子を引き上げるが、かろうじて息をしている状態だ。唇は紫色で、体温は三四度よりもずっと低い。回復させる方法として、どちらを選ぶだろう？ 倫理的ではあっても、単なる推測にもとづく理論上の方法だろうか？ それとも、汚(けが)れてはいるが実際のデータにもとづくナチスの方法だろうか？

ほかのケースでも同じような議論ができそうだ。じっさい、現代の命を救うことは、被験者の犠牲を意味のあるものにする最良の方法だと主張する医師もいる。また、ナチスのデータの質を疑問視する声もあるが（ひとつには、まったく査読を受けていないため）、多くの場合、ドイツの研究者は、万事心得ていて慎重に実験を計画するエキスパートだと世界的に認められていた。海水を飲んではいけないことは、だれでも知っている。そのためドイツの科学者は、囚人に無理やり海水を飲ませるとストレスがかかり、別の心因性の反応が現れ、実験結果が乱されることを恐れた。そこで彼らは、海水の味をほかの味で消し、ほとんど塩辛く感じないようにした。これによって、海水のみの生理学的な影響を知ることができたのである。人を欺く、ひどいやり方だが、まっとうな科学と言える。

もちろん、実用上と倫理上の両面から、ナチスのデータを利用することに反対する有力な論拠もある。氷水の実験について言えば、囚人はえてして虚弱でやせ衰えていたので、彼らではうまくいかなかった復温法も健康な人に対してはうまくいくかもしれない。また、データを利用すると、暗黙のうちに残虐行為を許すことにもなりかねない。つまるところ、警官が不正に得た証拠の使用を刑事法廷が許すべき

＊事実、試されたすべての復温法のなかで、毛布でくるみ本人の体温に頼る方法は最も効果が薄いことが明らかにされていた。強力な電球を一六個取りつけた器具の効果は、毛布よりほんの少しましな程度だった。手足を激しくこするといくらかよくなったが、温浴と合わせておこなう必要があった。強い酒は、熱の損失に対してはひどい予防策であることがわかった。手足の先へ一気に血をめぐらせることで、たしかに一時的に温まったように感じるが、実は長い目で見ると、体が熱を保持する力は弱くなるのだ。とはいえ、一緒に温浴もさせれば、酒は体温の回復に役立つ。手足の先まで血を送り出す力があり、心臓の負担が軽減されるからだ。そのため、野外で低体温症を起こしている人を見つけたら、何が何でもまずは医者を呼ぼう。だがそれが無理なら、湯に浸からせて何か酒を飲ませるにかぎる。

ところで、ナチスがこうした残虐行為の大半について恐ろしくも隠蔽に成功しかけていたことを、たいていの人は知らない。実のところ、ひとりのユダヤ人医師、レオ・アレグザンダー博士の粘り強い努力がなければ、実行者たちはことごとく罪を免れていたのではなかろうか。アレグザンダー博士のすばらしい仕事ぶりについては、samkean.com/podcastのエピソード5に詳しい。

でないのと同じく、倫理にもとるやり方で得た医学的な結果の使用も許すべきではないのだ。

あくまで参考にすぎないが、数ある団体のなかでも米国医師会が、限られた条件のもとではデータの利用は倫理にかなうと主張している――ほかに情報を得る手段がなく、ナチスの研究を引用する場合は残虐行為がなされたと明示するという条件だ。残虐さを強調すれば、われわれは自分たちが考えたがっているほど蛮行と無縁ではないと気づけるかもしれない。

最終的に、第二次世界大戦後のニュルンベルク医師裁判ではナチスの医師一六人が戦争犯罪で有罪となり、七人が絞首刑に処せられた。裁判のあいだに、人間を対象とする研究について、一〇項目からなる倫理的指針を米国の医師と法律家が作り、現在ではそれはニュルンベルク綱領として知られている。ヒポクラテスの誓いと違い、ニュルンベルク綱領は被験者の権利を重んじる。被験者は説明を十分に受けたうえで同意してからでないと実験に参加してはならず、医師は苦痛を最小限に抑えるように取りはからい、生じうる副作用や危険について伝える必要がある。さらに綱領には、医学的観点から本当に必要で、かつ成功すると考える十分な根拠がある場合にのみ、人間を対象とした実験をおこなえると記されている。

ニュルンベルク綱領は、医学史における大きな転換点だったと見ることもできる。それは倫理を医学に欠かせないものにし、七五年経った今でも、人間を対象として世界じゅうでおこなわれる研究の指針でありつづけているのだ。ところが別の見方をすると、第二次世界大戦で勝利した連合国側には、すぐに影響をおよぼすことがほとんどなかった。もちろん、そうした国々の医師がニュルンベルク綱領に異を唱えたわけではなく、自分たちには関係ないと思っていただけだ。狂人だけが虐待をする、と彼らは考えていた。文明国の医師にそんな綱領は不要だと。

そうであればよかったのだが。「狂人だけが」と思い込んでいたせいで、米国の医師はよくある心理的な罠にはまってしまった。考えられる最悪のケースほどひどくはないばかりに、仲間の悪行を許してしまっていたのだ。「われわれはナチスほどひどくない。だから大丈夫にちがいない」と。しかし実は、ニュルンベルク医師裁判がおこなわれていたまさにその時期に、一線を越えた米国人医師たちがおぞましい実験をおこなっていた。タスキーギやグアテマラでおこなわれた研究に、ナチスによる最悪の研究にあった残虐さはなかった。だがそれは、文明国と呼ばれる国にこそ、どこよりもニュルンベルク綱領が必要だと証明することにもなった。

一九三二年、米国公衆衛生局（ＰＨＳ）の白人医師数名がアラバマ州タスキーギを訪れた。黒人男性約四〇〇人を対象に、晩期梅毒について研究するためである。梅毒というとたいていの人は生殖器の病気を思い浮かべるが、治療せずにいると病原体であるらせん状の細菌に身体のほぼあらゆる組織が冒され、心臓や脳もその例外ではない。ＰＨＳの医師は、こうして冒されることによる長期的影響を調べたいと考えていた。

ＰＨＳがタスキーギを選んだのには、いくつか理由がある。第一に、タスキーギがあるメイコン郡では梅毒の感染率が驚くほど高く、四〇パーセントに達する地域もあった。第二に、住人の大部分が黒人だった。それまでの研究から、梅毒の影響が白人と黒人で異なりそうなことが示されており、たとえば黒人では梅毒に伴う心臓病が多いが、神経系の合併症は少ないようだった。そこでＰＨＳの性感染症専門医は、そうした研究結果の真偽を確かめたかったのである。第三に、社会を良くする熱意にあふれた役人のタイプ――多くは公衆衛生の仕事のために実入りのいい開業医のキャリアをなげうっていた――として、ＰＨＳの面々は虐げられているこの地域社会の助けになりたいと心から思っていた。またまちがいなく、この地域に暮らす多くの黒人は彼らの訪問を歓迎した。ちょうど世界大恐慌のまっただなかで、タスキーギの状況もひどかった。ゾウムシの大発生で前年の綿花の収穫が壊滅的な打撃を受け、郡政府は公立学校をすべて閉鎖した直後だった。医療に回す金もなく、ＰＨＳの医師が来て健康診断やＸ線検査、血液検査をただでする約束をしてくれたのは、願ってもないことだったのである。

実を言うと、タスキーギの住民のなかにも医師に疑いの目を向ける者はいた。「白人も同じように病気に罹っているじゃないか」。ある患者は、そう考えたことを覚えている。それなのになぜ、ＰＨＳは白人社会でも同じ研究をやらないのか？　ところが、地元の有力者はたいていその研究を支持していた。また、著名なタスキーギ大学が医学検査を手伝い、公民権運動にも携わっていたタスキーギのある黒人医師は「この研究の結果は世界がほしがるものになる」と誇らしげに語っていた。

研究が始まったのは一九三二年で、約四〇〇人全員の健康診断と血液検査をおこなった。そのあとも医師は数年ごとに来て追跡調査をした。男たちを農場から診療所まで車に乗せていくこともあれば、医師がみずから農場へ赴き、農地のかたわらにある木の陰で採血することもあった。こうして、この約四〇〇人を梅毒に感染していない約二〇〇人の対照群と比較し、梅毒が健康におよぼす負荷を調べたのである。

アラバマ州での悪名高いタスキーギ梅毒研究において、被験者の腕から採血する米国公衆衛生局の医師（米国立公文書記録管理局提供）。

留意すべき点は、ＰＨＳの医師が来る前に被験者はすでに梅毒に罹っていたことだ。それまで健康だった被験者に医師が病原体を接種して梅毒に罹らせたと思っている人も今では多いが、事実ではない。とはいえ、医師の実際の行動——場合によっては数十年も、くすぶっている梅毒を治療しなかったこと——は、ほぼ同じぐらいひどかったが。

一九三二年に梅毒を治療しなかったのは、実は擁護することもできた。当時の標準的な治療では、ヒ素や水銀の入った薬が使われていた（俗に言われていたとおり、梅毒は「ヴィーナス（女神）と一夜をともにし、マーキュリー（水銀）と一生をともにする」病気だった）〔訳注：ヴィーナスとマーキュリーは、ローマ神話の神の名でもある〕。そのため重金属中毒が実際に問題となっていた。そのうえ、潜伏している梅毒菌を殺すと、細菌の本体が壊れ、大量の毒素が体内に広がること（ヤーリッシュ・ヘルクスハイマー反応と呼ばれる症状）もよくあった。寝ている梅毒を起こさないほうがいいこともあったのだ。

ところが、一九四〇年代に治療薬としてペニシリンが登場すると、状況は一変する。いや、少なくともそうなるはずだった。ペニシリンはそれまでの治療薬に比べてはるかに毒性が弱く、わずか八日で梅毒を治すことができた（ヒ素や水銀による治療では一八か月かかった）。だが、一九五〇年代にペニシリンが広く使えるようになっても、ＰＨＳの医師はタスキーギの患者をそれで治そうとはしなかった。なぜなのか？　梅毒の長期的影響を調べだしていて、治せば研究が台無しになってしまうからだ。そのため、むしろ病原菌を放置した。ある歴史学者が記しているように、研究は「年々人々が亡くなるのをＰＨＳがただ見ているという、忌まわしくぞっとするもの」だったのである。

もちろん、ＰＨＳの医師の見方は違っていた。自分たちの研究は高潔なものと考えていたのだ。確かにタスキーギのひとりひとりの人間はつらい目に遭っているかもしれないが、社会全体は得られる知識の恩恵を受ける、という認識だった。被験者の苦しみを気高い犠牲と言い換えたのである——黒人男性だけがそんな犠牲を払うべき理由は説明していなかったが。あるいは、梅毒の生物学的な謎しか目に入らず、その男たちが人間であることを忘れてしまった医師もいた。タスキーギのある患者が言ったように、男たちは彼らにとって「大きなモルモット」にすぎなかった。ある医師は、ペニシリンで自分が望むよりも早く梅毒が撲滅されると、病状の経過を最後まで見られなくなるという理由で、ペニシリンについての論文の公表を阻止しようとまでした（あるとき彼は「私にとっての至福は、梅毒患者が山ほどいて、治療する施設も山ほどあることだ」と語っている）。梅毒の「問題」を解くことに取りつかれたあまり、医学研究によって確かに興味深い謎を探れるが、医学の主眼は知的好奇心を満たすことではないという真理が見えなくなっていたのだ。医学の主眼は患者を治すことにある。

そのうえ、ＰＨＳの医師は研究をとどこおりなく進めるため、被験者に何度も嘘をついた。ときにはあえて事実を言わない不作為の嘘が使われた。どこか別の場所で治療を受けることがないよう、ほとんどの男たちには梅毒に罹っていることを伝えなかったのである（良くても「悪い血」とほのめかす程度だった）。作為の嘘も使われた。自分が梅毒に罹っているとはっきり知っている被験者もなかにはいたので、電話勧誘マニュアルからそのまま抜き出したようなまやかしの言葉で診療所に来させた。手紙でこう告げたのだ。「今すぐ来てください。無料で特別な治療を受けられる最後のチャンスです」。それでも実際に治療はせず、見せかけの検査をしたり、とてもつらい脊椎穿刺（せきついせんし）をおこないながら「薬を注射している」と伝えたりした。

嘘や放置の問題があることに加え、この研究は科学的に見てもだめだった――それだけでも倫理上問題と言える。アラバマ州の猛烈な暑さのなかで集めた血液は検査に使えなくなることがよくあったうえ、梅毒の検出に用いた方法があまりにもばらばらで、一部の被験者については梅毒かどうかの判断さえできなかった。さらに、データ解析も許しがたいまでにひどい。研究が始まって数年後に梅毒に罹った者も対照群に混ざっていた。また梅毒群の男たちにも、外部の医師の治療を受けるか、別の感染症の治療でペニシリンを服用するかして、梅毒が治った可能性のある者がいた。それでもＰＨＳの医師は、こうした被験者を研究からはずさず、梅毒群に入れなおしたり対照群に入れなおしたりしただけだった。決してやってはいけないことである。こうした科学的なずさんさによって、研究結果は役に立たないものとなり、信頼性が完全に失われていたはずだった。

タスキーギの人々が受けたあらゆる苦痛を考えれば、データ解析についてくどくど言うのは無神経に思えるかもしれない。だが多くの生命倫理学者は、医学において、ずさんな科学はただそれだけで倫理にもとる科学なのだと述べている。ひどい物理学実験を考案した結果、真空ポンプか何かを壊してしまっても、その実験は人に危害をおよぼさない。しかし、医学研究のために苦痛に耐えることを人に求めるのであれば、きちんと実験を考案する義務がある。そうでないとデータが使いものにならず、苦痛が無駄になるからだ。ニュルンベルク綱領で実験の手順が重視されているのには、まさにそうした理由がある。

このように、タスキーギの研究はさまざまなレベルで倫理にもとっていたと言える。危害をこうむったのも、治療されなかった男たちにとどまらない。たいていの場合、晩期梅毒に感染力はないが、診療記録から、少なくとも何人かは人にうつす可能性があったことが明らかになっている。医師は、病気に罹っている事実を被験者に伝えないこと――さらにひどい場合、もう治ったと嘘をつくこと――により、彼らが妻など性交渉をする相手に病気をうつすリスクを大幅に高めた。また、研究にかかわった黒人科学者のなかにも、ひどくつらい目に遭った人がいる。たとえばユーニス・リヴァースだ。

リヴァースは一九〇〇年ごろジョージア州南東部に生まれ、決して人種憎悪と無縁ではなかった。彼女が子どものとき、住んでいた町の黒人男性が白人警察官を正当防衛で殺してしまって逃げ、その際に彼女の父親が逃亡の手助けをした疑いをかけられた。すると白人の自警団がリヴァースの家にラバでやってきて、彼らが窓を撃った銃弾の一発が、危うくリヴァースに当たって命を奪うところだった。やがて彼女は、一九一八年にタスキーギ大学に入り、町を離れる。当初はかご細工を学びたいと考えていた

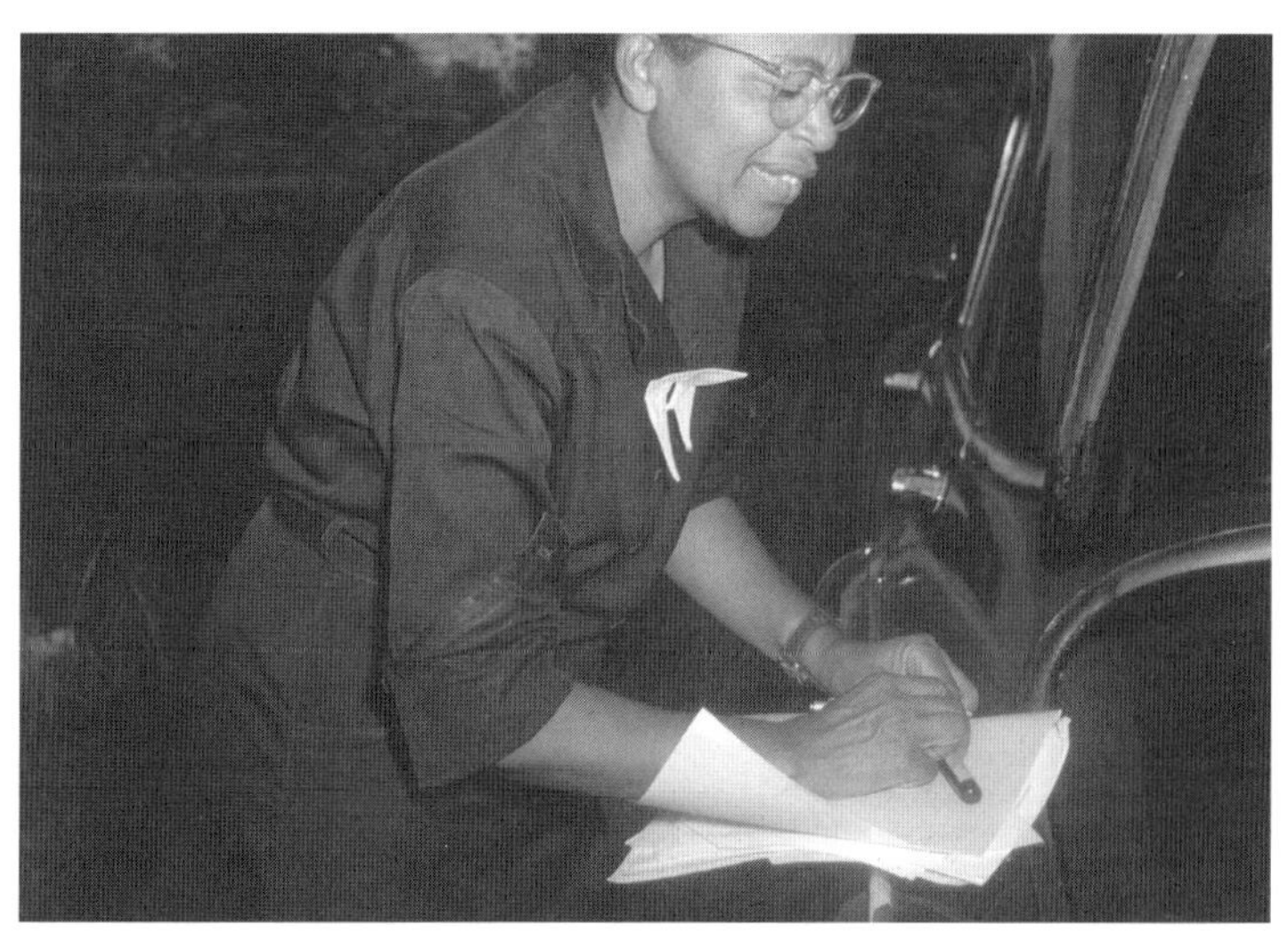

看護師のユーニス・リヴァース。タスキーギ梅毒研究で黒人のコミュニティとの重要な橋渡し役となり、そのことでのちに糾弾された（米国立公文書記録管理局提供）。

が（タスキーギ大学には優れた工芸講座があった）、父親はそうではなく科学の道へ進めと言った。結局リヴァースは、看護師兼助産師となって公衆衛生にとくに関心をもち、家々を回って妊婦に衛生面のアドバイス――ベッドに清潔な布か新聞紙を広げれば衛生的な環境で分娩できるといったこと――をするようになる。

その仕事にどれほどやり甲斐があっても、リヴァースは黒人差別の激しいアラバマ州を離れたいという思いが強く、一九三二年にニューヨークの病院のシフト主任にならないかと誘われると、その申し出を受けることにした。ところがその後、梅毒研究の話を耳にする。白人の医師たちが黒人のコミュニティとの橋渡し役を探していたため、ＰＨＳがリヴァースに研究補助の仕事を提示したのだ。本格的な研究に携わる機会に興味を引かれ、ぜひとも自分のコミュニティの現状を変えたいとも思っていたので、彼女はニューヨーク行きを断った。

リヴァースは、研究においてほぼありとあらゆる役目を引き受けた。研究が開始したときには被験者の募集を手伝い、教会や学校で親しげに話しかけた。患者の住所を突き止めて登録していき、ランブルシート（車後部の折りたたみ式補助席）付きのツードアのシボレーに彼らを乗せ、検査に連れていった（リヴァースは、男たちが車のなかで話す猥談も面白がって陽気にはしゃぎ、男たちのほうも、ぬかるみにはまった車をいつも押して抜け出させた）。仕事以外の時間にも、食べ物や服をいくつものかごに入れて持っていき、自分が気にかけているということを男たちに示した。何から何まで、リヴァースはこの研究に本当に欠かせないひとりとなり、一九五八年に米国政府からメダルを授与され、それをとても誇りにしていた。一九五三年には、研究に用いた方法をまとめた科学論文の筆頭著者にもなっていた。当時の黒人女性としてはまれな快挙だ。

とはいえ、リヴァースは研究のために不審なふるまいもしている。服や食べ物は確かに男たちの暮らしを助けたが、研究に参加させつづけるための暗黙の見返りでもあった。それどころか、地元のある医師は、リヴァースが研究の整合性を保つというだけの理由で、世話をしていた被験者がほかで梅毒の治療を受けるのを思いとどまらせようとした――妨害しようとさえした――ことを覚えていた。*ならばある意味で、彼女は研究を進めていた医師に劣らず加担していたことになる。

リヴァースがそうだったのはともかく、研究をやめさせようとする動きはときおり見られた。一九五五年には、ある白人医師がPHSにこう訴える手紙を送っている。「［この研究は］一般に認められているいかなる倫理基準のもとでも正当化できない。古代の倫理（ヒポクラテスの誓い）、宗教倫理（マイモニデス、黄金律）、職業倫理（米国医師会の倫理規定）のいずれでも」。だがＰＨＳの役人は取り合わなかった。一九六九年には、黒人医師のグループが研究を糾弾する声明を『ニューヨーク・タイムズ』紙と『ワシントン・ポスト』紙に送ったが、両紙の編集者は無視した。報道する価値がないと思ったのだ。科学者も気にかけなかった。ＰＨＳの医師は、四〇年にわたる研究で論文を一三本発表し、やっていることを隠そうともしていなかった。たとえばリヴァースが筆頭著者である論文のまさに最初の文には、「治療していない梅毒」と記されている。実のところ、それがタスキーギの件で最も恥ずべき点だろう。何もかも衆目にさらされていたのに、なんらかの力をもつ者がだれひとり気にかけなかったのである。

何も隠されてはいなかったことを考えると、一九七二年に研究のことが「暴露された」と言うのはあまり正確ではない。だがその年、研究を糾弾していた告発者のひとり――自由至上主義者（リバタリアン）の共和党員で

＊公正を期すために言えば、あくまで逸話にすぎないが、親しい友人で研究に参加した男性を少なくともひとり、リヴァースが守ったという証拠がある。リヴァースはその男性の追跡調査ができなくなったと報告していたが、実は彼は郡の保健所から四ブロックしか離れていない場所に住んでいた。彼はまた、一九四四年、かなり早い段階で梅毒の治療のために十分な量のペニシリンを投与されてもいた。それに、加担していたのはリヴァースだけではない。一九六九年になるころには、米国政府はタスキーギの研究の中止を検討していた。ところがメイコン郡医師会――ほぼ全員が黒人医師だった――は、研究の続行を投票で決めたのだ。それどころか医師たちは、被験者のリストをもらえたら彼らに抗生物質を投与せず、看護師リヴァースのもとへ行かせると約束していた。

感情的になりやすい話題なので改めて言っておくが、タスキーギの研究の責任をリヴァース（やメイコン郡の医師たち）に転嫁するつもりは「決して」ない。研究を計画したＰＨＳのメンバーが恥じるべき問題だ。しかしリヴァースもたしかに関与しており、それなりに罪はあった。ここで私が彼女の話を取り上げたのは、自分が身を置いている黒人社会と、みずからの職業上の運命を左右する白人の科学界というふたつの世界の板挟みになっていたことを考えると、彼女の人生がこれ以上ないほどのジレンマを表していたからにほかならない。

全米ライフル協会の会員でもあった人物――がついに、研究を徹底的に調べるようAP通信の記者を説き伏せた。数か月後に記事が世に出ると、一気に拡散した。あまたの新聞やテレビ局が取り上げ、米国上院はPHSの役人を公聴会に呼び、厳しく問いただした。米国疾病管理センター（PHSから研究を引き継いでいた）［訳注：現在の疾病管理予防センター］の所長は、活動家に人形を首吊りにされもした。

タスキーギの研究にかんする責任の大部分は、まちがいなく、研究を始めて被験者を治療しようとしなかった白人医師たちにある。しかし、ユーニス・リヴァースも批判の的になった。攻撃的な記事が初めて世に出たときには泣きくずれ、メディアによる追及があまりにも厳しくなるとストレスが原因で入院した。ある歴史学者が言ったように、多くの人は彼女を、「中流階級になった人種の裏切り者」や「黒人の男たちよりも白人の医師を選ぶと自身の倫理面の破滅をもたらすことがよくわかっていない」無知な馬鹿者と見なした。「白人の医師を選ぶ」という言葉は示唆に富んでいる。リヴァースは、世話していた男たちに危害をおよぼしたいとは思っていなかった。また、多くの男たちはリヴァースを第二の母親のように思い、彼女の届けた救援物資のおかげで何度か大変なときを乗り切れていた。だがアラバマ州農村部に住む黒人女性にとっては、科学のキャリアのすべてが、研究の継続と、PHSの医師とのつながりにかかっていた。リヴァースが倫理のことで医師に異を唱えていたら、ほぼ確実に手を切られていただろう。

生命倫理にかかわる事例研究は、感情に訴えるわかりやすいドラマの形になりがちだ。ナチスの医学研究はその好例で、卑劣な悪人と無辜（むこ）の犠牲者がいて、われわれが感じる怒りは猛烈で単純なものになる。PHSの医師はナチスのように凶悪ではないが、はるかに罪深い側に寄っている。リヴァースについてはちょっと難しい。属していたコミュニティと自分の野心との板挟みで身動きがとれず、自身のしたことで、亡くなるまで、さらにそのあとも、彼女だけでなく家族も苦しんだ。リヴァースは、研究がおこなわれたあいだずっと看護師のリヴァースとして知られていたが、一九五二年に結婚して公式にはユーニス・ヴァーデル・リヴァース・ローリーとなっていた。それでも一九八六年に彼女が亡くなったとき、夫は墓石に「ユーニス・V・ローリー」とだけ記して彼女の素姓をうまく隠したのである。

半世紀前、タスキーギという地名は黒人たちの誇りだった。公民権運動の母と呼ばれるローザ・パークスがそこで生まれた。奴隷出身で農業改革をリードしたジョージ・ワシントン・カーヴァーが最高の研究をおこなったのはタスキーギ大学にいたときで、その大学はやはり奴隷出身のブッカー・T・ワシントンが創設した。史上初の黒人航空部隊タスキーギ・エアメンは、第二次世界大戦でとりわけ勇敢だった兵士として名が挙げられる。そこへPHSがやってきて、市の名前に泥を塗った。そして前にも言ったように、PHSの医師が実験でだれかに梅毒を感染させた証拠はいっさいないが、その思い込みは今でも多くの米国黒人のあいだに残っている(ほかの病気にまで話が飛び火し、一九九〇年代のある調査では、米国政府が黒人の集団殺戮(ジェノサイド)のために実験室でHIVを作り上げたと、三分の一以上の黒人が信じていることが明らかになっている)。残念ではあるが当然のこととして、タスキーギの研究は公衆衛生をむしばみつづけているのだ。また複数の研究から、黒人社会に属する多くの人は、糖尿病や心臓病などの病気の兆候に気づいたとき、医師の診療を受けるよりも、手遅れになるまで放っておくということがわかっている。

ところが実は、PHSの医師がわざと人々を性感染症に罹らせているという考えは、思うほどありえないことではない。じっさい、タスキーギの研究にかかわった医師のひとり、ジョン・カトラーはまさにそうしたことをおこなっていた。ただしアラバマ州ではなく、はるか南のグアテマラでのことだ。

グアテマラの話の前に、ジョン・カトラーとまったく同じ時代を生きたある人物について確かめておくとよいかもしれない。この医師は、公衆衛生の活動家だった。そのキャリアを積むあいだにハイチとインドへ赴き、女性の医療アクセスの向上に力を尽くした。また、発展途上国の産婦人科医が米国で経験を積めるようなフェローシップ制度を彼が整えたおかげで、そうした医師が母国へ戻って女性の命を救えるようになった。一九八〇年代にはエイズ（ＡＩＤＳ）をとりまく大衆の過剰反応をとがめもし、同性愛者だからと患者を悪者扱いするのをよしとしなかった。あとでこの医師の話に戻ることになるが、グアテマラでのジョン・カトラーとはモラルの点で対照的な人物として覚えておいてほしい。

カトラーは、一九四〇年代初めにクリーヴランドのウェスタン・リザーヴ大学医学校を卒業してからＰＨＳに入り、米軍で驚くほど切実な問題になっていた性感染症の研究に取り組んだ。性感染症はいつの時代にも軍隊で蔓延していたが（「ペニス検査」は軍務に欠かせないものだった）、第二次世界大戦中の患者は膨大な数にのぼると見積もられていた。医師の推定によれば、米軍は毎年、性感染症のために七〇〇万人日分の戦力を失っており、その損失は空母まる一〇隻を港に残しておくようなものだった。当時、感染を防ぐ予防薬はいくつかあるにはあったが、男性の尿道に注入しなければならず、耐えられないほど不快な処置だった。多くの米兵はその処置をすっぽかし、ただ運まかせにしていたのだ。

だが一九四三年までに、軍医たちが二種類の新しい予防薬を開発した。ひとつは錠剤の飲み薬で、もうひとつはペニスの表面に塗る軟膏だ。カトラーは、これらの薬の効き目を確かめる実験を考案した。インディアナ州テレホートにある刑務所で、淋菌感染症（いわゆる淋病）に罹っていない二四一人の囚人を淋菌にさらし、錠剤と軟膏で感染の予防を確かめるものだった。カトラーがテレホートを選んだわけは、炭鉱だらけの地域にある比較的大きな町で、淋病のできてまもない病変部が見られる売春婦があちこちに大勢いて、膿を採取できたからである。

タスキーギと違い、囚人は何をされるのかを十分に知らされた。淋菌にさらされた場合のリスクをわかりやすい言葉で示した同意書に全員が署名し、予防薬が効かなければ治療すると約束されていた。いったいなぜ淋病への感染に囚人が応じたのかといえば、それぞれが一〇〇ドル（現在の一五〇〇ドル）もらい、のちに医師が仮釈放の審査委員会に宛てて推薦状を書いたからだ。男としてのプライドが危うくなっていたということもある。刑務所の外にいる男と違って、囚人は入隊してドイツや日本と直接戦うことができなかった。それでもカトラーがずる賢く言ったように、研究に加わっても兵士を健康に保つことができれば、囚人であっても力になれたのだ。現在の倫理規定では、囚人はとても弱い立場であるため、医学研究に参加させることが禁じられている。世間に知られず、虐待を受けやすく、早く釈放するという餌

ジョン・カトラー医師。1940年代に米国公衆衛生局のために悪名高いグアテマラの性感染症実験をおこなった（米国立医学図書館提供）。

を与えられるとうまいこと従わされ、自分の意思で同意できる状態でなくなってしまうからである。しかし当時は、囚人を参加させることが珍しくなく、問題にならなかった。科学的な利点さえもいくつかあった。全員が同じ環境で生活しているのでばらつきがなく、ずっと記録して追跡調査をおこなうのも簡単だった。結局のところ、カトラーは一九四〇年代の基準で倫理的に申し分のない研究計画を立てていたのである。

それも順調に進んでいればの話だった。カトラーの研究計画は二段階になっていた。第一段階では、予防薬を使わず、採取したばかりの淋病の膿を数人の男のペニスに塗り、淋病になる者の割合を調べる。これで基準となる感染率がわかる。第二段階では、あらかじめ予防薬を使った男たちに膿を塗り、この集団でも淋病になる者の割合を調べる。ふたつ目の集団での割合が基準となる割合より大幅に低ければ、予防薬が効いたことになる。

残念ながら、カトラーが第一段階より先へ進むことはなかった。数か月ペニスに淋病の膿を塗りつづけたが(嫌な仕事だと思う)、被験者は淋病にならずに助かった。基準となる感染率を確かめられなかったので、研究は暗礁に乗り上げた。カトラーはひどくいらだったが、むなしく一〇か月が過ぎた一九四四年の半ば、PHSは研究を打ち切った。

それでも、軍隊では性感染症が蔓延していたので、カトラーに二度目のチャンスが訪れた。彼は一九四六年にはスタテン島のPHSのオフィスに異動していた。そこで医師のフアン・フネスと出会う。フネスはフェローシップ制度でそこへ来ていたが、本来はグアテマラ政府の公衆衛生局に勤めていた。ふたりは話をするようになり、フネスはテレホートの研究の打ち切りを知ると、グアテマラに来て囚人での研究を続けてほしいとカトラーに言った。フネスがそう言ったのには、理由がひとつあった。金である。グアテマラは、ユナイテッド・フルーツ社［訳注：米国の総合食品会社で現チキータ・ブランズ・インターナショナル社。当時グアテマラ国内にバナナ栽培地をかなり持っていた］の支配を脱したばかりだった。この会社は、それまで数十年にわたり、みずからの植民地のように国を仕切っていたのだ。まさにバナナ共和国である。新たな一歩を踏み出したこの国は、独り立ちしようともがいており、まさにタスキーギと同様、公衆衛生に回す金に窮していた。カトラーをグアテマラに呼び寄せれば、スタッフを教育する米国の医師と、機器を買うための米国の金もついてくるはずだった。

カトラーもその申し出が気に入った。テレホートの研究にひとつあった大きな欠点は、人為的に淋菌にさらすやり方——ペニスに膿を塗らないといけないこと——だった。淋病は通常は性交時にうつるものなので、性交にかかわる何かによって病原菌が感染しやすくなるのではないかとカトラーは考えていた。都合のよいことに、グアテマラでは囚人であっても売買春が合法だった。売春婦は公営の診療所で健康診断を受ける必要があるだけで、まさに偶然にもフネスがそうしたいくつもの診療所を統括していた。フネスはカトラーに、自分の診療所で性感染症の売春婦を選別し、研究のために彼女たちを刑務所にさし向けることができると伝えた。こうしてカトラーは、病原菌にさらす方法が性交というはるかに自然な形であることを除けば、テレホートと同じ基礎的な研究をおこなえたのである。

テレホートの研究と似てはいたが、グアテマラの研究はいくつか重要な点で異なっていた。まず、そのころまでに治療薬としてペニシリンが登場していて、実験手順を変える必要があった。そこでカトラーは、もともと使っていた軟膏の予防薬でなく、ペニシリンと蜜蝋とピーナッツオイルを混ぜたペースト状のものを、男たちのペニスに塗ることにしたのである。また、フネスとカトラーは被験者のストックを増やし、囚人だけでなく、グアテマラ陸軍の兵士と精神病患者も対象にした。さらに、淋病に加えて梅毒と軟性下疳（なんせいげかん）［訳注：軟性下疳菌によって引き起こされる性感染症］についても調べることにした。

だが、ふたつの研究の最大の違い――そしてグアテマラの研究を罪深い科学の領域まで追いやった違い――は、兵士や囚人や精神病患者に対し、性感染症になることを伝えないと医師たちが決めた点だった。むしろ、こそこそ物事を進めたのだ。研究の背景にある科学の話をしても、哀れな被験者、とりわけ囚人の大多数を占める先住民を「とまどわせる」だけだ、とPHSのある医師は言っていた。事実、カトラーたちは、タスキーギとまったく同じように本当のことを伝えないばかりか、進んで被験者に嘘をつき、さまざまな病気の「治療」と称して協力させた。テレホートの研究とはきわめて対照的だ。米国民を感染させる場合には、カトラーは同意を得る義務があると思っていた。ところがグアテマラ人は、同じ尊重に値しなかったのである。

実験は一九四七年二月にグアテマラシティで始まった。計画どおり、感染している売春婦をフネスがカトラーのもとへさし向け、カトラーが仲介役となって刑務所内の客に引き合わせた。売春婦も囚人も喜んだことに、カトラーは性交の前に酒を飲むようしきりに勧めもした。言うまでもなく、被験者に酒を飲ませるのは現在では認められないだろうが、カトラーの考えでは、こうすれば外の社会つまり酒場で落ち合うような状況になり、性交がさらに「自然」になるわけだった。

とはいえ、自然さに対するカトラーのこだわりもそこまでだった。各人が行為を続けた分数（あるいは秒数）を――病原菌にさらされた時間の代用として――細かく記録するため、彼は性交中のふたりを覗いていたらしい。そして男が射精するとすぐに押しかけ、ふたりの股間に鼻を押しつけんばかりにして精液と膣分泌液を調べた。事を終えたあとに抱き合ったりタバコを吸ったりする暇もなかった。効率良く実験を進めるために、売春婦は一分も間を空けずに次の客の相手をさせられた。ある女は七一分で八人の相手をしなければならず、合間に体を洗うこともできなかった。最終的に二〇〇〇人に達した被験者はほとんどが成人だったが、ある売春婦はわずか一六歳で、兵士のなかには一〇歳という幼い者もいた。

当初は期待を抱いていたカトラーだったが、結局グアテマラでもテレホートと同じいらだちを味わうことになる。酒を飲んで激しいセックスをさせても、基準を確立できるほど高い割合で男たちが性感染症にならなかったのだ。基準がなければ、実験も意味がない。そのためカトラーはやけくそになり、自然な性交をあきらめ、自分の手で男たちに感染させはじめた。

それはずいぶんなやり方だった。最初に、性感染症による分泌物を新鮮なうちに集めて栄養豊富な牛の心臓の肉汁と混ぜておく。それから被験者の男を部屋に呼び、この液体に三つのいずれかの方法でさらす。軽くさらす方法では、液体に浸した小さなカット綿を、男の包皮の下に差し込んだ（このためにカトラーは、ポルノ俳優のスカウトのように、カット綿をよく覆える分厚い包皮の持ち主を探す必要があった）。しっかりさらす方法では、液体に浸した綿を爪楊枝で男の尿道に押し込んだ。擦り傷を与える方法では、注射器の先端でほとんど血が出るまで亀頭を引っかき、できた傷に液体をかけた。カトラーはまた、液体に浸した綿を感染していない売春婦の膣に入れ、彼自身の報告によれば「かなり激しく」かき回して、病原菌にさらしもした。おぞましさをいや増すかのように、カトラーは妻を呼んで被験者の生殖器のクローズアップ写真を撮らせることもよくあった。

特筆すべきは、カトラーの被験者のなかにこうした「治療」に抗った者もいたことだ。ある精神病患者――その部屋で一番正気に見えると言うべき人間――は、ペニスを引っかかれる前に診察台から飛び降りて逃げ出し、病院のスタッフが彼を探し出すのに数時間かかった。それでも概してカトラーは、人為的に病原菌にさらす方法に十分満足していた。これで、基準となる感染率を五〇～九八パーセントと決定できたからだ。

カトラーがワシントンの上司たちにこの「進捗」をすべて律儀に報告すると、上司たちはかなり心を動かされた。ある者は「君のショー［!］はこちらですでにかなり広く好評を得ている」と手紙に書いてきた。また、ＰＨＳ長官との会話を伝えてきた者もいた。「『当たり前だが、そんな実験はこの国ではできんよ』とおっしゃったときに目を輝かせていた」と。

前にも言ったように、ＰＨＳの医師はたいてい公衆衛生の仕事のために実入りのいい開業医のキャリアをなげうっており、またその多くには軍関係の経歴があった。そうした共通の経歴と共通の目的意識があいまって、ＰＨＳ内の連帯感は強かった。通常、健全な連帯感は好ましいものだ。しかし、集団力学を研究している心理学者の知見によれば、まとまりが強く経歴の似かよっている集団は、考えにばらつきのある集団に比べて判断を誤りやすい。なにより、均一な集団は自分たちの非倫理的なふるまいについてあまり疑わない――いや、もっと正確に言えば、非倫理的にふるまっていることに気づけないのだ。均質なＰＨＳから見れば、カトラーはすばらしい仕事をしていた。

だがカトラーにも、自分の実験が怪しい領域に迷い込んでいることはある程度わかっていた。上司た

米国公衆衛生局による実験で性感染症に故意に感染させられたグアテマラ人女性（の一部）の写真（米国立公文書記録管理局提供）。

ちに得意げに報告しながらも、いっさい秘密にしておく必要があると強調していた。そんな訴えは、ある短い記事が『ニューヨーク・タイムズ』紙に掲載された一九四七年四月以降、さらに目立つようになる。その記事には、ウサギを梅毒菌にさらしたのち、すぐにペニシリンを投与したボルティモアとノースカロライナの研究者の実験について書かれており、ペニシリンで感染の確立を防げるように思われた。記者は、ヒトでも効果が大いに期待できると述べる一方、「生きている梅毒菌を人体に入れる」ことは「倫理的にありえない」とも記していた。ところがカトラーは、グアテマラでまさにそれをおこなっていたのである。しかし、自分の行為が「倫理的にありえない」と書かれているのを見ても、彼は立ち止まらなかった。PHSの外の人が騒ぎ立てるだろうから、秘密にすることが肝要だという思いを強くしただけだった。

また実を言うと、カトラーは研究の被験者に自分を含めなかったと歴史学者たちが指摘している。おかしな批判のように思うかもしれないが、みずから実験台となるのは、二〇世紀半ばまでの医学でごくふつうのことだった。たとえば解剖医ジョン・ハンターは、一七六七年に自分のペニスに膿を接種してわざと淋病に感染したので、その病気の経過を日々観察できた。[*]どれほどいかれたことに思えても、少なくともハンターには自分の研究のために病気になる度胸があったのだ。カトラーの時代にも、医師はまだそんなことをおこなっていた。それどころか、ニュルンベルク綱領でも、医学的にどうしても必要であれば――そして医師自身が被験者となるのであれば――危険な研究もやむをえないとしている。カトラーの研究はどうしても必要なものだったと言ってもよいが、彼は（男性）自身を傷つけずに、他人を危険にさらすことを選んでいた。

ＰＨＳの連帯感は強かったものの、数人のスタッフは、生ぬるい形ではあるがグアテマラの研究に疑問を投げかけた。一番直接的な疑義は、精神病患者での研究に対してのものだ。ある医師はカトラーに、「私は少し、いや少なからず、精神病患者での実験を危ぶんでいる。彼らの場合、同意ができないし、何がおこなわれるかがわからないから、善良な団体がこの研究をかぎつけたら騒ぎ立てるだろう」と手紙で伝えてきた。確かにこの医師は、被験者への危害よりメディアの悪評を気にしているようではある。それでも、ＰＨＳにいたほかの大勢のスタッフとは違い、少なくとも異を唱え、やめるようにカトラーに忠告していた。

この同僚の心配は正しかった。グアテマラにおけるどの倫理的堕落を考えても、カトラーが精神病院でしたことはとくにひどかった。精神病院の院長は、情けないほどお粗末なもの——映写機、冷蔵庫、薬、皿やカップ——と引き替えに、精神病患者五〇人を性感染症の病原菌にさらすことをカトラーに許した。

＊ハンターは、淋病と梅毒が同じ病気か別の病気かという、当時わかっていなかったことをはっきりさせるために、自分のペニスに性感染症患者の膿を接種した。だが残念ながら、その実験は最初から失敗する運命にあった。膿を採取した男は——ハンターには知るよしもなかったが——淋病にも梅毒にも罹っていたからだ。そのためハンターは、どちらの病気の症状も自分の体で観察することになり、梅毒と淋病が実は同じ病気だという誤った結論を下してしまう。この混同のせいで、一八三八年に別の医師がやっと誤りを正すまで、さまざまな混乱が起きた。また、ハンターはみずから実験台になったことで英雄のように思えるかもしれないが、決して倫理的な問題をすべて回避できていたわけではない。たとえば、当時の婚約者でのちに妻になった女性がこのすべてをどう思っていたかは——いや、ハンターが自分のしていることについて彼女に話していたかどうかも——定かでないのだ。

医学においてみずから実験台となった話については、samkean.com/podcastのエピソード20を見てほしい。そのなかには、外科医が自分自身の手術をしたという心底ぞっとする話もある。

そのうち女性の癲癇患者七人は、梅毒菌を脊椎に注射されている。とんでもないことに、カトラーはこの女性たちが「処置をあまり嫌がっておらず」、「毎日」脊椎注射を受けに列をなしたと言っているが、それはタバコで釣っていたためでもあった。

精神病院での最も痛ましいケースは、バーサという女性のものである。年齢も収容された理由も今となってはわからないが、一九四八年二月、カトラーは彼女の左腕に梅毒菌を接種した。ほどなく接種部位に病変が生じて赤い発疹ができ、皮膚が剝けはじめる。それでもカトラーは三か月間治療せず、八月二三日までにバーサは見るからに瀕死の状態になっていた。そのころにはカトラーは、もうやりたいことをなんでもできると思っていたようで、さらに淋病の膿を彼女の尿道や眼や直腸にも接種し、おまけに梅毒菌も再び接種した。数日のうちに、バーサの両眼から膿が垂れはじめ、尿道から血が出るようになる。彼女は八月二七日に亡くなった。

前にも述べたが、過去の人間を現在の倫理的基準で判断して見下すのはいたって簡単だ。だがよく言われるように、倫理の時流はファッションの時流よりも変わりやすい。だから、自分たちが疑うなど思いもよらないことについて将来の人々から糾弾される可能性に気づくと、安易に見下すのは躊躇してしまうはずだ。しかし、時代の基準に反しているかどうかをその時代において判断するのはまちがいなく公正なことで、それにもとづけば、カトラーの「倫理的にありえない」行為は極悪非道だった。バーサに対しておこなった実験をドイツの強制収容所でおこなっていたら、カトラーは戦争犯罪を問われて裁判にかけられていただろう。

PHSは、総額二二万三〇〇〇ドル（現在の二六〇万ドル）をカトラーの実験に費やしたのち、一九四八年に出資を打ち切った。ペニシリンの錠剤が性感染症によく効いたので、ピーナッツオイルの予防薬は意味がないように思われたのだ。いずれにせよ、PHSの長官も交替した——おそらく倫理的堕落に対して「目を輝かせ」そうにない人物だった。そのためカトラーは、そそくさとグアテマラを去ることになる。性感染症に関心があったことを考えると当然かもしれないが、彼はその後、アラバマ州でタスキーギの研究に加わった。

平気で研究結果を公表したタスキーギの医師たちと違い、カトラーはグアテマラの件についてひとことも書かなかった。ひとつには、研究で何も新しい知識が得られなかったためで、公衆衛生の観点からはたいした成果がなかったのである。だが沈黙を守ったのには、別の良からぬ理由もあったようだ。カトラーは、一九六〇年にPHSを辞めたとき、米国政府の所有物であるのに、グアテマラの実験ノートと患者のカルテをすべて持ち去っている。彼のような組織に尽くすタイプにしてはかなり異常なふるまいだ。持ち去った理由はだれにもわからないが、研究のことをだれにも気づかれないようにするためという、隠蔽のにおいは確かにする。驚いたことに、カトラーがPHSを辞めたあとに教鞭を執ったピッツバーグ大学で、二〇〇五年に歴史学者のスーザン・リヴァビーが実験ノートを偶然見つけるまでは、だれにも気づかれなかった。リヴァビーが発見し、果敢にも一万ページにもおよぶノートすべてに目を通さなければ、いまだに知られることはなかっただろう。*

* ここでは事の顚末のすべてには触れられないが、長いこと書庫に眠っていたカトラーの著作物をスーザン・リヴァビーが見つけた話——最終的にホワイトハウスまで一気に伝わった事実——は、まるごと全部読む価値がある。その話については、samkean.com/books/the-icepick-surgeon/extras/notesを参照のこと。

カトラーは、自分の研究について暴かれるのを見ることなく、二〇〇三年に世を去った。では、グアテマラを離れたあとはどんな仕事をしたのだろう？　タスキーギの研究以外に、ハイチとインドで女性に保健医療を提供する手助けをした。また、発展途上国の産婦人科医が米国で経験を積めるようなフェローシップ制度を彼が整えたおかげで、そうした医師が母国へ戻って女性の命を救えるようになった。一九八〇年代にはＡＩＤＳをとりまく大衆の過剰反応をとがめもし、同性愛者だからと患者を悪者扱いするのを良しとしなかった。

どこかで聞いた話ではないだろうか？　手の込んだ書き方をしたのを許してもらいたいが、このセクションの冒頭で紹介した高潔に思える医師――女性やマイノリティを擁護した人物――は、グアテマラの研究をおこなった医師と同一人物だったのである。カトラーについてわかっていることが、グアテマラでのおこないが暴かれる前に書かれた死亡記事の内容だけだったなら、アフリカで医療活動に身を捧げたアルベルト・シュヴァイツァーのようだと思えてしまうだろう。

さて、このふたりのカトラーがどうして同一人物になりうるのだろう？　グアテマラを離れてから後悔し、もっと善いことをするのに生涯を捧げたのかもしれない。グアテマラの記憶をすべて葬り、何か悪いことをしたのを認めようとしなかったのかもしれない。ひょっとしたらそのあとも、「全体で十分な人数――抽象的な意味で人類――を助けようとするのであれば、その過程で現に存在する人間を犠牲にするのはやむをえない」という露骨な功利主義を良しとしていたのかもしれない（一九九〇年代になっても、カトラーはまさにそうした根拠でタスキーギの研究を擁護していた）。あるいは、ひとり目のカトラーとふたり目のカトラーの折り合いをつけようとするのは的外れなのだろうか。グアテマラのカトラーは、ヨーゼフ・メンゲレなどのナチスの医師と同列に見なしたくなる。カトラーもまた狂人だと片づけたくなるのだ。しかし、その後の善行を知ると、そう考えるのがかなり難しくなる。結局のところ、ふたりのジョン・カトラーにうまく折り合いをつける方法はないのかもしれない。*

グアテマラの実験があまりにも長いこと隠蔽されていたので、結果的にタスキーギの研究のほうがそれより暗い影を医学に落としている。だが研究の国際化が進むにつれ、両者の事例の痛ましい余韻が世界に響きわたっている。

議論を呼んだ出来事のひとつは、マラリアワクチンにかんするものだ。感染症の原因は、ほとんどがウイルスか細菌である。一方、マラリアの原因は原虫（原生動物）であり、小さいが高度な生物で、複雑なライフサイクルをもっている。そんな複雑さが何十年もワクチン開発の妨げとなり、世界最大と言ってもよさそうな保健衛生上の問題をさらに悪化させてきた。マラリアの感染者数は毎年二億人におよんでいる。

二〇一〇年代後半に新たに有望なマラリアワクチンが登場すると、世界保健機関（ＷＨＯ）がマラウイ、ガーナ、ケニアでその治験を始めた。確かに、モスキリックス（Mosquirix）と呼ばれるこのワクチンは

＊ジョン・カトラーの所業を初めて暴いたスーザン・リヴァビーも、彼を怪物と呼ぶ衝動を抑えている。グアテマラのおぞましい出来事についてはたしかにカトラーに責任があるとする一方、フェミニストの歴史家という立場から、のちに彼が発展途上国でおこなったたくさんの善行について認めてもいるのだ。

完全なものとは言えなかった。生後一七か月未満の乳児では、マラリアの感染率が三分の一だけ減った程度だった。また対照群に比べて、髄膜炎になるリスクが一〇倍になり、理由はわからないが女児の全体的な死亡率が二倍になっていた。だが、そうしたリスクを考慮に入れても、モスキリックスには、毎年アフリカだけで一〇万を優に超える命を救う可能性がある。

ところが、ワクチンの導入は多くの識者に公正でないと感じさせた。WHOは、ワクチン接種計画を「研究活動」でなく「試験的導入」と位置づけ、正式な「研究」に求められる煩雑な手続きや入念な監視を避けたようだった。さらにまずいことに、スタッフは髄膜炎のリスクや女児の死亡率の高さについて親に告げていなかった。親がほかの病気のワクチン接種で子どもを診療所に連れてきたときに、マラリアのワクチンも打ってほしいかを医師が尋ねただけだったのだ。モスキリックスが試験段階であることを告げてさえいなかった。WHOは、親が選べば拒否することもできたと述べて、みずからのやり方を擁護した。また、ワクチン全般についてあらかじめ情報を地域社会に提供し、「インプライド・コンセント」(暗黙の同意)を得ていたとも主張した。しかし批判者たちは、インプライド・コンセントが、ほとんどの研究に求められる「インフォームド・コンセント」(十分な説明を受けたうえでの同意)にはとうていおよばないと反論した。ある生命倫理学者はこう言っている。「インプライド・コンセントは断じて同意ではない」

現時点で、この研究――と研究をめぐる議論――はまだ続いている。だが、こうした議論にどれほど不確かな点が多いように見えても、根本的な論点は結局次のようなものになる。WHOが手続きを省くことでワクチンの導入が加速し、数十万の命が助かるとしたら、倫理的にうまくだますだけの価値はあるのか？

もっと厄介なケースとして、一九九〇年代にウガンダでおこなわれたＡＩＤＳ治療薬の治験がある。ＨＩＶ陽性の妊婦が子どもにウイルスをうつす確率は四分の一程度とされている。いくつかの薬でその確率をかなり下げられるが、薬の値段がとても高い――ひとりあたり八〇〇ドル――ので、ほとんどのアフリカ人には買えなかった。そのうえ投与方法が複雑で、医療従事者が錠剤と注射で投薬し、妊婦にも新生児にもそれをする必要があった。そこで国際的な保健医療機関は、もっと短期間で簡単に投与できる方法をウガンダでテストすることに決めた。治験で妊婦の半数は治療薬ＡＺＴで短期の治療を受けたが、残りの半数は対照群として効能のない偽薬(プラセボ)の錠剤を与えられた。研究者はふたつのグループで新生児の感染率を比べ、短期の治療に効果があるかどうかを調べたのである。

医学では、偽薬を対照とした試験が絶対的基準となっている。科学の観点から見て、治療に効果があるかどうかを確かめる最良の方法だ。ところが多くの医師や活動家は、ウガンダで偽薬が使われたことに激怒した。北米でＨＩＶ感染者に治療をおこなわなければ、治験のあいだだけであっても非倫理的と見なされると指摘したのだ。彼らは、短期の治療を偽薬と比べるのではなく、富裕国の患者が受けている長期の治療と比べることを、研究者に望んだ。それ以下のどんなやり方もダブルスタンダードであり、黒人の赤ん坊に死を宣告するに等しいというのが、彼らの主張だった。

こうした告発は実際に治験をおこなっている研究者を憤慨させ、そのなかには多くのウガンダ人も含まれていた。長期の投薬治療は限られた予算でまかなうには費用がかかりすぎるので、治験の人数がかなり減り、結果的に予測力が下がると彼らは主張した。さらに、批判者たち――ほとんどが先進国の裕福な白人――はアフリカで治験をおこなうのがどういうことかを知らず、複雑な第三世界の状況に第一世界の倫理的基準をあてはめる「倫理の帝国主義」という罪を犯しているとも述べた。治験がなければ、ウガンダ人女性はだれひとり治療を受けられなかっただろう。そしてなにより強調したかったのかもしれないが、きちんとした偽薬の対照群を使って綿密に調べる科学的な治験が、治療法に効果があるかどうかを最短で最も効果的に確かめられる方法だ、と彼らは繰り返し主張した。だから長い目で見れば、最も多くの赤ん坊を救うことになるだろうと。

どちらの側も譲らず、医療危機の際になすべきことについての議論は今も続いている。直近では、新型コロナウイルス感染症（COVID-19）が流行しはじめたころ、多くの人が、医師にありとあらゆる治験薬を試す自由を与えてほしいと望んだ――副作用がひどいことも多く、それを試さなければ生き延びた可能性のある人の命を奪うおそれもあった（そして実際に奪っていた）が。一方でまた、そうした薬のどれかが効けば、莫大な数の悲しみや苦痛をなくせただろう。前にも言ったように、多くの倫理学者は、ずさんな計画にもとづく医学研究自体を倫理にもとると考えている。だが危機に際しては、最もよく計画された治験でさえ人々のモラルに反する可能性がある。倫理がたやすいものであるはずがないのだ。

強制収容所の囚人に対して実験をおこなったナチスの医師は、史上最高とは言わないまでも、二〇世紀で最高に罵られた医師でありつづけている。だが、彼らと張り合える者がいるとすれば、米国の神経科医ウォルター・フリーマンだ。ヨーゼフ・メンゲレと違い、フリーマンは異常者でも狂人でもない。

それどころか、人々を救いたい思いが強すぎた。その思いが最終的に彼の身を滅ぼしたのである。次の章で見ることになるが、フリーマンは経眼窩式ロボトミー——彼を敵視する人は「アイスピック・ロボトミー」と呼んだ——という手術を考案した。処置そのもの以上に、フリーマンが並外れた功名心を抱き、この「治療」を大勢の人に強引におこなったことこそが、ロボトミーを史上屈指の悪名高い医療処置に貶めたのである。

8

功名心

——心の手術

その話にエガス・モニスは衝撃を受けた。一九三五年八月。この神経科医にとっては失意の年で、ふてくされたままロンドンの学会に来ていた。だがチンパンジーにかんする発表を聞くと、いらだちが一気に吹き飛んだ。

チンパンジーの名前は、ベッキーとルーシーである。イェール大学の科学者たちは、二頭に対し、記憶と問題解決についてのテストをおこなっていた。あるテストでは、ふたつのカップのうち片方におやつを隠してから、数分間仕切りを下ろして見えないようにした。ベッキーとルーシーは、どちらのカップにおやつがあるかを覚えておかなければ食べられない。別のテストは、短い棒を使っていくつか長い棒を手の届くところまで引き寄せてから、一番長い棒を使って別のおやつを手に入れるというものだった。ルーシーはどちらの課題もうまくやり遂げたが、ベッキーはおやつがあるカップをまったく覚えられず、食べられないとひどい癇癪を起こした――わめいたり、こぶしをたたきつけたり、糞を投げつけたり、あれやこれやだ。

こうした課題でチンパンジーを訓練したあとで、科学者たちは大胆なことをした。外科手術でチンパンジーの脳から大きなかたまり――前頭葉全体――を取り除いたあと、再びテストをおこなって、ベッキーとルーシーが課題をうまくやり遂げられるかを調べたのである。結果はひどいものだった。イェール大学のチームがロンドンでおこなった報告によれば、チンパンジーは二頭ともおやつがあるカップを数秒も覚えられなくなり、棒を引き寄せる課題もできなかった。前頭葉がなくなったことで作業記憶［訳注：なんらかの作業のために一時的に保持する記憶］が消え、問題解決能力も失われたのだ。

ちょっとひどい実験だが、かなり興味深い。だが、記憶と問題解決に対する知見がエガス・モニスの心をとらえたのではなかった。イェール大学の科学者のひとりが余談として、手術後のベッキーはおやつを食べられなくても癇癪を起こさなくなったと語ったのである。すっかり穏やかなままで、まるで「幸福のカルト教団」に入ったかのようだったと。要するに、前頭葉を取り除いて神経症が消えたように思われたのだ。

ところが、これですべてではなかった。ベッキーは穏やかになったが、ルーシーにはまったく逆のことが起きたとも、その科学者が言ったのだ。つまり、ルーシーは手術後に、穏やかな大人から、わめきちらす子どもに退行してしまったのである。前頭葉の摘出が神経症をもたらしていた。

しかしモニスは、聴衆のなかにいたのに、ルーシーの部分を聞きのがしたか、聞かなかったことにした。ベッキーの——とても穏やかで、とてもおとなしい——イメージが、彼自身の前頭葉をとらえたのである。その後の質疑応答で、彼は立ち上がり、脳手術によってヒトの情動障害も同じように治療できないだろうかと尋ねた。

聴衆はぎょっとした。モニスはだれかの前頭葉を本当に切り取るつもりだろうか?

そうではなかった。だが、同じぐらい邪悪なことを考えていた。

モニスは、輝かしい一族の話を聞かされなければ、ロボトミーにとらわれることなどなかったかもしれない。一八七〇年代にポルトガルで育ち、そこで叔父に先祖の話を吹き込まれた。彼の名の由来である、一二世紀に侵略してきたムーア人の撃退に貢献した伝説の戦士エガス・モニスもそのひとりだ。そうした話が少年を熱くさせ、秀でた人間になって名をあげたいという強い欲求をかき立てた。若いころポルトガルの大学の医学部で学び、パリで神経学の研修医となった。そのすぐあと、二六歳でポルトガルの国会議員に選ばれている。また壮年に入ったころにはスペイン駐在大使を務め、リスボンに広大な屋敷をもっていた。屋敷には有名なワインセラーがあり、モニス自身がデザインした服を着た使用人が大勢いた。

エガス・モニス医師。功名心が強く、ロボトミーとして知られることになる手術を考案した神経科医（ジョゼ・マリョア画）。

だがモニスは、政界での名声が医学界での名声をはるかに上回っているのをいらだたしく思っていた。じっさい、リスボンの名門大学で神経学の教授職に就いたときには、科学の才能ではなく政界のコネのおかげでなったのだと人々に冷笑された。そんな噂に傷ついていたのである。

やがて彼の体調が悪化しだす。贅沢な暮らしのせいで、以前から両手が痛風の症状に悩まされていた。この関節の痛みが握手も耐えられないほどひどくなり、患者の治療の妨げになった。彼はまた、壮年期に体重がかなり増えたため、むくんで情けない顔にもなった。

患者の治療ができなくなったモニスは、功名心の矛先を変え、新しい医療を考え出すことに目を向けた。当時、一九二〇年代に、医師はX線を使って患者の骨を調べることができたが、軟組織の内部をうまく覗く方法がなかった。そこでフランスの科学者たちが、現在では血管造影と呼ばれている方法を考案した。その方法では、不透明な液体を血管に注入する。金属イオンがたっぷり溶け込んだ液体だ。それからさっとX線を当てるとその液体で跳ね返るので、医師は血管や臓器の輪郭を知ることができた。おぞましい事故を別にすれば、これで生きているヒトの腹のなかを史上初めて覗けたのである。とてつもなく画期的なことだった。

モニスは血管造影の研究に打ち込み、初めて脳の画像を手に入れようとあくせくした。まず始めたのは死体を使った実験だ。助手(モニスの両手の問題があったので、器具を操作した)が、死体の脳に不透明な液体を注入する。次に助手は、おそらく鋸(のこぎり)を使ったのだろうが、頭を切り離し、それをもってモニスのお抱え運転手付きのリムジンに飛び乗る。リムジンはこっそり街を抜け、X線装置が待ちかまえる場所まで頭を運ぶ。何週間も自動車事故を恐れて過ごしていた、とのちにモニスは振り返っている。切り離された頭が道路に転がり出て、ぞっとするような実験が公になってしまう事態が目に浮かんだからだ。

死体での研究のあと、モニスと助手は生きている患者を対象とする研究に進んだ。ところが、注入した液体(臭化ストロンチウム、ヨウ化ナトリウムなど)はまわりの組織に漏れ出てしまうことがよくあり、まぶたが垂れたり痙攣が起きたりするような神経学的症状の原因になった。患者がひとり亡くなってもいる。モニスは動揺したが、めげずに液体を変えて試行錯誤を続けた。そしてついに一九二七年六月、脳内の動脈と静脈が見事に写った画像が撮れたのである。彼は、ある患者の下垂体付近に、血管の分岐をもとに腫瘍の存在を突き止めさえした。

こうした画像が撮れたのは大手柄で、モニスにもそれはわかっていた。彼は、自分が最初に成功したことをはっきりさせようと躍起になり、一九二七年から二八年にかけて血管造影にかんする論文を二〇本以上も出した。また厚かましくも、同僚ふたりにノーベル賞候補に推薦してほしいと頼みもし、ふたりは実際に推薦した。不承不承ではあったが。モニスと関係が深すぎて断るのがためらわれたらしい。

だがその推薦は不十分だった。モニスが血管造影を考案したわけではないので、ほかの科学者はモニスの研究を独創性に欠けるものと考えたのだ。やがて一九二〇年代が過ぎて一九三〇年代に入ると、モニスは自分に対する評価に陰りが出ていると気づく。脳血管造影が命を救ったのはまちがいなく、同僚たちもモニスを立派な科学者として敬意を払うようになっていた。それでも、祖先の英雄たちとはとうてい肩を並べられなかったのである。

そんな状態——六〇歳で、痛風で手が自由に使えず、自分の功績のことで落ち込んでいた——で、モニスは一九三五年にロンドンの学会にやってきた。自分を売り込む最後のあがきとして、血管造影法にかんするブースを設けていたが、ほとんど実りはなかった。その代わり、彼はほぼずっと隣のブースの医師と話をして過ごしたのである。その医師はウォルター・フリーマンという野心にあふれた米国の若い神経科医で、モニスと同じく脳の画像化に携わっていた。フリーマンは、近寄りがたい雰囲気のモニスよりも人を引きつけるのがうまかったが（フリーマンが別の学会で見世物の客引きのように大声を出し、見物人を呼び寄せていたのを研究者仲間は覚えている）、ふたりは馬が合い、自分たちの研究についてあれこれフランス語で話した。ずいぶん暇だったのだ。

しかしその学会で、モニスはチンパンジーのベッキーとルーシーについての発表を聞きに行き、人生の転機だと感じた。彼のように関連づけて考えた者はほとんどいなかっただろう。だがベッキーの話から、モニスは欧米社会をとりわけ悩ませている問題のひとつの解決策を思いついた。精神病院のひどい状況をどうにかする方法である。

古代や中世においては、気が触れた者がいれば、親族が引き受けて世話をした。ところが一八世紀や一九世紀に工業化で従来の家庭生活が続けられなくなると、行政が代わりに面倒を見ることになり、保護することになった人々を施設に収容しだした。一九〇〇年ごろまでには欧米のどの大都市にも精神病院ができており、どの病院も気が滅入るほど似た状況だった。騒々しく、不潔で、過密状態だったのだ。「患者は看護人にたたかれ、口をふさがれ、つばを吐きかけられていた。暗くじめじめした、壁にクッションを敷き詰めた部屋に押し込められ、拘束衣を着せられることもよくあった」。ある歴史学者はそう記している（ある精神病院では、女性が拘束衣を着せられたまま出産させられたこともあった。しかも独房に閉じ込められた状態である）。精神病院は、良く言っても人間の倉庫で、悪く言えば強制収容所と似たようなものだった。

精神科医も、正気でない患者を助けようとしてはいたのだが、うまくいっていなかった。よくあった治療は、薬や電気ショックで痙攣させたり昏睡させたりして、患者の脳を「再起動」させるものだった。[*]こうした方法が（本当に）効いた患者も確かにいたが、少数に過ぎなかった。ほかの「治療法」――去勢、

＊インスリン昏睡療法や電気ショック療法のほか、フロイトの対話療法を精神病院の患者に試した医師もいた。だが、患者を長椅子に深々と腰掛けさせ、母親のことをあれこれ話しても、真の狂気の前では役に立たないことがすぐに明らかになる。多くの場合、器質性の脳障害が原因だったからだ。そのためモニスとフリーマンは、対話療法が真の精神障害者に効果をもたらすのは疑わしいと考えていた。あるときフリーマンは、それなりのバーテンダーならば、精神分析医として必要な役割――共感しながら話を聞くこと――を果たせるだろうと皮肉っている。

英国の有名な王立ベスレム病院の様子を描いた１枚。同病院の通称「ベドラム」は、精神病院のひどい状態を指す代名詞になった（ウィリアム・ホガースによる連作版画『放蕩一代』より）。

馬の血の注射、冷やした「マミーバッグ」〔訳注：顔だけ出て体を覆うタイプの寝袋〕――に至っては言うまでもない。

実のところ、精神病院にかんしてとりわけ気が滅入ることは、徒労感だった。来る日も来る日も、患者が泣きわめき、体を揺らして叫び、医師が何をしても変わらない。そうした人を患者と呼ぶこと自体まちがっているように思われた。患者というと治癒の見込みがありそうだからだ。実際には、彼らは収容者だった。たとえばベッドを与えられない者がいた。壊してその破片をだれかに突き刺すおそれがあったからである。破いたり汚したりを繰り返すので、服を着せられない者もいた。ある意味で、こうした人は動物よりもひどい状態だった。動物は少なくとも穏やかで満ち足りている。ところがこうした男女は、何時間も、何十年も、自分自身の心によって苦しんでいた。

にわかにモニスは、彼らを救う方法を思いついた。ベッキーの脳内をいじることで激高を止められたのなら、同じようなことでヒトの精神障害者も救えるのではないか。試してみる価値はあった。ただし、モニスは前頭葉の摘出ではなく、もう少し巧みな方法を考えた。前頭葉と大脳辺縁系のつながりを断つのである。

ヒトは、前頭葉があるおかげで、内省や計画、合理的思考ができている。また、大脳辺縁系は本能的な情動を処理している。このふたつの脳領域は、両者をつなぐニューロンの束を介して信号を送り合っている。モニスは、精神病患者の脳では大脳辺縁系が過剰に働いて暴走状態になり、信号の連打で前頭葉が処理しきれなくなってしまっていると推測した。

ところで、モニスの仮説はまったくのでたらめだったわけではない。情動の障害で脳が対処できなくなっている場合も確かにある。だがその仮説は、脳が配電盤のようなもので、異なる部位のあいだを線がつないでいるという古いモデルにもとづいていた。モニスにしてみれば、狂気は、配線の欠陥によってショートや接続不良がたくさん生じたことによるものだったのだ。だから、そうした欠陥のある接続を切ってしまえば、脳を安定した状態に戻せる――メスのひと振りで狂気を治せる――はずだった。

残念ながら、モニスには脳内で情報が双方向に流れていることがわかっていなかったようだ。情動のせいで前頭葉が対処できなくなることは、確かにある。だが前頭葉には、大脳辺縁系に信号を送り返し、本能的な情動を抑えて人を落ち着かせる役目もあるのだ。じっさい、前頭葉によるコントロールが失われたら、手術後にチンパンジーのベッキーでなくルーシーのようにひどい状態になってしまうだろう。前頭葉からのフィードバックがなくなったため、ルーシーの情動は暴走したのである。

前にも言ったが、それなのにモニスはルーシーについての話を無視し、明快ですっきりしたベッキーについての話——手術前はひどい状態だったが、手術後は穏やかになったという報告——に注目した。それどころか、彼は世界じゅうの精神病院で苦しむ大勢の患者を思い浮かべ、救おうと誓ったのだ。二流の医師には、痙攣や電気ショックで時間を無駄にさせておけばいい。モニスは、彼自身の言葉によれば、精神外科という新たな分野によって脳内にある精神障害のまさに根源を「攻める」つもりだった。その過程で栄誉が得られるのなら、もちろん拒む理由はなかった。

一九三〇年代の半ばまでに、モニスは六〇代になっており、功績を立てるための時間がなくなろうとしていた。そこで彼は、動物での安全性試験をすべて省き、初の精神外科手術——みずから「ルーコトミー」（白質切除術）と呼んだ手術——に踏み切った。ロンドンの学会からわずか三か月後のことである。*最初にルーコトミーを受けた患者は六三歳の女性で、数十年にわたり精神病棟に入退院を繰り返し、発作的に泣きわめき、幻覚や毒を盛られる妄想と戦っていた。モニスは神経外科医の助手に指示して、一〇セント硬貨［訳注：一円玉程度の大きさ］より小さい穴をふたつ、女性の頭蓋骨にあけた。それから前頭葉の奥に注射針を差し込み、少量の純粋なアルコール——ほぼエヴァークリア［訳注：最高でアルコール度数九五パーセントに達する蒸留酒の商品名］——を注入した。アルコールは周囲の細胞を脱水して息の根を止めるのである。

モニスがどれほどあせっていたかを考えに入れても、ルーコトミーの実際の効果を確かめるために患者の追跡調査をおこなうことについては、まるっきり関心がないのは明らかだった。この最初の例では、手術の数時間後にいくつかくだらないこと（「牛乳とブイヨンではどちらが好きですか？」など）を女性に尋ね、彼女が自分の年齢や居場所を理解していないことを確かめている。それから数日後に女性を精神病院に送り返すと、泣きわめく発作がまた始まった。それでも一九三六年の初め、妄想の度合いが弱まったという印象をもとに、モニスは彼女が治ったと断じている。いずれにせよ、それまでにモニスはもうほかの患者に関心を移しており、さらに七人の男女の脳にアルコールを注入していた。そうした患者についても、彼はやはり表面的な分析をもとに、華々しい結果が得られたと主張した。

だが内心でモニスは、アルコールが必要以上に多くの脳細胞を壊しているのではないかと気にしていた。そこで方法を変え、切り取ることにした。改善を期待したこの新しい手法では、まず細い棒を前頭葉の奥に差し込む。そこで半円形のワイヤーを棒の先から飛び出させると、ワイヤーを回してその部分の組織を「くり抜く」ことができた。その手法は最初の患者でうまくいったように思えたので、モニス

＊ロンドンの学会がモニスに与えた影響については議論の的となっている。のちにモニスは、ベッキーのことを耳にする数年前からひそかに精神外科に取り組んでいたと述べており、その発言を信じる歴史学者もいる。だが、この説明はむしろ自分の利益を図るためのようにも思え、ほかの歴史学者たちはその説に異を唱えている。ひとつには、モニスはロンドンの学会のずっと前に精神外科について同僚と話したとも述べているが、同僚には、これについて訊かれたとき、議論をした覚えがまったくなかったからだ。モニスの神経学にかんする多くの著作物にも、一九三五年以前にそうした手術に取り組んでいたという証拠は見当たらない。それでもやはり、真相については議論が続いている。

はすぐに十数人の患者をさらに集めた。こうした患者のひとりについて、彼は手術からわずか一一日後に精神障害が治ったと宣言したが、それは単に脳手術から回復するにしても短すぎるし、ましてや成功の判断などできない。モニスにとって唯一現実に起きた小さな問題は、ある女性の脳を助手がくり抜いていたときに、彼女がうめき声を上げたことだった。すぐにモニスが気づいたように、ワイヤーが脳内でパチンと切れたからかもしれない。

一九三六年までにはすでに十分なデータがそろい、モニスはルーコトミーにかんする本を出版した。そのなかで、患者の三分の一は治り、三分の一はかなり症状が軽くなり、三分の一は前ほど悪くはなくなったと記している。当時の精神障害の治療が役に立たなかったことを考えると、本当のことなら、これはすばらしい結果だっただろう。

本当かどうかはともかく、人々はモニスを信じたがった。治る望みがほしかったのだ。劣悪な状態の精神病院が国じゅうに山ほどあった米国では、とくにそうだった。モニスの本はすぐに、ウォルター・フリーマンの手元にも届いた。ロンドンの学会でモニスの隣のブースにいた、あの話好きで見世物の客引きのような神経科医だ。フリーマンは、モニスに劣らぬほど強く、狂気の人を救いたいと思った――そして、善いことをしようとしていっそう無謀な行為におよぶことにもなる。

フリーマンは、精神外科におけるヘンリー・フォード［訳注：フォード・モーター社の創業者で、大量生産による自動車の大衆化を実現した］を自称した。自分がロボトミーを大衆化したというわけだ。

一九三六年、フリーマンはワシントンDCでふたつの職場に勤めていた。ジョージ・ワシントン大学と、その近くの精神病院である。彼は大学での仕事を気に入っており、刺激的な教師という評判を得て、土曜日の朝の授業でも教室がいっぱいになった。眼鏡をかけ、眉が太く、野暮ったい口ひげと短くまとまったあごひげを生やした彼は、グルーチョ・マルクス［訳注：一九三〇年代に米国で人気を博した喜劇グループ「マルクス兄弟」のひとり］に似ており、講義でもグルーチョ並みに学生を楽しませた。左右どちらの手でも同じようにうまく黒板に図を描けたので、チョークを舞うように動かして脳のふたつの部位を同時に描き、学生の喝采を浴びていた。また不愉快なことに、地元の病院で興味深い神経科の患者を探してきて、学生に見せびらかした。たとえば、ある認知症の高齢女性はほぼ赤ちゃん返りした状態で、吸引反射［訳注：唇付近を軽く刺激すると反射的に吸い付く動きを見せること］が現れるほどになっていた。フリーマンは、まず哺乳瓶を、次に自分のキセルの火皿をむさぼるように吸わせて、この反射を実際に見せた（「かなり忘れられない姿だ」と彼は得意げに手紙に書いている）。学生の大半は男子で、講義にはまり、ガールフレンドをよく連れてきていた。映画よりも楽しめて安かったのである。

講義とは違い、第二の職場、つまり精神病院での仕事は、フリーマンの気を滅入らせた。入院患者から理事たちまで、そこにいるだれもが惨めに見え、人間のもてる能力を無駄にしているのが嫌でたまらなかった。だから、エガス・モニスが治癒と考えられるケースをあれこれ記したルーコトミーの本を出したとき、フリーマンは狂喜した。「未来の展望がひらけた」と感じ、新たな信仰への目覚めにも似ていたと振り返っている。フリーマンは向こう見ずなところもあり、この大胆で新しい精神外科という分野は彼の冒険心をくすぐった。すぐに彼はジョージ・ワシントン大学で神経外科医のジェームズ・ワッツを仲間に引き入れ、研究に取りかかった。

モニスの本は一九三六年六月に出版されたが、早くも同年九月までにはフリーマンとワッツがひとり目の患者を手術台にのせていた。ところで、神経科医であって神経外科医でなかったフリーマンに、みずから手術をおこなう資格はない。だが彼は、あまりにも優秀だったので、じっと見守るだけではいられなかった。ワッツが頭蓋骨に穴をあけると、続きはフリーマンがやることもよくあった（公正な目で見ても、フリーマンは脳の解剖については世界一流の専門家で、知識はワッツをはるかにしのいでいた）。当初ふたりは、半円形のワイヤーで脳組織をくり抜くというモニスの方法をそっくりまねていた。しかしやがて方法を変え、半円形のワイヤーをなくし、大きなバターナイフのようなもの——細長いが刃の鋭くないナイフ——で組織を切るようにした。頭蓋骨にあけた一〇セント硬貨サイズの穴にナイフを差し込み、角度を変えて回し、前頭葉と情動中枢のつながりを断つ。新しい器具を使う新しい方法なので、手術にも新しい名前をつけた。ロボトミーだ。

一九三六年の最後の四か月、フリーマンとワッツは一週間にひとりのペースで手術をこなし、その結果に自信を深めた。患者のおよそ半数は家族のもとへ戻れるほど落ち着き、精神病院で暮らす状態から大きく改善したとふたりは考えた。そのうえ、入院したままの患者もずっとおとなしくなった。これよりあとの時期の手術についてだが、フリーマンはこう述べている。「病棟は全体に静かになり、『事故』は減り、患者は協力的になり、カーテンや植木鉢が凶器として使われる危険がなくなって病棟は明るくなったことだろう」［『ロボトミスト：3400回ロボトミー手術を行った医師の栄光と失墜』（ジャック・エル＝ハイ著、岩坂彰訳、ランダムハウス講談社）より引用］

もちろん失敗もあった。フリーマンがナイフを回していて血管を傷つけることもあり、初期の患者のひとりは出血がもとで亡くなっている。患者が必ず良くなるわけでもなかった。一九三六年のクリスマスイブに、あるアルコール依存症患者がふらふらとベッドを離れ、包帯の上から帽子をかぶり、病院の正面玄関から出ていった。フリーマンとワッツはさんざん探しまわった末、地元の酒場でクリスマスを祝って騒いでいる患者を見つけたが、そのときには彼は、すっかり酔っ払っていてほとんど歩けなかった。この災難のおかげで、フリーマンは息子の誕生に立ち会えなかったのである。それでも彼は、失敗を気にしなかった。多くの場合、最初に組織を十分に切り取っていなかったにちがいないという理由で、またロボトミーをおこなうことにしただけだった。

立派なことに、フリーマンはモニスよりも真面目に患者の追跡調査をおこなっていたし、彼には（少なくとも最初のころは）ロボトミーの限界を認める知的な誠実さがあった。フリーマンは、おおまかに見て、統合失調症患者やアルコール依存症患者、犯罪性の性的倒錯をもつ患者には手術をしてもほぼ意味がないと結論づけた（それどころか、患者が手術後に羞恥心を完全に失ったために、性的倒錯がひどくなることもあった。あるときフリーマンは、のぞき魔にロボトミーをおこなえば、窓からのぞき見するのではなく、表玄関から押し入るようになるだろうと冗談めかして言っている）。一方でロボトミーは、重度の鬱などの情動障害のある患者にははるかに効果があり、陰鬱さを和らげて気分を高めることがわかった。ひとつにはこれが理由で、初期にロボトミーを受けた患者は女性ばかりだった。女性は男性よりも、鬱や情動障害を患う（または少なくともそう診断される）率が高かったのだ。

フリーマンは、ロボトミーの副作用についても率直に語った。彼の手術を受けた患者で、よだれを垂らす脳死状態になった者はひとりもいない。それはハリウッド映画が植えつけたような勝手なイメージだ。とはいえ多くの患者は、食器を使った食べ方やトイレの使い方といった日常生活の基本を学びなおさないといけなかった。もっと気になったのは、多くの患者が「生気」を失ったことだ、とフリーマンは認めている。つまり、人格がぼやけ、自分から何かをすることがなくなったのだ。だれかに行動をうながされると肩をすくめて従うが、あまり乗り気ではない。一方、うながされなければ、どこかを見つめたまま何時間でもじっとしていた。前頭葉による制御がなくなると、食欲の歯止めもきかなくなった。目の前に出されたものはなんでも大量に食べ、吐いてからすぐにまた食べはじめもした。性欲が急に高まった者もいて、手術後の一週間、一日に最高六回も配偶者に性交を求めた（ある著作家は「そのナイフは……ハムレットを鈍麻させたが、ロミオはそうならなかった」と述べている）。なにより厄介なのは、自己認識と社会生活のマナーを失ったことだった。ある男性は、教会で説教が終わってから拍手喝采しだし、面白いショーを見たばかりのように騒ぎ立てた。身づくろいをしたり体を洗ったりするのをやめてしまう患者もいた。フリーマンの言葉によれば（彼の表現力は見事だ）、患者は「ボーイスカウトのモットーの逆」を示すようになった。つまり、清潔さ、礼節、忠実さ、敬意などがまったくなくなったのである。

フリーマンのとりわけ有名な失敗は、一九四一年に起きた。政治家一族の一代目ジョゼフ・ケネディ［訳注：第三五代米国大統領ジョン・F・ケネディの父］は、フリーマンを説き伏せて、気分変調が激しく怒りを爆発させやすい娘ローズマリーのロボトミーを実施させた。ロボトミーの結果、二三歳のローズマリーは、当初話すことも歩くこともできず、完全に活気がなくなった。手術を無理やり求めたにもかかわらず、ケネディはフリーマンに激怒した。ショックを受け、一家の恥と思ったケネディは、娘をその後生涯にわたり施設に閉じ込めた。*

「治った」患者も重い副作用に悩まされたので、ロボトミーは厳しい批判を受けることになる。ある医師は「これは手術ではなく損傷だ」と言い放った。あるいは、「精神外科医は、心を病んでいる患者よりも心を失った患者のほうが幸せだと判断する時点で、実のところ危ない道を歩んでいる」と語る医師もいた。また多くの医師は、過激な実験的手術に対し、精神障害者が真に同意できるのかという疑問を投げかけた。フリーマンの息子のひとりも、あるときこう言っている。「ロボトミーがうまくいくと言うのは、交通事故がうまくいくと言うようなものだね」〔『ロボトミスト：3400回ロボトミー手術を行っ

＊ローズマリーの不幸は生まれたときに始まっていた。一九一八年九月のある日、彼女の母親は予期せず破水し、出産に立ち会う医師がすぐに来られなかった。信じられないことに、その場にいた看護師は、赤ん坊が出てこないようにケネディ夫人に脚をしっかり閉じさせた。それでもローズマリーの頭が見えはじめると、看護師は彼女を押し戻したのである。そのせいでローズマリーの脳が何分か酸素不足になり、彼女は正常とは言えない状態になった。子どものころには、スプーンをきちんと握ったり、自転車に乗ったりするのに苦労した。

そんなローズマリーも、だれに聞いても陽気な少女だったらしく、ケネディ家の娘で一番の美人だと広く思われていた。だが、野心を抱く一家にとって彼女は厄介な存在で、一〇代のころに修道院に入れられてしまう。ローズマリーは当然これに反発し、修道女に口答えして夜にこっそり外へ抜け出していた――ひょっとしたら男を引っかけているのではないかと修道女は心配していた。時代を考えると、娘が妊娠すれば一家の政治的な運命が終わってしまうおそれがあったので、ローズマリーの父ジョゼフはロボトミーについて調べはじめた。ローズマリーの妹キャスリーンも手術について調べ、実は引き止めたのだが、ジョゼフは彼女の反対を押しのけ、妻が留守のあいだにローズマリーにロボトミーを受けさせた。

ジョン・ケネディは、ローズマリーを見捨てた家族のやり方をずっと気に病んでいて、大統領になったとき精神保健法の全面的な改正案を押し通した。この改正案で目指したのは、大規模な州立精神病院を閉鎖し、もっと細やかな世話のできる、地域社会に根ざした小規模な施設を作ることだった。ところが、各州は実際に多くの精神病院を閉鎖したものの、おそらく金を出し渋ったのだろうが、代わりに地域の施設を作らなかった。精神医療の薬が広く使われるようになると、精神病院は収容者の減少に拍車がかかるばかりで、その後ほとんどなくなってしまった。

た医師の栄光と失墜』（ジャック・エル＝ハイ著、岩坂彰訳、ランダムハウス講談社）より引用」。

フリーマンはそんな批判を放っておかなかった。論戦好きで、批判してきた相手が実際に患者を救おうとしているのではなく、倫理を気にかけているだけの軟弱な人間だと見るや、勢いよくやりかえしたのだ。フリーマンの言い分にも一理あった。多くの人が実際にロボトミーの恩恵を受けていたという点は――今では奇妙に思えるが――彼をあしざまに言っていた人々も認めざるをえなかった。前にも言ったが、精神障害に対する現実的な治療法が当時はなきに等しく、ロボトミーで、とくに障害がひどい患者が少なくとも穏やかになったのだ。近寄った人にだれかれかまわず噛みついたり、血だらけになって気を失うまで壁に自分の頭を打ちつけたりしなくなり、ほかの人と食事をしたり、外に出て少し日に当たったりするような、最低限の人間らしいことができるようになった。フリーマンの考えでは、手術によって「患者がベッドの下ではなくベッドの上で眠れるようになるのなら、それはやる価値がある」のだった。こうした患者が治ったわけではないが、精神外科によって正常に近い状態になったのである。このため著名な神経科医が何人かフリーマンを擁護し、彼の研究は『ニューイングランド・ジャーナル・オブ・メディシン』誌のような出版物で条件付きの支持を得ていた。

要するにロボトミーは、最後に頼る治療法として、二〇世紀半ばの医療で価値ある存在だったようだ。ウォルター・フリーマンに、そうした限界を受け入れるだけの謙虚さがあればよかったのだが。

フリーマンは、一九四〇年代の半ばになるころには、前頭葉ロボトミーに疑念をもちだした。頭蓋骨に穴をあけることはきわめて侵襲的［訳注：医療で生体に傷害を与えるたぐいのものを侵襲的と呼ぶ］で、そもそも患者を消耗させる手術の影響が、さらにひどくなっていた。それに、標準的なロボトミーでは精神病院の問題が実際に軽減するはずもなかった。なにしろ、米国には数十万人もの精神病患者がいて、フリーマンが手術できたのは一週間にひとりにすぎなかったのだ。その手術を他人に教えたとしても、手術のときには麻酔科医と神経外科医がいなければならない。こうした費用をまかなえる精神病院はほとんどなかったので、フリーマンは一九四五年にもっと安く容易にできる手術を探しはじめた。ほどなく彼は、まさに文字どおり新しい角度からのアプローチを見出した。

フリーマンは、頭蓋骨の頂部に穴をあけるのではなく、眼窩から前頭葉に達する方法を探った。すると、眼の奥にある眼窩骨は比較的薄いので、おそらく長さが二〇センチメートルほどの細い棒なら、眼の脇をすり抜けて眼窩に穴をあけ、その後ろの脳に届くことがわかった。それから棒を前後に動かすと、大脳辺縁系と前頭葉のつながりを下から切断できるはずだ。棒の挿入場所をもとに、フリーマンはこの手術を経眼窩式ロボトミーと名づけた。

必要なものは、適した器具だけだった。死体をいくつか手に入れ、脊椎穿刺用の針で実験を始めたが、針が弱すぎて眼窩骨を砕けなかった。やがて、自宅のキッチンでうってつけの器具を見つけた。ある日、

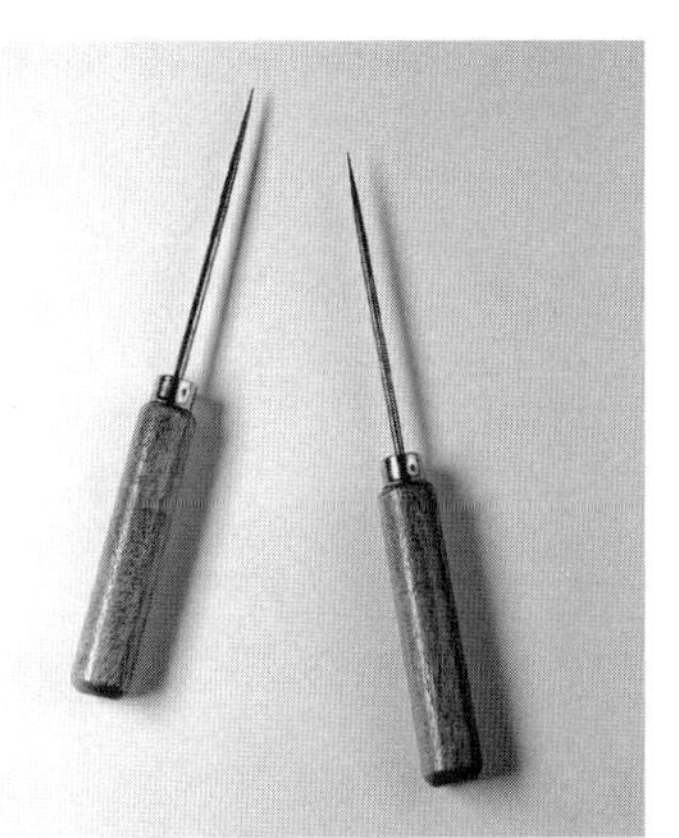

ウォルター・フリーマンが経眼窩式ロボトミーで使った錐（きり）状の器具。彼がキッチンで見つけたアイスピックをまねたものだ（ウェルカム・トラスト提供）。

引き出しを開けたときにアイスピックが目にとまったのである——長くて、鋭くて、頑丈だ。いくつかの死体で試すと、自分の直感の正しさが裏づけられた。うまいこと器具を手に入れたフリーマンは、患者を探しはじめた。

だが彼は内緒で探した。パートナーのジェームズ・ワッツが新しいやり方を認めていなかったからだ。外科医として、ワッツは几帳面だった。やみくもにアイスピックで刺すのではなく、脳のなかで切っている部分をきちんと確かめたかったのである。フリーマンにとってじれったかったのは、ワシントンDCでワッツと診療所を共有していたことで、そのため内緒で手術をするのがちょっと難しかった。それでもフリーマンは、二階の自分の部屋に患者をこっそり連れ込み、ひそかに経眼窩式ロボトミーをやりだした。

手術の手順はこうだ。まず「麻酔」のために、葉巻箱ほどの大きさをした電気ショックの器械を取り出し、患者の頭蓋骨に導線をつなぐ。何度か電撃を加えると、患者は意識を失った（ほぼどの精神病院にも電気ショックの器械はあったので、病院でもこうして患者を気絶させられるとフリーマンは確信していた）。患者が気を失うと、フリーマンは片方のまぶたをつまんでガーゼで上に固定し、内側の濡れたピンクの組織をあらわにした。そしていよいよ眼窩に穴をあける。のちの手術では、フリーマンは「ドアを壊したり曲げたりせず、ほとんど蝶番からはずせる」と得意がった特製の錐状の器具を使っていた。しかし、最初に何度か自分の診察室でおこなったロボトミーでは、キッチンの愛用のアイスピックを使った。力を入れやすいように片膝をついてから、錐の先端を涙管にゆっくり入れていく。奥の骨に当たった感じがしたら、金槌を手にしてたたきはじめ、パキンという音がするまで続ける。錐の先端が脳のなかに入ったら、角度を変えながら持ち手を左右に振ってロボトミーを終える。その後、もう片方の眼窩にもそれをおこなった。手術が二〇分を超えることはめったになく、患者が一時間以内に家へ帰ることもよくあった。数日後に、患者の両目のまわりが黒くなりもした。まさしくあざである。それ以外は、すべてうまくいけば不快感や痛みがわずかにあるだけだった。

もちろん、うまくいくばかりではなかった。電気ショックで手足をばたつかせる激しい痙攣が起きることもあり、何度か骨折させてしまってから、フリーマンは秘書たちに頼んで患者を押さえつけてもらわないといけなかった。ロボトミーそのものにも、感染症などの危険があった。フリーマンは「ただの細菌のゴミ」と言っていつも鼻で笑い、たいてい手袋もマスクもつけずに手術していた。またあるときなど、五センチメートルの鋼（はがね）が患者の脳のなかで折れてしまい、救急処置室に急いで運ばなければならなかった。

（のちに、さらにひどい乱暴についての噂が立った。フリーマンが女たらしだったので、確証はないが、ときどき患者と寝ているのではないかと同僚は疑っていた。診察室に押し入った女性患者から拳銃を奪い取らないといけないことが二度あったのも、偶然ではないのかもしれない。また、フリーマンが電気ショック療法のためと言って患者を招き入れ、患者が朦朧（もうろう）としているあいだにひそかにロボトミーをしているとの噂もあった。それとわかる目のまわりの黒あざをどう説明したのかは、まるでわからない）。

二階でごたごたが続いていたので、フリーマンのパートナーだったジェームズ・ワッツは、まもなく起きていることに感づいた。ただし、ワッツが気づいたときの様子について、ふたりの話は食い違っている。フリーマンは、正直に隠し立てせず、一〇回目の経眼窩式ロボトミーを見に来るようワッツを二階に招いたと言った。だがワッツは、たまたまフリーマンの診察室に入り、現場を押さえたのだと言っていた。さらに、フリーマンが例によって悪びれもせず、見つかったときにも肩をすくめただけだったとも語った。しかも彼は、写真を数枚撮るあいだ、アイスピックをもっていてほしいとワッツに頼んだというのだ。

いずれにせよ、ワッツは激怒し、自分たちの診療所で実験的な脳手術をしないようフリーマンに迫った。いかに理にかなった要求であっても、フリーマンはむっとして、ふたりは激しく言い争った。ワッツはその後一〇年、どうしようもない患者への最後の手段としては精神外科手術を認めていた。しかし、ドライブスルー式のオイル交換のようなフリーマンのロボトミーについては支持できず、仲違いの末に診療所を出ていった。

いつでも屈託のないフリーマンは、ワッツとの決裂を引きずらなかった。むしろ、好都合となったのだ。これで堂々と自由に手術ができるようになって、すぐに大がかりな計画に着手した。精神外科のジョニー・アップルシード〔訳注：米国の西部開拓時代にリンゴの種をまいて回ったとされるジョン・チャップマンの通称〕となり、ロボトミーを米国全土に広めるという計画である。

フリーマンは、以前から夏のドライブ旅行——ふらっと車に乗り、米国内の田舎道を走りまわる旅——が好きだった。経眼窩式ロボトミーが完成してからは、仕事を兼ねてこの年一回の長旅に出ることにした。そのころまでにフリーマンの結婚生活はほぼ破綻しており、原因の一端は彼のワーカホリック

なスタイルにあった（いつも暗くなってから家に帰り、キッチンでひとり寂しく食事をして、睡眠薬のバルビツール剤を何錠か飲んで眠る。だが翌朝午前四時には起きて、また働きに行くのだった）。家に引きとめるものがほとんどなくなったフリーマンは、一九四六年の夏にはあちこちの精神病院をまわり、ロボトミーの手技をほかの医師に教えはじめた。ところで、フリーマンがこうした旅に使っていた車を「ロボトモービル」と呼んでいたという噂は嘘だ――とはいえ、きっと彼が思いつかなかっただけだろう。[*1] 不謹慎な冗談が好きで、こうした旅のことを手紙で「ヘッドハンティング遠征」と呼んでいたほどだからだ。

よくあった一日を記そう。フリーマンはどこかのキャンプ場で明け方に目を覚まし、車を三、四時間走らせて地方の精神病院に到着する。敷地内を見学してから講演[*2]をおこない、そのあと昼食をとる。次は実演の時間だった――まさにショータイムである。

病院が患者を五、六人集めると、フリーマンは一列に並んだベッドを順に回りながら、次々とロボトミーをおこなった。両手で黒板に図を描いていた日々を思い出し、左右の手に一本ずつ錐をもつ両手ロボトミーのやり方も考案した。フリーマンはこの二刀流のロボトミーで時間を節約できると言った。確

＊1「ロボトモービル」という呼び名のほかに、フリーマンにかかわる虚偽の噂として、「ある時点で医師免許を失った」、「金めっきのアイスピックをロボトミーで使っていた」、「後年、発狂した」などもある。そうした話はどれも事実ではない。

＊2 フリーマンが講演で好んで語っていた逸話のひとつは、脳手術のあいだにある患者と交わした会話である。脳には神経終末がないため、脳手術は患者が痛みを感じることなく進められる。じっさい、患者の様子を観察し、致命的な部位を切っていないことを確かめられるよう、手術中に患者を覚醒させたまま会話したがる医師も多い。さて、ある日フリーマンは患者と会話していて、今あなたの頭をよぎっているものは何かと尋ねた。すると患者は「ナイフです」と答えたのである。フリーマンはこの答えを面白がった。

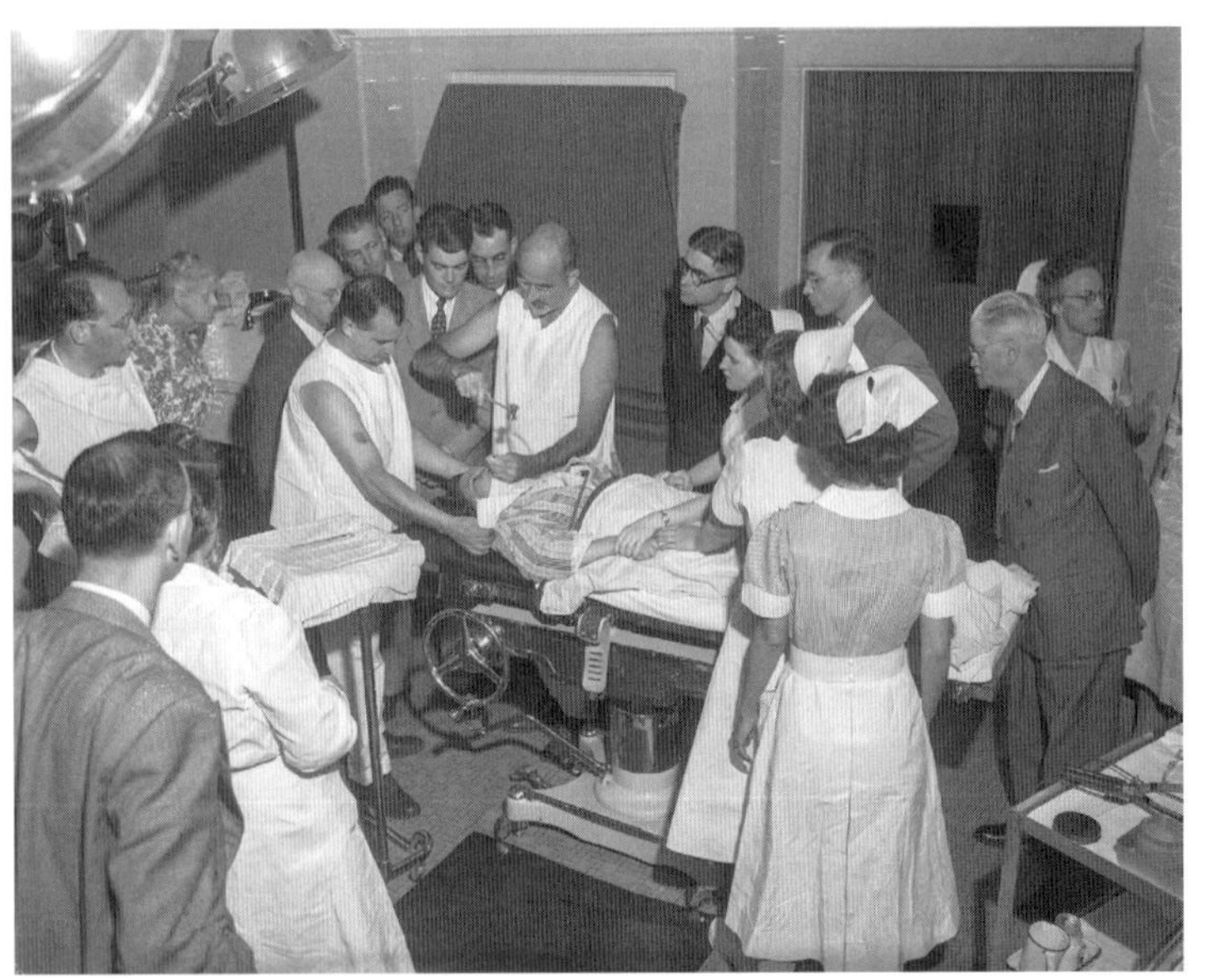

1949年、大勢の人が見守るなかで、ウォルター・フリーマン医師が患者の眼窩を通す経眼窩「アイスピック」ロボトミーをおこなっている様子。フリーマンが腕も頭もむき出しで、顔にマスクもしていない点に注目（米国歴史産業博物館（MOHAI）提供、『シアトル・ポスト・インテリジェンサー』コレクション、1986.5.25616）。

かにそうだったろうが、彼は集まった医師や付いてまわる記者に見せつけようともしていた。途中で顔を上げてグルーチョのようににやりと笑い、やんちゃな眉のように錐を左右に動かした。見ていたひとりはこう思い返している。「サーカスの曲芸を見ているようでした。……とても楽しげで、とても上機嫌で、とても気が高ぶっていました」。フリーマンは人々を気絶させるのも楽しんでいた。ある古参の医師は、第一次世界大戦中、史上有数の凄惨な戦場で衛生兵として従軍していたが、フリーマンが眼窩に錐を突き通したときに失神した。フリーマンは高校でも講演をおこない、ロボトミーの映写スライドを見せると、たいてい半数の生徒はめまいに襲われた。気絶させたティーンエイジャーの数はフランク・シナトラよりも多い、と彼はのちに冗談を言っている。

それまでのフリーマンと変わらず、事故も起きた。感染症は多く見られ、フリーマンが血管を傷つけ、止血しなければならないこともしょっちゅうだった。記録として残すために、手術中に錐を刺したまま患者の写真を撮ることもよくあった。ところが、アイオワ州でのある手術中に、フリーマンが錐から手を離したとたんに重力のせいでそれが下に落ち、患者の中脳に刺さってしまった。その男性は、意識が戻ることなく亡くなっている。

ときおり患者を死なせてしまうことがあっても、精神病院の院長はフリーマンの来院を求めた。多くは患者を救いたいと心から思っていたにちがいないが、入院患者を家に戻すことで減る費用についてあけすけに話していた場合には、動機を疑わずにいられない。ある計算によると、ロボトミーが米国じゅうに広まれば、精神病院の収容者が一〇パーセント減り、米国の納税者の負担が一日あたり一〇〇万ドル少なくなるとされていた。

この精神病院ツアーでフリーマンの名は広く知れわたり、彼を褒めそやす報道もそれに続いた。ある記者はロボトミーを「心の手術」と伝えた。すると、フリーマンの患者になりたがる人からの手紙がワシントンの彼の診療所に殺到しだす。たいていは悲惨な状態の人からの手紙で、ロボトミーを、ふつうの生活に戻る最後のチャンスととらえていた。おかしな要望も届いた。ある男性は、ロボトミーで喘息が治せるかどうか尋ねてきた。レースで興奮しすぎないように、飼い犬のグレイハウンドにロボトミーをしてほしいと頼む人もいた。

そんな騒ぎのあいだも、フリーマンは休まず働いた。一日で二〇例を超えるロボトミーをおこなったこともあり、夕方にはよく手が痛くなった。それから精神病院を出て、道中のどこかでさっと食事をとり、次のキャンプ場でバルビツール剤を飲んで眠りに就く。ある夏に前腕を骨折したときも、仕事のペースはほとんど落ちなかった。一九五〇年に軽い脳卒中を起こしたあとも、一九五一年にさらに精力的に働き、その夏走りまわった距離は一万八〇〇〇キロメートル近くにまでなった。それも、米国州間高速道路網が整然と広がる前のことだ。フリーマンは数年で合わせて三五〇〇人にロボトミーをおこない、「ワシントン［DC］からシアトルまで連なる黒あざの列を残した」と誇っていた。

ところが、ヘッドハンティング遠征でフリーマンは有名になったものの、裕福にはならなかった。旅費は自腹で、ほとんどの精神病院には患者ひとりにつき二〇ドル（現在の二二〇ドル）請求しただけで、金をとらずに手術することも多かった。そのうえ彼は、本当にないがしろにされている人を救うために、貧しい農村地域を訪れようと決めていた。とりわけ貧しかった米国南部の黒人社会もこうした地域だった。彼はずっと、黒人医師が医学会や医師会などに加わる権利を——口論さえして——擁護していた。恐ろしい偶然だが、フリーマンは、アラバマ州タスキーギの退役軍人病院で自分がロボトミーをおこなえるように、進歩的な考えをもつ現地の医師たちを説き伏せようともした。黒人の神経科医が近くにおらず、白人の神経科医は黒人の患者を診ようとしなかったからだ。タスキーギの梅毒研究はそのころまでにかなり進められていたので、フリーマンの望みどおりになっていれば、二〇世紀のとりわけ非難された医療行為がふたつ、この不運な街でかち合うことになっていただろう。しかしフリーマンにとっては残念だったが、米国退役軍人局［訳注：現在の退役軍人省］がロボトミーを禁止し、彼の計画を反故にした。

フリーマンは、貧しい者にはどれほど慈悲深くても、裕福な者にはがめつくなることがあった。シカゴでは、一回のロボトミーで二五〇〇ドル(現在の二万七〇〇〇ドル)請求した。別のときには、バークレーで生の見学者を前にした手術のさなかに血管を傷つけ、患者が血を流しだすのに気づいた。「問題が起きた!」と彼は告げ、確かにそのとおりだった。脳圧が危険なほど上がりだし、簡単な神経学的検査(鍵で患者の足の裏を引っかき、足の指を曲げる反射を確かめる検査)で、右半身が一気に麻痺を起こしていることがわかったのだ。ところがフリーマンは、患者から目を離し、手術室から飛んで出た。控え室にいる患者の夫から金を巻き上げるためだ。自分が招いた事態を収めるために、一〇〇〇ドル要求したのである。大金を手に入れたフリーマンは、手術室に悠然と歩いて戻ると、自転車の空気入れのようなものをバッグから取り出し、眼窩の穴に生理食塩水を注入しだした。ほどなく、どろりとした深紅のかたまりが出てきた。フリーマンはこの注入と排出を何度か繰り返し、見学者が呆然と見つめるなか、ずっといつものように陽気に話していた。やがて流れ出る深紅のかたまりの色が薄くなり、ピンクになり、ついに透明になる。フリーマンは血の凝固をうながすためにビタミンKを注入した。そして最後の仕上げとして、患者の足の裏をまた何度か鍵で引っかくと——ほらどうだ!——足の指が曲がった。最終的に、害はなかった。

そうした出来事もおぞましかったが、フリーマンがこの時期に犯した科学の大罪は、態度の変化である。ジェームズ・ワッツなどの神経外科医は、とりわけ障害のひどい患者にだけ、最後の手段としてのみロボトミーをおこなっていた。[*] フリーマンも最初は同じように取り組んでいた。ところが年月が経ち、名声が上がると、予防のための手術を奨励しだした。つまり、精神障害の初期、入院してまだ数か月の患者へのロボトミーを推進しはじめたのだ。当時ですら、そうした患者がえてして一、二年後に自然に回復し、予後がひどくないことは医師に知られていた。フリーマンはそうしたデータを無視して、精神外科はそのまま待つより安全だと訴えた。問題がつぼみのうちに摘み取り、できるだけ早く患者を家に帰してやればいいではないかと。彼は子どもの手術までも始め、四歳児におこなうこともあった。最後の手段の手術が、最初の予防線になっていたのである。

フリーマンが精力的にほかの医師に教えたおかげで、米国で年間におこなわれるロボトミーの件数は、一九四六年から一九四九年までに五〇〇件から五〇〇〇件へと一〇倍に伸びた。さらに、一九四九年の秋に突然もたらされた知らせによって、この手術はいっそうの高みへ押し上げられることになる。

一九三九年、ある精神病患者がポルトガルのエガス・モニスの診療所に押し入り、モニスへ向けて五発の銃弾を撃った。モニスは死なずにすんだが、持病の痛風と年齢を考えて研究からある程度しりぞき、精神外科を広める役目をフリーマンなどに任せていた。それでも、名誉を手に入れたいという彼の思いは変わらず強く、一九四〇年代の後半にノーベル賞候補への推薦を（フリーマンなどの）同業の仲間にふたたび頼みだした。すると一九四九年だけで九人から推薦され、その年の秋、ついに受賞する。これによって彼は、おそらく過去のどのモニスよりも有名になったのだった。

だが今振り返ってみると、このノーベル賞は精神外科にとって有終の美のようなものだった。批判が過熱したわけでもない。反対者がフリーマンのヘッドハンティング遠征を批判しつづけたのは確かだが、代わりになる良い治療法もないので、そうした批判が勢いづくこともなかった。完璧ではなくても、フリーマンは現実の問題を解決しようとしており、人はいつでも、何もしないぐらいなら、ひどい解決策にさえ群がるものだ。むしろ、結局のところ精神外科を終わらせたのは、倫理ではまったくなく、$C_{17}H_{19}ClN_2S$だった。クロルプロマジンという化合物である。

フランスの医師たちは、精神的ショックの治療にクロルプロマジンを初めて使い、一九五〇年までには精神病院の収容者に投与して驚くべき結果を得ていた。壁にクッションを敷き詰めた部屋に何十年も閉じ込められ、わけのわからないことをつぶやいていた人が、たちまちきちんと座って会話できるようになったのだ。クロルプロマジンをロボトミーになぞらえて「化学的なロボトミー」と呼んだ医師もいたが、実を言うとこの薬ははるかに優れていた。初めて世に出た真の意味の抗精神病薬で、（バルビツール剤のように）人をおとなしくするだけでなく、実際に症状を軽くする化合物だった。つまり、これは収容者を患者へと回復させたのであり、これほど大きな社会的影響を与えた薬は歴史上ほとんどない。発売後の一〇年で五〇〇〇万人にクロルプロマジンが投与され、リチウムなど、ほかの抗精神病薬もすぐに続いて現れた。ウォルター・フリーマンは経眼窩式ロボトミーで世界じゅうの精神病院を空っぽに

＊モニスの手法（アルコールの注入、半円形のワイヤーによる切除）とフリーマンの手法（鋭くない刃による切除、アイスピックの挿入）だけでなく、ほかに何人かの外科医も独自のロボトミーを考案した。脳組織を凍らせたり、焼灼（しょうしゃく）したり、電気や放射線で破壊したり、吸引チューブで吸い出したりする方法だ。最後の吸引法についてフリーマンは、「スパゲッティの入った容器の上から掃除機を」かけるのに似ていた、と頭にこびりつきそうな表現をしている。

する夢を抱いていたが、クロルプロマジンがそれを実現したのである。ほどなく、欧米社会でとりわけ悪評の高かったもののひとつ——どの街にもあった「ベドラム」——がほぼなくなった。

当初はフリーマンもクロルプロマジンを褒め称え、患者に処方もしていた。ところが恥ずかしい話で、この薬がロボトミーに匹敵しだすと手のひらを返し、批判するようになった。確かに、クロルプロマジンも完璧ではなかった。フリーマンも繰り返し指摘したとおり、精神障害のおおもと（つまり脳機能）をどうにかするのではなく、症状を和らげるにすぎない。事実、多くの人は薬を投与されていても幻聴や幻覚はそのままで、単に煩わしく感じなくなるだけだった。そのうえ、薬にはかなり副作用もあった。体重の増加や黄疸、かすみ目が見られたり、皮膚が紫色を帯びたり、パーキンソン病のような振戦が起きたりしたのだ。

なにより痛ましかったのは、クロルプロマジンでは、狂気を抜け出したあとの人生について、患者に心の準備をさせられないことだった。患者は心を取り戻したとき、今が何年なのかわからないことも多かった。ある男性の最後の記憶は第一次世界大戦中に敵の塹壕を強襲していた場面で、数十年前の出来事だった。それからほぼまばたきしただけで、目覚めたら老人になっていたのである。また、患者が精神病院から現実の世界に戻ると、配偶者が再婚していたり、自分の技能が時代遅れになっていたり、社会が大きく変わっていたりもした。今でもわれわれは、こうした薬がおよぼす影響への対応に追われている。ひとつには抗精神病薬のおかげで、精神障害に対する庇護の場が失われ、かつてなら良くも悪くも精神病院にかくまわれていた多くの人が、いまや刑務所に入れられたり、住むところもなくひとりで生きていかなければならなかったりしているのだ。

だがすべてを考え合わせると、抗精神病薬については益が害を上回り、薬がなければ失われていたあまたの命を救った。社会的な影響があったことに加え、こうした薬は脳の仕組みに対する理解も変えた。モニスなどの科学者が脳を配電盤のようなものと考えていたころには、欠陥のある「線」をロボトミーで切ることが理にかなっているように思われていた。しかし抗精神病薬の登場によって、その考え方が変わる。クロルプロマジンは、脳内で情報を送る化学物質である神経伝達物質に作用することで、効果を発揮する。そのため、科学者は脳を化学工場のようなものと考えはじめ、精神保健治療の役割は化学的な不均衡を正すこととなった。

総合的に見れば、クロルプロマジンは、感染症医学に対する抗生物質や、外科手術に対する麻酔と同じぐらい大きな影響を精神医学にもたらした。この薬は抗生物質や麻酔と同じぐらいいきなり現れ、それ以前の治療を永久に過去のものとした。クロルプロマジンやそれに似た薬が発見されていなければ、きっと今でも乏しい根拠をもとにロボトミーが続けられていただろう。前にも言ったように、完璧ではなくても、問題には解決策が求められるのである。しかし薬が発見されると、ウォルター・フリーマン以外のほとんどの医師にとって、完璧ではない薬とアイスピック・ロボトミーのどちらかという問題において選択の余地はなくなった。

エガス・モニスは一九五五年、モニスのなかのモニスとして、また人類の恩人として名を残すと確信したまま、穏やかに世を去った。ウォルター・フリーマンは不運にもモニスより二〇歳若く、生きて社

会の鼻つまみ者になるのを目の当たりにすることになった。

クロルプロマジンの登場後、手術が第一というフリーマンの態度は野蛮と見なされるようになり、不遜でけんか早い性格のせいで、かつての味方さえも彼に背を向けた。一九五〇年代の半ばにはワシントンＤＣから北カリフォルニアへ逃げるように移り、再起を図った。トレードマークのあごひげと口ひげを剃り、しばらくそのままでいたほどだ。それでも彼の評判のせいで当地の精神科医は患者を紹介したがらず、手術する新たな患者はなかなか見つからなかった。

そこでフリーマンは、過去に手術した患者の追跡調査に多くの時間を割くようになった。患者と話す長距離電話の料金は莫大な額にのぼり、オーストラリアやベネズエラ――あるいは僻地の州刑務所――にいる患者も調べた。そうした会話から彼は大量のデータを集め、最新のＩＢＭ製パンチカード式コンピュータを買ってすべてのデータを整理した。モニスと違ってフリーマンは、追跡調査を真面目にやっていたのである。

とはいえ、どれほど科学的に思えても、フリーマンの研究はあまりにもずさんで裏付けに乏しく、たいして価値がなかった。たとえば、研究に対照群――手術を受けておらず、ロボトミーされた患者と結果を比べられるような患者――をいっさい含めていない。そうした対照群がなければ、ロボトミーのメリットについて、フリーマンの主張は意味をなさなかった。彼が手術した患者は、ロボトミーなしで自然と良くなった可能性もあるからだ――あるいは、もっと良くなってさえいたかもしれない。さらに、なるべく都合のよい形でデータを解釈する傾向が人間によくあることを考えると、フリーマンのように信念をもって突き進む者が自分の成果を示すときに客観的になれただろうかと疑いたくもなる。

フリーマンが最後にロボトミーをおこなったのは、一九六七年、七二歳のときである。実はこの患者は、かつてワシントンDCの診療所で経眼窩式ロボトミーをおこなった一〇〇人のうちのひとりだった。彼女にとっては三回目のロボトミーであり、それまでの二回で効果がなかったのだ。ひどいことに、フリーマンはまた血管を傷つけてしまい、患者が出血して亡くなるのを見るばかりだった。彼が手術をする資格は直後に取り消されている。

手術ができなくなったフリーマンは、モニスと同じように自分の功績を補強する方向に舵を切った——そのころにはもう難しいことだったが。フリーマンが非常に根気強く患者の追跡調査をしていた理由のひとつは、それによって批判をかわせるからだった。ロボトミーの話をするとき、自分が手術した患者のなかに、弁護士や医師や音楽家のように生産性の高い生き方に戻れた者もいて、デトロイト交響楽団の音楽家もいると語るのを忘れることはなかった。そんな逸話の受けが悪いと、空威張りに訴えた。結腸がんで亡くなる一一年前の一九六一年、フリーマンはある医学セミナーで子どもに対するロボトミーを推奨し、聴衆のなかにいた医師たちからの手厳しい批判に耐えていた。だがついに激昂したフリーマンは、脇に置いていた箱に手を伸ばし、中身をテーブルにぶちまけた。箱の中身は、フリーマンと今でも連絡をとり、彼に感謝しているロボトミー患者から届いた五〇〇枚のクリスマスカードだった。そして、「君は自分の患者からどれだけのクリスマスカードをもらっているというんだ?」と問いただしたのだ。迫力満点の瞬間だった。しかし、その場に箱を置いていたのはどうしてかとあなたも不思議に思うだろう。このセミナーでとりわけ攻撃にさらされるとうすうす感じていたのだろうか? いつも箱を持ち歩き、使う機会をうかがっていたのか? それとも、自分を慰めるために持ち歩き、批判から心を守る盾にしていたのだろうか？　ともあれ、まったくもってフリーマンらしかった。最後の最後まで、大胆で、芝居がかったふるまいをし、けんか腰だったのだ。

いかれているように思えるが、米国中央情報局（ＣＩＡ）は一九五〇年代にフリーマンの研究について極秘の報告書を作成させ、共産主義の活動家の熱意を奪うのに使えないかどうかを調べていた。しばらく検討して、ＣＩＡは使わないことにした。厄介な人権問題のためではなく、手術で期待どおりの効果が出る可能性が低いからだった。

しかし、このあとの二章で見ていくことになるが、東西冷戦ではどちらの側も山ほど科学を悪用していた。ＣＩＡは心理的ストレスについての学術研究を悪用し、より残酷な、拷問そのものといった尋問テクニックを考案した。ソヴィエト連邦も心理学を悪用した。そのうえ、歴史上最も多くの命を奪う科学実験、つまり原子爆弾の秘密を探るようにスパイを育てたのである。

9

スパイ行為

――バラエティショーの芸人

ふたりはバラエティショーの芸人のように見えた――滑稽なほどでこぼこな組み合わせだったのだ。ひとりは痩せて、すまし顔で、眼鏡をかけ、頭がはげかかっている。彼の運転する青いおんぼろのビュイックは、走りながらガチャガチャ音を立てていた。サンタフェの待ち合わせ場所に着くと、パートナー――背が低く、小太りで、不格好な男――が教会のそばの物陰から現れ、すっと助手席に乗った。すぐに車は走りだし、迂回しながら街はずれまで行くと、山をのぼっていく。

一九四五年九月の生暖かい夜だった。ふたりは車を止めたあともシートに座ったまま、街の明かりを見下ろしながら、古くからの友人のように話をしていた。やがて砂漠地帯が冷え込むと、彼らはサンタフェに戻った。別れ際、すまし顔の男が助手席の男に書類の入った封筒を渡す。ふたりは心のこもった握手をして、また会う約束を交わしたが、どちらもおそらく二度と顔を合わせることはないとわかっていた。

まだガチャガチャ音を立てたまま車が走り去ると、小太りの男はバスターミナルにゆっくり向かった。よたよた歩きながらきょろきょろして、まわりの人の様子をうかがう。バスターミナルに着くと、ベンチに腰かけて本を読もうとした。『大いなる遺産』(加賀山卓朗訳、新潮社など)だ。しかし、ずっと握りしめたままの封筒のせいで集中できない。何度となく不意に立ち上がっては周囲の雑踏を凝視し、つけられていないか気にしていた。神経質になるのももっともだった。彼はソヴィエトのスパイで、封筒の中身は原子爆弾の機密情報だったのだ。

バスでアルバカーキまで行き、カンザスシティ行きの飛行機に乗り換え、さらに鉄道の駅に向かう。そこで、自分と同じ列車に荷物をのせようとして手こずっている年老いた女性と孫息子が目にとまった。

ほかの客は皆そばをすり抜けていくので、彼は立ち止まってバッグをのせてやり、ふたりが落ち着けるようにした。運悪く、この親切のせいで彼自身は席をとるタイミングを逃し、シカゴに着くまでずっとスーツケースに腰かけるはめになった。

何度か遅れがあり、長い時間をかけてやっと、彼はニューヨークに着く。だが到着が遅すぎて、ソヴィエトの連絡員には会えなかった。かなりの痛手だった。約束の予備日は二週間後だったので、また二週間も封筒を持ち歩き、二週間も不安にさいなまれることになるからだ。しかし彼は、とりわけ自分を律することができた。一四日間、封筒から片時も目を離さず、ふだんの買い物のときにも持ち歩いた。実を言うと、その一四日でほっとできる場所がひとつだけあった。自分の仕事場の化学実験室である。実験を始めると、スパイ行為のストレスが少し減った。るつぼや試験管に囲まれていれば目の前のことに没頭でき、気をゆるめられたのだ。二週間後にようやく原子爆弾の情報を手渡すと、彼はまた実験の仕事に没頭し、このことを頭から追い払った。酒を飲んで面倒なことを忘れようとするタイプもいるが、ハリー・ゴールドの場合は化学が酒の代わりだった。

現在ゴールドは、スパイにして密告者にもなった人物としてとくによく知られている。マンハッタン計画で裏切りを働いた物理学者――痩せてすまし顔のクラウス・フックス――から数十の機密書類を受け取り、ソヴィエトの諜報員に届けていた。そしてFBIがついにゴールドを逮捕したとき、彼の証言が、ジュリアス・ローゼンバーグとエセル・ローゼンバーグを電気椅子送りにするのに役立った。だが、自分を何だと思っているかとゴールドに尋ねたとしたら、答えは単純だったにちがいない。化学者だ。

科学への情熱と、不幸続きの生い立ちが、ゴールドがスパイ行為を働く最初の後押しとなった。彼が生まれ育ったのは米国フィラデルフィア南部の荒っぽい地域で、一家はユダヤ人だったために差別を受けていた。荒くれ者たちがユダヤ人の家の窓にレンガを投げ込んでいたし、背が低く細身で本好きだったゴールドは、図書館からの帰り道で襲われたこともあった。

ゴールドの父サムソンは、蓄音機工場の木工職人だったが、もっとひどい目に遭っていた。ほかの職人がサムソンの鑿（のみ）を盗んだり、工具をにかわで固めてだめにしたりしていた。監督はとくにサムソンを嫌っていて、「くそ野郎め、辞めさせてやる」と怒鳴ったこともある。そのあとでサムソン以外の職人全員を組み立てラインからはずし、すべての木製キャビネットに紙やすりをかける作業をひとりでやらせた。サムソンはすさまじいペースで作業しなければならず、ゴールドは、家に帰ってきた父親の指先から血が出ていたのを覚えている。それでもゴールド少年は、父親が愚痴ひとつこぼさず、仕事も決して辞めないことを立派だと思っていた。

ところが一九三一年にサムソンが一時解雇され、ゴールドは苦境に立たされる。そこで一〇代のあいだ、地元のペンシルヴェニア砂糖会社（ペン・シュガー）の科学実験室で働いた。痰壺（たんつぼ）やガラス器具を洗う仕事から始め、わずか六か月で実験助手にまでなっていた。その仕事が好きになった彼は、化学の学位を取ろうと大学の授業を受けはじめた。だが父が完全に職を失うと、一家がどうにか生きていくために、ゴールドは大学を辞めてペン・シュガーでフルタイムの仕事に就かないといけなかった。あいにく大恐慌は悪化の一途をたどり、一九三二年の一二月に会社がゴールドを一時解雇すると、一家は本当に家を失いそうな事態に直面した。

ゴールドが数か月絶望的な状況に陥っていると、友人のトム・ブラックが、ニュージャージー州の石鹸工場で週給三〇ドルという稼ぎの良い仕事を見つけてくれた。ゴールドは天にも昇る気持ちで感謝した。だがそれには裏があった。ブラックは熱心な共産党員で、一緒に党の集会に行こうとゴールドをしきりに誘ったのである。

ゴールドは政治的に左寄りだったが、そこで出会った共産党員たちには嫌気がさした。退屈な集会がいつも朝の四時まで開かれ、部屋には太った富豪が葉巻をふかして硬貨の山に腰かけている絵がかかっていた。ゴールドは彼らを「自由恋愛についてぺちゃくちゃしゃべる、卑しくも奔放な連中で……いかなる経済体制のもとでも決して働こうとしない怠け者で……難しい言葉を並べ立てる多弁家」と切り捨てている。数か月後にペン・シュガーに再雇用されると、彼はニュージャージーを離れ、もう集会に行こうとはしなかった。

化学者で原爆のスパイでもあったハリー・ゴールド（米国立公文書記録管理局提供）。

ところがブラックはゴールドに付きまといつづけ、共産党に入れとしつこく迫った。結局、ブラックを黙らせるためにゴールドは、ある妥協案を受け入れる。ブラックいわく、ソヴィエト連邦は、産業基盤を築き上げ、国民の生活水準を向上させる必要があった。そのための最良の手段は科学だが、米国の企業は国外への技術供与を渋っていた。そこで代わりに、ゴールドが企業秘密を盗み出してくれないかというわけだった。

ゴールドはためらった。ペン・シュガーは彼にとってすばらしい会社だった――痰壺洗いを実験助手にしてくれる会社は多くない。いくつか化学工業の子会社もあるので、その気になればほぼどの分野でも働けただろう。それでもゴールドは、ブラックの頼みに心を動かされた。身を寄せ合って空腹に耐えているソヴィエトの人民――彼の一家のような人々――を救いたいと思ったのだ。その主張は、科学におけるゴールドの理想主義にも訴えかけた。企業秘密を盗むことで、あくまでデータとアイデアを分かち合おうとしているにすぎず、それは科学の進歩にとって欠かせないのだと彼は自分に言い聞かせた。ソヴィエトの諜報員たちはまた、科学について、国境や政治的対立のような些末なことを超えた先にある、国際的な友好関係をもたらすものだと語った。科学者には世界をより良い場所にする責務があり、米国の企業が強欲で合法的に技術供与をしないのなら、ゴールドにはその技術を盗む責務があると。*

ゴールドがスパイになる第二の動機となったのは、もっと個人的なものだった。反ユダヤ主義の存在である。当時ソヴィエト連邦は、知ってのとおり残虐な反ユダヤ主義の道を歩んでいたナチスドイツに、唯一立ち向かっていた国だった。このことからゴールドは、ソヴィエト連邦はユダヤ人が真に平等に扱われる――ナチスに敵対するだけでなく、どこのユダヤ人にとっても味方であるような――世界でただひとつの国だと勝手に考えた。現実のソヴィエト社会主義共和国連邦（ＵＳＳＲ）は、ほかの国に劣らず反ユダヤの偏見が強く、秘密警察ＫＧＢの職務上の電信では、シオニスト［訳注：パレスチナにユダヤ人国家の建設を目指した民族運動の支持者たち］（またいくつかの情報源では、ユダヤ人全般）を指す隠語は「ネズミ」だったのだが。しかしゴールドは、そうではないと信じたがっていた。血を流していた父の指先と窓に投げつけられたレンガのことが忘れられず、「ひとりの反ユダヤ主義者の顔を殴る……よりずっとスケールも効果も大きい」ことをしたくてしかたなかったのだ。大いなるソヴィエトの実験を支援することは、彼にとって仕返しのチャンスだった。

そうしてゴールドはスパイ行為を始めた。ソヴィエトの諜報員は小馬鹿にしたように、ゴールドのずんぐりした体形とよたよた歩く様子から、彼のコードネームを「ガチョウ」にした。だがすぐに、ゴールドのスパイ技術に一目置くようになる。最初は少しずつで、勤務中にファイルキャビネットの中身をぱらぱらめくり、あちこちの書類を盗むだけだった。数か月経つともっと大胆になり、書類をくすねる頻度が次第に増していった。その後、仕事を終えてから何時間もかけて一行ずつ書類を書き写すようになり、ひと晩じゅうやっていることもあった。ペン・シュガーの各子会社から、ラッカーやニスのほか、溶剤や洗剤、アルコールにかんする書類も盗んだ。初めはそれほど盗むつもりはなかったが、ゴールドは、不正なことであってもなくても、つねに仕事を完璧にやり遂げた。やめたい気持ちになると、哀れなソヴィエトの人民のことを考え、もっと盗もうと決意を固めた。全部で「かなり徹底的に盗んだ」と

＊ゴールドがペン・シュガーから情報を盗むのを正当化した理屈のひとつに、一九三〇年代には科学にかかわる企業秘密を盗むことが刑事犯罪ではなかった事実が挙げられるかもしれない。刑事ではなく民事の犯罪だった。そのため理論上は、ペン・シュガーがゴールドの盗みに気づけば、裁判でソヴィエトの会社を訴えられた。ただし損害賠償を取れたら幸運だったが。

彼は振り返っている。

当初、ゴールドはくすねた書類をトム・ブラックに手渡すだけだった。だがやがて、ニューヨークまで自分で運ぶようになる。ソヴィエトの諜報員本人と会うことになるので、スリルに満ちた任務だった。実のところ、気持ちがずいぶん高ぶったからか、生活のほかの面でも刺激になった。このころゴールドは、フルタイムで働きながらドレクセル大学の夜間講座に通い、化学の学位を取ろうとしていた。スパイ活動を始めてから成績は驚くほど急上昇し、BとCばかりだったのがオールAになった。

それでも、月日とともに、ニューヨーク行きは彼の心身を消耗させていった。約束があるときはたいてい夜通し列車に乗っていき、いるかもしれない尾行をまくために街を何時間もぶらつきもした（たとえば、映画を途中まで見てから横の出口からさっと出たり、地下鉄に乗ってドアが閉まる直前に車両から急いで降りたりしたかもしれない）。それからどこか人目につかないさびれた場所で待ち、連絡員と会うのだ。雪や雨のときもよくあった。おまけに、旅には結構金もかかった――全部合わせて六〇〇〇ドル（現在の一一万ドル）以上使った――うえ、健康もむしばまれた。数週間ほとんど眠れず、体重が急激に増えて八五キログラムほどになった。

なによりつらかったのは、科学に対するソヴィエトの態度に失望しだしたことだ。ゴールドのような化学者は、化学のプロセスの革新、つまり効率や生産速度を上げられる巧みな手段や改良をいつでも探し求めていた。そうした画期的な発見をなし遂げるのは容易ではない――一時的な停滞や行き詰まりは必ず生じる――が、ほとんどの科学者はこうしたもどかしさを進歩の代償として受け入れている。ところがソヴィエトの諜報員は、探索段階の研究や推測では我慢できなかった。彼らは工業化に躍起で、いかに古くて非効率であってもつねに着実なプロセスを好み、画期的な発見の可能性がどれほど高そうなものがあってもそれは二の次だったのである。「まだ本格生産の段階に至っていない研究のデータを渡そうとしたら、厳しく叱責された」とゴールドは思い返している。科学の進歩を軽視するこの態度にゴールドはがっかりしたが、彼は元来従順な性格で、指令員に脅しで従わされたのである。

失望し、ますます疲弊したゴールドは、ニューヨークへの旅がほとほと嫌になった。「憂鬱で単調な苦役だった」と彼は振り返っており、家族をだまさなければならないことで良心もとがめていた。「任務で出かけるたびに……少なくとも五、六人に嘘をつかないといけなかった」(ゴールドの母はそうした嘘に気づき、息子が道楽者で、東海岸のあちこちでガールフレンドに気をもたせていると強く信じるようになった。事実は逆で、仕事と大学とスパイ行為に追われてだれかとデートするような時間はなく、そのことを彼は深く後悔した)。ゴールドは正気を保つために、北へ行くときには自分の科学の心を押し殺し、フィラデルフィアに帰るとそれを取り戻して、化学者としての生活を再開することにした。それでも年々少しずつせわしさが増し、ほどなくゴールドは倒れる寸前になった。

だが、ゴールドはどれほど疲れきっていても必ず時間を見つけてラボで作業し、一日二〇時間働くことになってもそうしていた。とくに熱中した研究のひとつは、温度差を利用して混合物を分離する熱拡散法にかかわるもので、たとえば彼は、排気から二酸化炭素を分離し、ドライアイスを作りたいと考えていた。そして自分のことを、こつこつ実験する化学者——「一発でなし遂げる天才」ではなく、「ありとあらゆる間違いをしでかした末に、長たらしい消去法によって正しい答えだけ残す」ような努力家——だと言っていた。ある日の午後、ゴールドはるつぼを二二個のせたラックを落とし、まる一週間の労働のたまものを床にばらまいた。「座り込んで泣かなかったし、飲みに出て酔っぱらいもしなかった。そうしたかったけれども」と彼は振り返っている。ただ二日二晩ぶっ通しで働いて、全部やりなおした。

ゴールドがスパイ行為をやめそうになっていた一九三八年、ソヴィエトから驚くような話が持ちかけられた。ずっと学位の取得を望んでいたゴールドに、シンシナティにあるザビエル大学の学費を出す、と指令員が急に言ってきたのだ。見返りの要らない話ではなかった。ソヴィエトは近くの航空関連施設にスパイを送り込んでいて、ゴールドは書類の運び屋になる必要があったのだ。彼はかまわなかった。大学生活のすべてに夢中になり、研究室で長時間過ごしながら、バスケットボールやサッカーのチームを熱烈に応援した。大学には一九四〇年まで通い、大学生活は人生で最高に幸せな数年だったとのちに語っている。

そんなのどかな日々はフィラデルフィアに戻ると終わりを告げ、ゴールドはスパイ行為を再開した。そうした理由は定かではない。ひょっとすると、学費を出してくれたことに対し、ソヴィエトに恩を感じていたのかもしれない。あるいは、スパイ行為における人との交わりや目的意識に喜びを覚えていた可能性もある（じっさいソヴィエトは、ゴールドの孤独感を利用して、同じ科学者である指令員と組ませていた。指令員は見せかけの連帯感を示し、ゴールドの肩をぽんとたたいてため息交じりにこう言うのだ。「まったくひどい話だよな。俺たちがスパイ行為で手を汚さないといけないなんて。ふたりともラボで研究しているべきなんだ。それでこそ幸せになれるってのに」。のちにゴールドも、共産主義者たちは「うまいこと私を操っていた」と認めている）。さらに、世界情勢のためにスパイ活動を続けざるをえない面もあった。ナチスドイツが一九四一年にソヴィエトに攻め込んでから、ソヴィエトの諜報員は技術的なノウハウも含め、防衛に役立つ情報を強く求めるようになった。ゴールドは凶悪な第三帝国（ナチスドイツ）を憎み、ソヴィエト連邦存続のために、しかたなくさらにスパイ行為を続けることにした。

こうして決意を固め、ゴールドは産業スパイから軍事スパイに変わった。国防関係の研究所の科学者から爆薬の文書のほかサンプルまで受け取るようになり、彼らに話も聞いて報告書にまとめていった。このようなエージェントの管理は細心の注意が要る仕事で、技術的なノウハウと心理的な手腕の両方が必要だった。しかしゴールドはそれに秀でていた。彼はソヴィエトから「訓練を積んだアスリート」と呼ばれ、冷静で信頼できるスパイだった。だから、ソヴィエトでトップレベルの科学スパイ――クラウス・フックスというドイツ生まれの英国人物理学者――が一九四三年後半に英国からニューヨークに来てマンハッタン計画に加わったとき、ゴールドは彼との橋渡し役にうってつけだったのである。

一九四四年二月五日の午後四時にさしかかるころ、ふたりの男がマンハッタン東部にある公園近くの空き地にやってきた。ひとりは痩せてすまし顔で、ツイードの服を着て眼鏡をかけている。そして緑色の本と、冬の寒いさなかにテニスボールをもっていた。

ボールと本を確かめると、背の低い二重あごの男――スエードの手袋をはめ、同じ手袋をもうひと組両手にもっている――が静かに近づき、チャイナタウンはどちらかと尋ねる。

「チャイナタウンの店は五時に閉まりますよ」と痩せた男が答える。相手を見分ける合図がこれですべてそろった。こうして、物理学者のクラウス・フックスと化学者のハリー・ゴールドは歩きだした。

マンハッタン計画に加わった物理学者で共産主義のスパイでもあったクラウス・フックス（米国立公文書記録管理局提供）。

ゴールドは「レイモンド」と名乗り、少し歩くとタクシーを拾った。数ブロック先でタクシーを降りると、いるかもしれない尾行をまくために、フックスをせかして地下鉄に乗る。こうした遠回りの末にようやく着いた場所は、三番街のステーキハウスだった。ゴールドはこの尾行対策にご満悦のようだったが、フックス――ドイツ生まれの筋金入りの共産党員で、ドイツの街なかでナチスの悪党たちと戦ったことのある男――は未熟だと切り捨てた。また、歩きながらしじゅうきょろきょろして尾行を探す癖についても、ゴールドをたしなめた。それでは目を引くばかりだと言ったのである。

きつく釘を刺したあとで、フックスは本題に入った。自分はマンハッタン計画に携わっており、その計画はこれまでにない威力の兵器――原子爆弾――を作るのが目的だと説明したのだ。ゴールドはその言葉を聞いたことがなく、化学者として漠然と核分裂を理解しただけだった。だが、会話の一部は彼の心をわき立たせたにちがいない。前にも言ったように、ソヴィエトはきわめて探索的な研究を推測にすぎないものとして軽んじていた。ところが核分裂は例外だった。核爆弾が使い物になるかどうかはだれにもわからなくても、その可能性は由々しすぎて無視できない。そこで今度ばかりは、ゴールドは最先端の研究を扱うことになったわけである。

この最初の接触のあと、数か月でさらに何回か会った。場所はブルックリンやクイーンズやブロンクスの、映画館やバーや博物館だ。ときおりフックスは、別れ際に分厚い封筒をゴールドに手渡した。ゴールドは好奇心に駆られ、ドラッグストアにこそっと入って中身をぱらぱらめくっていた――重大な機密保持違反である。一枚一枚に、細かく丁寧な手書きで図や数式がびっしり記されていた。すべて最高機密の爆弾研究のものだ。

ふたりの科学者は会った際に雑談することもあったが、それぞれの記憶にある会話は違っている。フックスが覚えていたのはプロ意識――そっけないやりとりと厳しい自制――だ。一方、ゴールドが覚えていたのは芽生えはじめた友情だった。スパイ活動の話の合間にチェスやクラシック音楽といった共通の趣味について話し合い、ふたりが出会ったきっかけをカーネギーホールのコンサートだとして関係を説明する架空の話（ソヴィエトが「物語」と呼んだもの）を作り上げた。フックスは、マサチューセッツ州ケンブリッジに住む妹夫婦間のトラブルの話まで打ち明けたらしい。それに対してゴールドは、双子のわが子や、かつてギンベルズというデパートのファッションモデルをしていた赤毛の妻のことを話した。これはまったくの作り話――独身男の空想――だったが、ゴールドは自分の友人についてもそんな考えにふけっていた。

ゴールドは、科学知識でフックスをうならせようともした。うまくはいかなかったが。あるときフックスは、爆弾のコアを作る最初のステップであるウラン濃縮方法がわからず、自分のチームが苦労していることを打ち明けた。ゴールドはこの話に飛びつき、熱拡散法を試してはどうかと提案した。仕事でずっといじりまわしていたプロセスである。ところがフックスはそれを素人考えとしてしりぞけ、ゴールドをむっとさせた（フックスは知らなかったが、実はマンハッタン計画で熱拡散プラントを稼働させたところだった。このプラントがなければ、第二次世界大戦中にウラン爆弾は完成しなかっただろう)。

一九四四年七月、ふたりはブルックリン美術館の近くで八度目の接触を予定していた。だがフックスは現れない。いつもきちんとしているフックスなので、ゴールドは心配した。しかし、予備のスケジュールでは数日後にセントラルパークの近くで会うことにしていたから、ゴールドはその場を去った。

数日後にもフックスは現れない。強盗にでも襲われたのではという考えが頭をよぎり、不安にさいなまれたままゴールドはフィラデルフィアに戻る。フックスが住んでいる場所も彼との連絡方法もわからない。最高に貴重なスパイ――そして良き友人でもある人物――が、いきなり職務放棄してしまったのだ。

だが心配無用で、フックスは無事だった――いや、無事以上だった。マンハッタン計画の聖域とも言えるロスアラモスの兵器研究施設から、うまいこと誘いを受けたところだったのである。

フックスがあまりにも急に姿をくらましたので、ソヴィエトの連中にも彼の居場所がわからなかった。ニューヨークにいるゴールドの指令員が、どうしたかはわからないがおそらくは汚い手を使い、フックスの最後の足跡として、米国自然史博物館にほど近い住所を突き止めた。指令員がこの情報をゴールドに伝えると、ゴールドはトーマス・マンの小説『ヨセフとその兄弟』(邦訳は望月市恵・小塩節訳、筑摩書房)の古本を購入し、フックスの名前と住所をなかに書き込み、本を返すという口実で四階建てのブラウンストーンの建物を訪れた。ドアの鍵が開いていて入ることはできたが、家主の北欧人の夫婦に前

をふさがれた。ゴールドは冷静さを失わず、本のことを伝える。これで夫婦は態度を和らげたが、フックスは引っ越しており、転居先の住所は聞いていないと彼に告げた。

必死になったソヴィエトの連中は、大きな賭けに出て、数週間後にゴールドをケンブリッジへ送り出し、フックスの妹クリステルのもとを訪れさせる。ゴールドは、彼女に渡す本と、彼女の子ども——フックスの姪と甥——に渡すキャンディをもっていき、フックスの昔なじみとして街を訪れたことにした。残念ながら、クリステルにも兄がどこへ行ってしまったのかわからなかった。それでもゴールドはあきらめず、さらに何度か出なおして、ついに一月のある日の午後、クリステルの家の居間にフックスが座っているのが外から見えた。ほっとして気が和らいだにちがいない。最後に会ってから七か月が過ぎていた。だが、喜びもつかの間だった。ゴールドがドアをノックするとクリステルが現れ、今はフックスが会いたくないらしいと告げて、すぐに彼を追い返したのだ。二日後にまた来てと言うのだった。ゴールドは戸惑い、憤慨しながら去った。列車で金のかかる長旅をして友人に会いに来ており、また来るのに休みを取る余裕はなかったのである。

それでもゴールドは、言われたとおり二日後にまた訪れ、姪と甥へのキャンディまで持参した。今度はフックスがそっと表に出てきて、ゴールドと歩きだす。そしてこの前ゴールドを追い返したことを謝った。クリステルの夫が家にいて、会うと怪しまれそうだったと弁解した。ふたりはそのあと、ほかの家人がいなくなったクリステルの家へ戻り、昼食をとった。フックスは元の彼に戻り、あまり何度もクリステルの家に来ると彼女の安全をおびやかすと言ってゴールドを叱りつけた。そのため、以後はニューメキシコ州のサンタフェで会わなければならなくなった。

ゴールドはうめいた。そうなると、もっと長旅になり、もっと金もかかる。ほかの場所はないのかと彼は尋ねたが、フックスはないと答えた。重要な立場になっていたので、あまり遠出ができなかったのだ。それからフックスは、サンタフェの地図とバスの時刻表を見せる。そして、六月二日にここで会おうと言った。

別れ際にフックスは、封緘された封筒をゴールドに渡し、「きわめて重要なものだ」と伝えた。嘘ではなく、中身はプルトニウム爆弾の初期段階の概略設計だった。ゴールドはそれに対し、ソヴィエトからの「クリスマスプレゼント」をフックスに渡した。正装に合う薄い書類カバンで、そのなかの封筒には、五ドルと一〇ドルと二〇ドルの紙幣――合わせて一五〇〇ドル（現在の二万ドル）――がぎっしり詰まっていた。この贈り物にフックスは気を悪くした。ゴールドは、「フックスは一五〇〇ドルの入った封筒を、汚いものでもあるかのようにつまんでいた」と思い返している。金が欲しくてスパイをしているわけではない、とフックスは吐き捨てた。この言動をゴールドはうれしく思った。自分と同じように、フックスも物的報酬のために仕事をしているのではなかったからだ。ゴールドは、フックスを説得して書類カバンを受け取らせたが、なかの現金はソヴィエトに返した。

ニューメキシコ州に向かう少し前、ゴールドはあるバーでソヴィエトの指令員「ジョン」と会い、細かい調整をした。ジョンはゴールドに対し、目をつけられないように、遠回りして列車とバスで南西部へ向かい、カリフォルニアとデンヴァーとエルパソに立ち寄れと命じた。しかしこのときばかりは、ゴ

ールドは毅然とした態度を取った。旅費のためにすでにペン・シュガーから五〇〇ドル借りていて、休みをさらに取る余裕もない。まっすぐ向かいたいと主張したのだ。

だが、ゴールドがこの議論で勝ったにしても、直後にその日のもっと重要な議論では負けることになる。フックスとの接触についての話を終えると、ジョンはゴールドにぎょっとすることを命じた。ソヴィエトのスパイでもうひとり、ロスアラモスに潜入している機械工がおり、ゴールドがサンタフェを訪れるころ、このスパイは休暇で近くのアルバカーキにいる予定だから、寄り道をしてそちらの書類も受け取ってくれと言ったのだ。

ふつうの仕事なら、無理のない頼みごとだろう。しかしスパイ行為ではひどく嫌われ、リスクが大きい。ゴールドにはそれがわかっており、また毅然と立ち向かった。「私は……すっくと立ち上がり、きっぱり断ろうとした」と彼は振り返っている。

今度はジョンが怒鳴りつけた。「まぬけなおまえらに手取り足取り教えてきたのは私だ！　アルバカーキ行きのこの任務がどれほど重要か、おまえはわかっていない」

激しい罵倒が続くうちに、ゴールドはいつもどおり引き下がり、屈従した。最後にジョンは、アルバカーキの住所とグリーングラスという苗字が記されたオニオンスキン紙［訳注：かつてカーボン複写に使われていた半透明の紙］を渡し、それに「ジェロー」［訳注：クラフト・ハインツ社のゼリー製品の商品名］の箱の上蓋をジグザグに切った半切れも付けた。これで相手がグリーングラスだとわかる、と彼は言った。ぴったり合う残りの半切れをもっているからだと。

ゴールドの乗ったバスは、六月二日土曜日の午後二時半にサンタフェに着いた。九〇分ほど時間をつ

ハリー・ゴールドとデイヴィッド・グリーングラスが本人確認の目印に使った「ジェロー」の箱の上面を再現したもの（米国立公文書記録管理局提供）。

ぶす必要があったため、彼は近くの博物館で地図を手に入れ、そばの川沿いをぶらついた。貧弱だな、とゴールドは思った。故郷のたいていの小川よりも細い。

　フックスはエンストしそうな音を立てる青のビュイックで、遅れて到着した。ふたりはひとけのない道まで車を走らせ、少し歩く。フックスは新しいプルトニウム爆弾の研究のことを話したが、それが日本に対して使えるようになる前に戦争は終わるだろうとゴールドに請け合った——間違っていたが。それから彼がゴールドに封筒を渡すと、ふたりは別れた。全般に、うまくてきぱきとやり終えた。

　次の接触はそううまくいかなかった。ゴールドはアルバカーキ行きのバスに乗り、午後八時ごろに着くと、オニオンスキン紙に書かれた住所、ハイストリート二〇九番地にまっすぐ向かった。フックスから受け取った書類を手にして落ち着かなかったので、なるべく早く街を離れたいと思っていた。ところがデイヴィッド・グリーングラスは家にいない。妻と一緒に映画を見ていたのである。

　がっかりしたゴールドは、ホテルの部屋をとろうとしたが、どこに行っても相手にされなかった。アルバカーキは軍の基地に囲まれていて、土曜日に空いている部屋などない。あげくの果てに、スパイでありながら警官に下宿屋の場所を教わり、そこで頼み込んで廊下に粗末な簡易ベッドを置いてもらった。だがパトカーのサイレンでほぼひと晩じゅう眠れなかった。

翌朝ゴールドは、ハイストリート二〇九番地の階段を重い足取りでのぼり、ふたたびドアをノックした。ドアが開くと、彼はショックのあまり階段から転げ落ちそうになった。出てきた男が陸軍のズボンをはいていたのだ。米国陸軍の軍人までこの件に引きずり込んでいたとは、ゴールドはまったく知らなかったのである。

彼は気を取りなおし、相手がグリーングラスかを尋ねた。グリーングラスがそうだと答え、ゴールドは本人確認のための合い言葉を口にする。「ジュリアスの使いで来ました」

「おや、そうですか」とグリーングラスは言うと、妻の財布からジェローの箱の上蓋を取り出す。ゴールドが自分の半切れを差し出すと、二枚の切り口がぴったり合った。急いで立ち去りたかったゴールドは、資料が用意できているかと訊いた。グリーングラスが、いや、まだ手をつけていないと答えたので、ゴールドはその日の午後にまた戻ってくるはめになった。

ゴールドはぶつぶつ言いながら朝食のできる店を見つけ、そこで待った。やがて再訪すると、ぎらぎら照りつける日差しの下をグリーングラスと歩いて書類の受け渡しをした。書類の中身は爆縮レンズの図だった。プルトニウム爆弾でとりわけ重要な部分のひとつである。ゴールドはグリーングラスに五〇〇ドルを渡した――家賃一六か月分にあたり、機械工にとってはかなりの額だ。フックスと同じように、グリーングラスも渡されたものを見て顔をこわばらせた。理由は逆だったが。これだけなのかとグリーングラスが尋ね、ゴールドはうんざりしながら、要望は伝えておくと小声で答えた。

ゴールドはその夜の列車で発ち、二日かけて東へ行き、危険を脱してほっとした。ところが、アルバカーキへの回り道は高くつくことになる。ただの偶然だったが、デイヴィッド・グリーングラスにはニューヨークに住むエセルという姉がいて、彼女はジュリアス・ローゼンバーグという男と結婚していた。

もちろん、共産主義によって道を誤った科学者は、ゴールドとフックスだけではない。ロスアラモスでフックスの同僚のひとりだったテッド・ホールという一八歳の若き天才も、ソヴィエトのためにスパイになり、あるカナダ人物理学者は、核分裂性ウランのサンプルを少量、実際に手渡した。だが、最も罪深いのは生物学者のトロフィム・ルイセンコではなかろうか。

ルイセンコは一八九八年に現在のウクライナで小作農の家に生まれ、一三歳まで読み書きができなかった。それでも、ロシア革命後に複数の農学校に合格し、長く厳しいソヴィエトの冬でもエンドウを育てられる新しい方法を試行錯誤しだした。実験計画はひどいものだったが(そのうえ結果を捏造していた可能性が高いが)、彼の考えは一九二七年に国営新聞で称賛された。貧しい生い立ちだった――彼は「裸足の科学者」と呼ばれた――という点も、小作農を賛美していた共産党のなかで評判になった。一九三〇年代半ばには、とうとう当局がルイセンコにソヴィエトの農業を一任し、彼はソヴィエト科学界のトップに躍り出たのである。

ただひとつ問題だったのは、ルイセンコの科学的思想がいかれていたことだ。とくに彼は遺伝学を毛嫌いしていた。当時の遺伝学は、形質の不変性を重視していた。動植物には不変の特質が遺伝子としてコードされており、それが子孫に受け継がれると。ルイセンコは名ばかりの生物学者だったが、そうした考えを反動的だと非難した。ソヴィエト連邦の最大の敵ナチスドイツが、支配者民族の発展のため、ゆがんだ遺伝学を擁護していたことも一因だった。ところが狂信的な右翼と戦ううちに、自身の狂信的な左翼思想にからめとられ、ルイセンコはナチスとまったく変わらず非科学的になった。それどころか、遺伝子の存在を否定するところまで行き着いている。環境だけが動植物を作り上げるというマルクス主義の考えを推し進めたのだ。適切な条件のもとでしかるべき刺激を与えれば、生物はほぼどのようにでも作り替えることができる、と彼は断言した。環境が要（かなめ）なのだと。

　そこでルイセンコは、なによりまず、ソヴィエトの作物を凍りそうなほどの水に浸けることで、本来とは別の季節に発芽するように「鍛錬する」計画に着手した。とくに重要なのは、将来の世代の作物がこうした環境の刺激を覚えていて、自身を鍛錬しなくても有益な形質を引き継ぐと主張した点だ。科学として、この主張はばかげている。猫の尻尾を切って、尻尾のない子猫が生まれると期待するようなものだ。そんな手口は、作物でうまくいくこともなかった。それでもめげずにルイセンコは、シベリアでレモンの木を育てる計画を早くも得意げに話していた。そればかりか、国じゅうの作物生産を増やし、ロシアの何もない内地を広大な農場に変えると約束したのである。

　そうした言葉は、まさしくソヴィエトの指導者たちが聞きたがっていたものだった。一九二〇年代の後半から一九三〇年代の前半にかけて、ヨシフ・スターリンはソヴィエトの農業を「近代化する」破滅的な計画に乗り出し、何百万もの人を国営の集団農場に強制的に加わらせた。これが大規模な凶作と飢饉をもたらす。それでもスターリンは方針を変えようとせず、ある意味で、ルイセンコの画期的なアイデアによって災厄から立ち直れることを期待していた。たとえばルイセンコは、農民に植物の種子をとんでもなく近くにまとめて蒔（ま）かせた。みずから唱えた「種（しゅ）の生命の法則」によれば、同じ「クラス」（種類・階級）の植物が競い合うことはないからである。彼は、肥料や農薬の使用も禁じた。

はっきり言えば、飢饉の責任はスターリンにある。飢饉はルイセンコが農業の独裁者として君臨する前から始まっており、根本的な要因は政治にあったのだ（多くの歴史家が、この飢饉は、とくにウクライナとカザフスタンでは意図的な大量殺戮だとさえ言い表している）。しかしスターリンの罪業ののち、ルイセンコの行為が食糧難を長引かせた。飢饉による死者数は一九三二〜三三年ごろがピークだが、四年後、ルイセンコの方法で耕作する農地が一六三倍に増えたあとの食料生産量は、実は以前より減っている。小麦、ライ麦、ジャガイモ、ビーツ――彼の方法で育てた農作物はほぼすべて、枯れたり腐ったりしたのだ。

ソヴィエトの同盟国もルイセンコ主義に苦しめられた。共産主義の中国は、一九五〇年代後半にルイセンコの手法を取り入れ、もっと大規模な飢饉に見舞われた。農民は生きるために木の皮や鳥の糞を食べるほどになり、家族を食べることさえあった。こうして三〇〇〇万人以上が餓死している。ルイセンコの理論――遺伝子の重要性を否定した理論――から導かれた当然の結果として、中国政府は近親相姦や血族結婚を禁じる法規制をゆるめてもいる。そのため先天異常が急増した。

ルイセンコにはスターリンの後ろ盾があったので、失敗してもソヴィエトで権威が陰ることはなかった。科学機関には彼の肖像が掲げられ、演説のときには必ず、吹奏楽団の演奏で彼を賞賛する歌*が歌われた。
ソヴィエト以外では、人々の考えは違っていた。きっぱりとした批判である。英国のある生物学者は、ルイセンコは「遺伝学や植物生理学の初歩的な原理をまったく知らなかった。……ルイセンコと話すのは、九九を知らない男に微分を説明しようとするようなものだった」と嘆いている。一方でルイセンコは、欧米の科学者をブルジョアの帝国主義者と批判した。とりわけ、米国で始まったショウジョウバエの研究をひどく嫌った。ショウジョウバエは、現代遺伝学で馬車馬のように働かされている。そうした研究をおこなう遺伝学者のことを、ルイセンコは「ハエ好きの人間嫌い」と呼んでいた。彼はあまりにも無知で、実用的な大発見がなされる前にほぼ必ず基礎研究が存在するということがわかっていないようだったのだ。

国外の批判を抑えられなかったルイセンコは、代わりにソヴィエト国内の異論をすべて排除しようとした。ロシア人科学者に遺伝学の放棄を強要し、拒否した者の運命は秘密警察の手にゆだねられた。運が良ければ、地位を追われ、困窮するだけで済んだ。だが、数千人とは言わないまでも数百人は検挙され、刑務所や精神病院に放り込まれた。国家の敵として死刑宣告を受け、独房で餓死した者もいる。一九三〇年代以前、ソヴィエト連邦の遺伝学界はおそらく世界屈指の高みにあった。ルイセンコがそれを骨抜きにし、一説によればロシアの生物学を半世紀遅らせたのである。

＊たとえばこんな歌詞だ。「陽気に奏でよ、アコーディオン／友と一緒にわたしも歌おう／大学者ルイセンコの永久(とわ)の栄光を讃えて」『餓鬼（ハングリー・ゴースト）：秘密にされた毛沢東中国の飢饉』（川勝貴美訳、中公文庫）より引用」。ロシア語のほうがもっと聞こえがいいのかもしれない。

一九五三年にスターリンが世を去ってから、ルイセンコの握っていた権力に陰りが見えはじめる。彼は、一九六四年までにはソヴィエト生物学の独裁者の座を追われ、一九七六年に死去した。一部の研究機関では、ルイセンコの肖像がゴルバチョフの時代まで掲げられていたが、一九九〇年代になるころには、ロシアの人々はルイセンコ主義がもたらした恐怖と恥辱を過去のものと片づけていた。いや、少なくとも過去のものと思っていた。

ところが二〇一七年、ロシアの四人の科学者が連名で、ルイセンコ主義の復活について警鐘を鳴らす論説を学術誌に掲載した。近年、ルイセンコの業績を称える書籍や論文がいくつか世に出ており、「ロシアの右派とスターリン主義者、少数のれっきとした科学者、さらにはロシア正教会までも加わった奇妙な連合」と呼ばれる人々に支持されていると。

復活の理由はいくつかあった。ひとつには、エピジェネティクス［訳注：環境による後天的な形質発現の変化を扱う学問］という注目を集める新分野によって、ルイセンコのような考えがふたたび脚光を浴びるようになったからだ。しかし実際の理由は、欧米の価値観に対する反発だった。ロシアの四人の科学者は、ルイセンコの現代の信奉者たちが「遺伝学を、米国の帝国主義の利益となり、ロシアの利益に反するものだと非難している」と語っている。つまるところ、科学は欧米文化の主要な要素なのだ。裸足の小作農ルイセンコは、欧米の科学に抗っていた――それゆえ、ロシアの英雄でなければならないというわけである。事実、ソヴィエト時代と当時の反欧米の絶対的指導者にあこがれる傾向が、現在ロシアでよく見られる（ウラジーミル・プーチンのことを考えてみてほしい）。二〇一七年の世論調査によれば、ロシア人の四七パーセントはヨシフ・スターリンの人格と「管理能力」を優れていると考えており、彼に従ったルイセンコなども、偉大なるヨシフのおかげで人気を取り戻しつつある。

こうした名誉回復は、ぞっとする動きとも言える。遺伝学がロシアでまた禁じられることはほぼ絶対にないだろうし、ルイセンコへの支持も概して異端の動きのままだ。それでも、異端の考えが危険な結果をもたらす可能性はあり、新たなルイセンコ主義は、ロシアの歴史をゆがめ、ルイセンコがほかの研究者を黙らせたり殺したりして与えた途方もない損害を無視している。彼の学説のせいで作物をだめにした無数の農民については言うまでもない。ロシアの科学者のなかにもルイセンコをもてはやしている者がいる現状は、この国で反欧米の感情がどれほど根強いかを示している。

とはいえ、ルイセンコ主義の復活については、気が滅入る話だが他人事とも言えない。西側世界でも、つねにイデオロギーが人々の科学的見解をねじ曲げている。米国人の四〇パーセント近くは、神が人類を現在の姿で創造したのであり、進化など起きてはいないと信じている。また米国の共和党支持者の六〇パーセント近くは、地球規模の気温変化の原因が人類以外にあると考えている。さらに倫理的にまったく比べものにならないが、二〇〇八年に大統領選で共和党の副大統領候補だったサラ・ペイリンがショウジョウバエの研究を愚弄した発言は、ルイセンコを彷彿とさせずにいられない［訳注：サラ・ペイリンは副大統領候補としての演説の際、公共の利益にほとんど資さないものとして「フランスのパリでおこなわれているショウジョウバエの研究」を挙げた］。リベラル派があまり調子に乗らないように言い添えておくと、左翼の主張のいくつか――遺伝子組み換え食品に対するヒステリックな反応、人間の本性にかんする「白紙状態」説［訳注：生まれたときはまっさらで、環境によって本性が形作られていくとする考え］――もかなりルイセンコ主義のよみがえりのように思える。

ハリー・ゴールドとクラウス・フックスの名誉のために言うと、ルイセンコと同じ時代を生きたこのふたりも、やがて冷静になり、スターリンとその取り巻きの科学者たちがひどい怪物で、科学だけでなく人類にとっても脅威であることに気づいた。だが、気づくのがあまりにも遅すぎた。あるときフックスが言っていたが、「二五歳で大人になる人間もいれば、三八歳でなる人間もいる。三八歳だとはるかにつらい」のだ。そのあいだ、フックスとゴールドはマンハッタン計画の情報を盗みつづけ、ヨシフ・スターリンが原子爆弾を手にするよう全力を注いでいた。

フックスとゴールドは、一九四五年九月にまたサンタフェで待ち合わせた。この章の冒頭に記した接触の場面である。そのときまでに第二次世界大戦は終わっていたが、ソヴィエトはすでに冷戦に備えはじめていて、前にも増して原爆のデータをほしがっていた。

フックスはその晩、自分も含めロスアラモスにいる英国人科学者がまもなく英国へ帰ることになっていると明かし、ゴールドを驚かせた（フックスがサンタフェにこっそり来るための口実は、実のところ英国人の送別会で飲む酒の買い出しだった。だからビュイックからガチャガチャ音がしていた。トランクが酒瓶でいっぱいだったのである）。ゴールドによると、いつか自分が英国のフックスのもとを訪れるという漠然とした話をふたりでしていたらしい。ゴールドは昔からずっとワーズワースやシェイクスピアが好きで、彼らの国を見てみたいと思っていたからだ。フックスも、実にすてきなことだと応じた。それから彼は、広島と長崎の爆弾についてのデータが入った封筒をゴールドに渡した。

これは、ゴールドがニューヨークで連絡員に会えず、書類を二週間持ち歩くはめになったときの話でもある。二週間で疲れ果て、ニューメキシコ州への旅の費用と余分なストレスも加わったことで、ゴールドはスパイ行為をやめようとふたたび決心した。

ところが、スパイ行為のほうがゴールドを手放さなかった。一九四六年に、ペン・シュガーが彼をまた一時解雇したのである。ゴールドは熱拡散法のラボを開設する資金を出してもらえないかとKGBに頼み、それが断られると、化学者仲間の――さらに共産主義者のスパイ仲間でもある――エイブ・ブロスマンという男と仕事をしようとしてニューヨークに移り住む。これが大きな間違いだった。FBIがブロスマンに目をつけており、ゴールドは指令員からその男に近づくなと告げられていた。だがゴールドは、警告を忘れたのか無視したのかわからないが、とにかく仕事を引き受けた(ソヴィエトの指令員ジョンは、ゴールドがブロスマンのところで働いていることを知ると、人前でゴールドを怒鳴りつけた。「ばかなことを! おまえは一一年間してきたことを台無しにしたんだぞ!」)。案の定、ブロスマンはまもなくFBIと面倒を起こし、ゴールドをスパイの嫌疑に巻き込んだ。ふたりは一九四七年七月、起訴陪審で証言を求められる。

ブロスマンは、ゴールドと同じくソヴィエトの要求にすっかり嫌気がさしていたので、ソヴィエトのスパイ組織での自分の役割を白状して全員を道連れにしてやる、と陰でおどすようになった。それでも証言台で気を取りなおし、すべてを否認した。九日後、今度はゴールドが証言する番になる。前日の夜、彼はブロスマンの部屋を訪ね、ふたりは車で出かけた。ゴールドは、自分の証言について相談し、ブロスマンのものと矛盾がないようにしたかったのだが、その話題を持ち出すたびに、ブロスマンは資本主義の終焉についてわめきだすのだった。ゴールドはとうとう相談をあきらめ、ふたりは午前四時に車を止めてスイカを食べた。

ゴールドは心配無用だった。宣誓証言で嘘をつくことにかけて、ブロスマンとまったく同じようにうまかったのである。証言台で彼は、ぼんやりしたうだつの上がらない化学者になり、世間知らずで政治のこともわからないふりをした。ＦＢＩはどちらの男の言うことも鵜呑みにしなかったが、明白なあらを見つけられず、ふたりともそのまま釈放された。

とはいえブロスマンのおかげで、ＦＢＩはゴールドにかんするファイルを手に入れた。さらにまずいことに、ゴールドの罪証となるものをはるかにたくさんもっているスパイを、英国の諜報員がたぐり寄せようとしていた。ほかならぬクラウス・フックスである。

ブロスマンからゴールドへの給料の支払いは、あったとしても不定期だった（ゴールドは当時のことを「金がないときはパートナーで、金があるときには従業員になった」と言っている）。ゴールドはニューヨークで、家族がいないのを寂しく思い、一九四七年九月に母親が脳出血で亡くなってからはとくにそうだった。そのため、一九四八年の半ばにブロスマンの会社をやめて故郷へ戻り、フィラデルフィア総合病院の心臓病部門の仕事に就いた。そこでまっとうな化学の仕事――血中電解質濃度や、筋肉の機能に対するカリウムの影響についての研究――をしていただけでなく、人命を救う手助けもしていたのだ。さらに、生涯唯一の恋人であるメアリー・ラニングという生化学者にも、その病院で出会った。「この

うえなく幸せな時期だった」と彼はのちに語っている。

それからの一年半で、ゴールドはラニングに二回プロポーズしている。二回とも返事はノーだった。だが彼を愛していなかったからではない。ゴールドが自分の過去について何か隠していて、それも重大なことだと感づいていたからだった。たとえば、ゴールドはサンタフェを訪れたことがあると口をすべらせたとき、ペン・シュガーからコカコーラの工場の調査に行かされたとごまかした。見えすいた嘘である。ラニングもばかではないので、ゴールドが何かを隠しているとわかっていたが、ゴールドは、真実を明かして彼女に蔑まれる危険を冒せなかった。結局ふたりは関係を終わらせた。結婚してから自分の正体がばれたら、彼女の人生を台無しにしてしまうのではないかとゴールドが恐れたためである。

心配は正しかった。フックスと最後に会ってから四年後の一九四九年九月、ある土曜日の夜にゴールドが自宅で来客の応対に出ると、なまりの強い言葉を話す男がそこに立っていた。知らない男だったので、ゴールドはドアを閉めようとした。ところが閉める前にその男――ソヴィエトの諜報員――が合い言葉を口にし、ゴールドは動きを止める。非協力的なスパイは追われて殺されるという噂を耳にしていたので、この男をどれほど追い払いたくても、協力するのが――自分と家族にとって――一番安全だと思ったのである。キッチンで少し話をしてから、ゴールドは二週間後にニューヨークにいる諜報員のもとを訪れると約束した。そしてふたりは、土砂降りのなかで落ち合った。ゴールドが驚いたことに、諜報員は東欧へ逃亡しろと彼に言った。だが理由は明かさなかった。

数か月後にすべてがはっきりした。一九五〇年二月二日、クラウス・フックスが英国で逮捕され、自白したのである。米国では、ソヴィエト連邦が前年の八月に核爆弾の爆発実験をおこなったというニュースで動揺が続いていて、原爆スパイが逮捕されたことは世界じゅうで大きく報じられた。七日後、ウィスコンシン州選出の上院議員ジョゼフ・マッカーシーは、ウェストヴァージニア州ホイーリングで演説をおこなったとき、国務省に潜入している共産分子二〇五人のリストと称する紙をひらひら見せた。彼は何か月も前から共産分子の排斥を始めたがっていたが、フックスが絶好の機会をもたらしたのだ。フックスの逮捕は、それまで水素爆弾の実現可能性を調べるだけの計画を発表していたハリー・トルーマン大統領に、水素爆弾の製造に全力を注がせる結果にもなった。

フックスの自白のなかで、世間をとりわけぎょっとさせた部分がある。「レイモンド」という米国人連絡員がいたというのだ。はっきり言えば、ソヴィエトはこの時点でゴールドを始末すべきだったのだろうが、どういうわけか躊躇していた。だが実は、ゴールドは自分でそれをやりかけていた。フックスの自白を知ってうろたえたゴールドは、睡眠薬で自殺しようと考えたのである。古くからの友人で、最初にゴールドをスパイ行為に引きずり込んだトム・ブラックが、思いとどまらせなければならなかった。

一方ＦＢＩは、ある捜査官が「猛烈きわまりない捜索」と呼んだ活動によって、レイモンドを探しはじめる。この事件専属の捜査官十数名に加え、ほかの事件と兼務する捜査官も六〇名動員し、被疑者一五〇〇人を調べ上げた。レイモンドに化学の素養があるという情報にもとづき、ニューヨークで一九四五年に出された七万五〇〇〇件の可燃性物質の使用許可情報も請求した。ニューメキシコ州一帯のバスターミナルに捜査官を送り、五年前に封筒を持ち歩いていたがっしりした体格の男を覚えている人がいないか聞き込みもおこなった。

ついにＦＢＩが尻尾をつかんだのは、ニューヨークのエイブ・ブロスマンのラボに捜査官が（違法に）

踏み込み、ゴールドが熱拡散法について記した書類をいくつか見つけたときだった。FBIは色めき立った。フックスがマンハッタン計画でかかわっていたのが、ガス拡散法だったからだ。実を言うと、このふたつのプロセスに共通点はほとんどないのだが、FBIの人間はだれもそれを知らなかった（賢さより幸運のほうが勝ることもあるのだ）。ゴールドにかんする過去の捜査ファイルをひもとき、そうした手がかりをもとに彼とレイモンドを結びつけたのである。

五月一五日の午後五時ごろ、フィラデルフィアの捜査官ふたりが、ラボにいたゴールドのもとを訪れた。ゴールドは彼らに同行して市街へ行き、いくつか質問に答えることに同意する。ふたりは午後一一時までゴールドを放さなかったが、ゴールドは決して口を割らず、その後実験を終えるためにラボへ戻った。だがそれは、まちがいなく気を落ちつかせるためでもあった。

自分に選択の余地はないと思ったゴールドは、その週末、さらに何時間も取り調べに応じた。戦時中にニューメキシコ州へ行ったことがないかと訊かれると、彼はミシシッピ川より西へ行ったことはないと否定した。フックスの写真を目の前に置かれたときは、うなずいて「英国人のスパイですね」と答えたが、雑誌で見て知っているだけだと言った。さらに強く迫られてから、ついにゴールドは、FBIに自宅を捜索させて「決着をつける」ことを承諾した。ただし、弟と父が家を空ける月曜日までは無理だと告げている。捜査官たちがこの返答に満足したはずはない。罪証となるもののすべてを処分する時間をゴールドに与えることになるからだ。とはいえ令状がなかったので、彼らは待つことに同意した。

だが信じられないことに、ゴールドは何も片づけなかった。そのままラボに向かったのだ。体内のカリウムを検出する方法について手がけていた実験がいくつかあり、やりかけのままなのが我慢できなかったのである。それから日曜日の夜に、最後の晩餐を弟と父とともにした。ゴールドいわく、ふだんの「かけがえのない時間をあと少しでも取り戻したかった」のである。

月曜日の朝五時になってようやく、彼は処分を始めた。部屋じゅう探しまわり、前に乗った列車の切符、ソヴィエトの諜報員から受け取った通信文、聞き取り調査の報告書の下書きなどを見つけた。一部は急いでトイレに流し、残りは地下室のごみ箱に放り込んだ。

片づけが終わったばかりの午前八時ごろ、ＦＢＩの捜査官ふたりがドアをノックした。パジャマ姿のゴールドがふたりを自室へ通すと、彼らは引き出しのなかを引っかきまわし、棚のものを全部出して、徹底的に探しはじめた。昔の子ども時代のノート、実験ノート、化学や物理学のテキスト。あるいは、詩の本や低俗なミステリー小説も何冊かあった。ゴールドは、トーマス・マンの小説があるのを見つけたときには身を縮めた。行方知れずになったフックスを見つけ出そうとしたときに使ったものだ。しかし、つねに「訓練を積んだアスリート」だったゴールドは、冷静さを保ち、探しまわっている捜査官としゃべりつづけた。

午前一〇時ごろ、捜査官のひとりがゴールドのお気に入りの一冊を取り出した。手あかで汚れた『化学工学の原理』だ。その本を見て、ゴールドは笑顔になったにちがいない。座右の書だ。ところが、手元にあったすべての本のなかで、この本こそ彼を裏切るものとなる。捜査官が本を開くと、黄ばんだ街路地図がすべり落ちた。「ニューメキシコ州、魅惑の地」と記されている。捜査官が本を開くと、黄ばんだ街路地図がすべり落ちた。「ニューメキシコ州、魅惑の地」と記されている。捜査官が本を開くと、黄ばんだ街路地図がすべり落ちた。「ニューメキシコ州、魅惑の地」と記されている。ゴールドが、フックスと接触する前に立ち寄った博物館で手に入れたものだった。

捜査官は地図を拾い、ゴールドのほうを向く。「たしか、ミシシッピ川より西へ行ったことはないと

手錠をかけられ、ふたりの連邦保安官に付き添われている、化学者にして原爆スパイのハリー・ゴールド（中央）。逮捕から数か月後、ニューヨークの連邦裁判所を出て刑務所に向かうところ（米国議会図書館提供）。

……」

ゴールドは椅子に倒れ込みそうになった。ちょっと考えさせてほしいと頼んでから、ふだんは吸いたがらないタバコを一本もらう。このときはまだ、ゴールドが言い逃れられる可能性はあっただろう。FBIは、フックスと彼をつなぐ確かな証拠をつかんでいなかった。それに、ゴールドはあらかじめもっともらしい嘘もこしらえていた。好きなユーモア作家がサンタフェを舞台に書くことが多く、参考のために地図を取り寄せたと言えたのだ。しかし一五年ほどスパイ行為をして、もう続けられないほど嫌になっていた。嘘をつくのにも、逃げるのにも、重責にもうんざりしていた。考えられたのは、弟と父にどう打ち明けるかということだけだった。

ゴールドはやがて捜査官のほうに向きなおった。「フックスが情報を渡していた男は、私です」

逮捕後、ゴールドは仲間のスパイのことをいっさい口にしないと決めた。〈男らしく自分の罰を受け入れ、黙っていよう〉と思っていたのだ。そこへ、弟が拘留中のゴールドの面会にやってきた。「どうしてこんなばかなことをしたの？」と弟は尋ねた。そのときに「裏切りはすまいと山のように築き上げた心の壁のまる半分が崩れていった」とゴールドは思い返している。

さらに胸が痛んだのは、そのあと父のサムソンが面会に来たときだった。サムソンはずっとハリーを誇らしく思っていた――利口な息子で、化学者で、家族が大恐慌を切り抜けられたのも彼のおかげだと。いまや父は泣いていて、弱々しく、途方に暮れているようだった。「このことが、心臓病部門の仕事に響いたりしないんだろう？」と息子に尋ねた。

この言葉がゴールドの心を打ち砕いた。「山の残り半分が崩れてしまった」

ゴールドはすぐに罪を認め、知っていることを洗いざらい白状する。自分のスパイ活動を詳しく記した一二三ページの文書も書き上げ、延々と続く追加尋問にも答えた。ある捜査官は、ゴールドの取り調べをこうなぞらえている。「レモンを絞るようなものだ。どれだけやってもまだ一滴、二滴は絞れる」。ようやくすべてを打ち明けて、ゴールドは長年味わっていなかった心の安らぎを得た。体調も回復し、体重はまたたく間に一〇キログラム以上も減った。*

FBIは、ゴールドの証言をもとに四九件のスパイ事件を明らかにした。だがそのなかで、なによりもその名が歴史に刻まれている事件がある――ローゼンバーグ事件だ。ゴールドはエセル・ローゼンバーグの弟デイヴィッド・グリーングラスの名を思い出せなかったが、彼の妻の名ルースと、ふたりの家があったアルバカーキの通りは覚えていた。グリーングラスが取っていた休暇も、ゴールドが示した接触時期と一致していた。グリーングラスは、逮捕されるとすべてを自白し、自分をスパイ行為に引き込んだのはエセルとその夫ジュリアスだと言った。

結局のところ、グリーングラスがローゼンバーグ夫妻を電気椅子に送り込むことになり、メディアは

＊ゴールドは逮捕後にストレスの霧が晴れたような気分になったが、彼の家族はそうはいかなかった。ゴールドが逮捕されてから、嫌がらせの電話――たいていは反ユダヤの中傷が混じっていた――がたくさんかかってきたので、父と弟は電話帳に番号を載せないようにした。ゴールドはスパイ活動によって反ユダヤ主義と戦おうとしていたのに、彼の正体が暴かれると事態はもっとひどくなったのである。

彼を、姉を見捨てたと吊し上げた。だがゴールドの評判も、両極端の政治的立場から貶(おとし)められた。共産主義者は、突飛な話をでっち上げて得意がる「病的な嘘つき」で孤独な「軟弱者」とこきおろした。一方で反共産主義者も、母国を裏切った操り人形と非難した。ゴールドの裁判の検察官たちもこうした非難に肩をもち、ゴールドが大いに協力的だったにもかかわらず、禁固二五年を求刑する。裁判官はさらにひどい反共産主義者で、禁固三〇年の判決を下した（これに対し、クラウス・フックス——実際に文書を盗んだ当人——は英国で九年服役しただけで、出所後は東ドイツに渡っている）*。ルイスバーグ刑務所でゴールドと一緒だった囚人たちも彼を蔑んだ。窃盗犯、レイプ犯、殺し屋——こうした連中は、ルイスバーグで一目置かれた。ところが、ある日密告者のゴールドがふらっとバスケットボールのコートにやってきて何本かシュートを打つと、遊んでいた連中がひとり残らず出ていった。それでも、もっとおおごとにならなかったのは運が良かった。数年後にはルイスバーグの囚人三人が、靴下に入れたレンガを使って、服役中だった別のスパイを殴り殺している。

またしても、化学がゴールドの逃げ込む先になった。ルイスバーグ刑務所には、囚人の医療に生体医学研究を組み合わせた珍しい健康管理プログラムが備わっていた。現在では、すでに別の章で見たような悪用を防ぐために、囚人を医学研究に利用することは受け入れられない。だが当時は倫理規定がゆるく、みずから囚人でもあったゴールドは、ラボに戻るチャンスに飛びついた。ルイスバーグで糖尿病と甲状腺疾患の研究をおこない、肝炎ウイルスの混じった血液を注入される被験者に志願してワクチン研究に協力した。ゴールドの最大の成果は、インジゴカルミンという化学物質を用いる迅速な血糖検査法を考案したことで、刑務所から一九六〇年に米国特許を取得している。

ゴールドは手の空いた時間にラボに隣接する病棟の交代勤務にも就き、囚人の看護も手伝った。こうしたことが、刑務所仲間からの信用を取り戻すうえで大きな役目を果たした。それどころか、ゴールドはすっかり模範囚となり、一六年服役して一九六六年四月に仮釈放されている。このときにも、彼のことが全国的なニュースとなった。仮釈放の日、車で迎えに来た弁護士は、刑務所内から聞こえる騒がしい声におびえた。暴動が起きているようだったからだ。だが実際は、ゴールドの刑務所仲間の歓声だった。何年にもわたるゴールドの献身的なふるまいから、仲間が大声を上げて彼を見送っていたのである。

ゴールドは服役中の最後の数か月、夜に独房で科学のテキストを読んで過ごし、自分が逮捕されてからの新技術の知識に追いつこうとしていた。幸い、やりなおしの機会が必要だと考えてフィラデルフィアにある別の病院で彼を雇ってくれるラボの所長が見つかった。ゴールドはそこで血液学と微生物学の研究に携わり、優しいおじさんのように若い科学者を指導して平穏な生活を送った。そんな見かけが一度だけ乱れたのは、ローゼンバーグ事件のことが話題になったときだった。あるときニュース番組で、デイヴィッド・グリーングラスの写真が画面にぱっと映った。同僚がぎょっとしたことに、ゴールドは急に声を荒らげ、テレビを消すように言ったのだ。

＊ある米国人物理学者はのちにこう語っている。「フックスは、われわれのために、わが国のために懸命に働いてくれた。問題は、ロシア人のためにも懸命に働いたということだった」。だが、事態はこの物理学者の認識よりずっとひどかった。世界の強国だった植民地時代の威光にしがみつこうとしていた戦後の英国は、世界における核大国にいち早く名を連ねたいと考えていた。そのためクラウス・フックスがロスアラモスから文書を盗んでいたのは、実のところ英国のためでもあった。だからすべてを考えに入れると、フックスは三か国の原爆製造で重要な役割を担っていたことになる。物理学者のハンス・ベーテはかつてフックスについてこう言っていた。「彼は私が知るかぎり、真に歴史を変えた唯一の物理学者だ」

やがてゴールドの健康状態は、心臓が弱いせいで悪化していった（先天的な異常があったが、刑務所で肝炎ウイルスの混じった血液を注入されてさらに悪くなったのだろう）。一九七二年八月、心臓の弁ひとつを取り替えるリスクの高い手術を受け、手術中に六一歳で亡くなった。ラボの仲間は、その知らせを聞いて涙した。

ゴールドは、出所後に科学者として名をあげたいと望んでいた。「いつか将来、これまでにしたことをはるかに超える償いができるようになるだろう。そしてこの償いは、ＦＢＩへの情報提供や証言ではなく……医学研究の領域ですることになる」。これも夢で終わった。ゴールドは今なお、化学よりもスパイ行為ではるかによく知られている。あまりにも多くの秘密を漏らし、あまりにも多くの人を裏切ったのだ。しかし、ほとんどの共産主義者のスパイと違い、ゴールドの場合、政治的信条があったというよりも理想が高かった。ゴールドは根っからの化学者だった。科学にとりつかれたあまり、書類を処分して難を逃れるよりも、実験を仕上げるほうを選び取った男なのである。

残念なことに、冷戦時の政治的信条のために高潔さを失った科学者はほかにいる。そのだれもがフックスやルイセンコのような共産主義者というわけでもなかった。ソヴィエトという赤い脅威に対する恐れが、鉄のカーテンの自由主義側にいた科学者にも影響を与えたのだ。なかでもＣＩＡや米軍と協力していた心理学者の一団は、罪のない数十名の被験者を苦しめ、数名を死に追いやることになった虐待的な尋問テクニックを考え出した。さらにそのなかから、米国史上最も悪名高いとも言えそうなテロリストが現れることになる。

10

拷問

——白鯨

一九六〇年、マサチューセッツ州ケンブリッジでのことだ。ギラギラした明かりに照らされた研究室にふたりの若い男性が座っていて、研究者たちが見守っている。一方の若者は意地悪い笑みを浮かべ、もう一方は体を小刻みに揺らし、どんどん興奮していく。ふたりはハーヴァード大学の同期生で、人生哲学について討論している。一〇代の若者は強固な意見をもつものだが、興奮したほうはとりわけ声を荒げている。研究者たちはこの若者に「生真面目（きまじめ）君」というあだ名をつけていた。

議論が白熱して、ふたりの声が大きくなる。生真面目君の脈が速くなり、彼はまばゆい光に目を細める。彼がこの研究への参加を決めたとき、討論は友好的におこなわれると言われたが、相手はずっと口汚くののしり、生真面目君の主張を論理的に批判するのでなく、ばかにするのだった。今日は、これまでよりもひどい。相手は生真面目君を上から下までじろじろ眺め、鼻で笑う。「それと、君のあごひげはばかみたいに見えるね」

生真面目君は唖然として目をしばたたく。これは討論じゃない。討論は、相手の人格ではなく相手の主張を批判するものだ。彼は顔が紅潮し、怒鳴りそうになり、アドレナリンが大量に出て前かがみになる。これまで何か月もこの「討論」に臨んできたが、胸に貼りつけた心拍計の値がこれほど高くなったことはない。

本当のことを知ったら、生真面目君の怒りはもっとひどかっただろう。対話の相手はハーヴァードの学生などではない。やり手の若い弁護士で、汚い戦い方をし、人身攻撃をするように教え込まれている。心理学研究の一環としてハーヴァード大学三年生の二二名が何週間もこうしたひどい目に遭っており、生真面目君もそのひとりだ。しかし、これほど強い反応を示した者はほかにいない。だから弁護士は彼を好んで挑発するのかもしれない。

実験をしている研究者は、ふたりのやりとりをマジックミラー越しに見ている。生真面目君は討論に集中しているが、水面下の生物がちらっと見えるのにも似て、ミラーの向こうの不審な動きがときおり目に入る。そこに腕を組んで立っているのは、ヘンリー・マレーだ。ハーヴァード大学の心理学者であり、尋問にかんする彼の研究には、ＣＩＡが関心を寄せていた。

マレーの人となりを評して「あか抜けて、機知に富み、よく気を配る」が、「あまりにも魅力的で怪しげなほど」でもあると語った人がいる。この実験で用意したものはすべて、マレーの考えによる。こわもて刑事の尋問用ライト、マジックミラー、心拍計。のちにこの実験にかんする論文で、マレーは弁護士の攻撃が「猛烈で、徹底的で、人格を罵倒するもの」だったと認めているが、実はこれこそまさにマレーが求めていたことなのである。彼は生真面目君がぼろぼろになるのを見たかった。そしてすべてのやりとりを映像に記録していた。ひとつには、学生のフラストレーション（苛立ち）の兆候――顔面の痙攣、額や眉間のしわ――を調べるためだ。だがときどき、学生にその映像を見るように命じ、自分が口角泡を飛ばし、カメラにつばがかかっているところも目の当たりにさせた。これは実験でのやりとりで受けた屈辱をいや増す手だてである。

そして生真面目君はほかのどの学生よりも強く屈辱を感じたらしい。この青年はまちがいなく頭が良いが（ＩＱが一六七）、検査の結果、被験者のなかで最も周囲から孤立した学生であることが明らかになっていた。まさにこのためにマレーはこの学生に特別な関心を寄せており、その神経質な様子をからかって勝手に「生真面目君」のあだ名をつけていたのである。青年の本名はセオドア・カジンスキーだ。

のちに世界にユナボマー（Unabomber）として知られることになる。

マレーとカジンスキーの生い立ちは対照的だ。一方は労働者階級（ブルーカラー）で、もう一方は上流階級（ブルーブラッド）である。マレーは上流階級で、マンハッタンの現在のロックフェラー・プラザにあたる場所に建っていた上品な高級住宅で育った。大人になって、自分の履歴書に誇らしげに先祖の名を記載している。ダンモア伯爵、ニューヨーク植民地の初代総督だ。

彼は自然とハーヴァード大学に進み、ボート部のキャプテンを務めた。のちに彼の世代で屈指の著名な心理学者となったが、最初からその分野にのめり込んだわけではない。マレーは大学で歴史学を専攻し、心理学の講義をひとつだけ履修したが飽きて受講をやめてしまった（後年彼は、「それ以来二度と心理学のクラスに足を踏み入れなかった――自分が教えるはめになるまでは」と冗談を言っている）。その後コロンビア大学で医学の学位を取得したが、手先が不器用だったため外科医になる道をあきらめる（子ども時代にへたな手術で片目が定まらなくなり、目と手の連繋がうまくいかなくなった）。最終的にケンブリッジ大学で生化学の博士過程に進んだが、目立った成績を挙げられなかった。ある批評家はこう指摘している。「彼の学歴は特段のものではなく……その後の医学校でも、上流階級の社交クラブの付き合いのほかは何も向いていなかった」

一九二三年に三〇歳でようやく天職を見つけた。ニューヨークの古本屋で、スイスの精神分析学者カール・ユングの著書に出会ったのだ。店内の通路ですぐに読みはじめ、衝撃を受け、二日間仕事を休んで読み終えた。そしてただちに、直接教えを受けるためスイスのユングのもとを訪ねる計画を立てていた。

実を言うと、マレーがユングに会いたがったのには、個人的な理由もあった。妻のジョゼフィーンは彼にとって感情面の支えであり、人生において安定を与えてくれる存在だった。だがあいにく妻にときめきは感じなかった。とりわけ性的な面で。ときめく相手は、派手で落ち着きがないけれども――いや、だからこそかもしれないが――芸術家の愛人クリスティアーナ・モーガンだった。マレーは彼女に惚れ込んでいたが、ジョゼフィーンを捨てることにも耐えられず、どうすべきかわからぬまま考えが堂々めぐりしていた。そこで、この件についてユングの意見を聞きたかったのだ。偶然だがユングにも妻と愛人がおり、マレーの悩みを聞いているさなかに話をさえぎり、どちらかを選ぶ必要はないのではないかとアドバイスした。自分と同じように、妻も愛人もそばに置いておけばよいと。なにしろ、ユングもマレーもエネルギッシュで創意に富む男だった。ひとりの女性に決めることなど望むべくもない。

ハーヴァード大学の心理学者ヘンリー・マレー。彼は学生たちに対し、虐待的な心理学実験をおこなった。のちにユナボマーと呼ばれるセオドア・カジンスキーも被験者のひとりだ（ハーヴァード大学文書館提供）。

もちろんこれは、マレーの妻には屈辱だったが（彼女はユングを「汚らわしい老人」だと思った、とある歴史家は記している）、マレーは妻の懊悩を無視してユングのアドバイスに従った。心理学に引きつけられる多くの人と同じく、彼がこの学問に惹かれたのは、自身のうちに悩みを抱えていたためでもある（ややこしい恋愛関係にはまり込んでいただけでなく、彼はずいぶん前からアンフェタミン［訳注：覚醒剤の一種］中毒だった）。そして自身のジレンマをユングが解決してくれたことに強く感銘を受けた。マレーにとって心理学は、人々の非常に困難な問題の解決に役立つ気高いものに思え、そのときから彼は、人間の心の仕組みを細かく分析する研究に身を捧げた。

その後数十年かけて、マレーは心理学の新しい研究方法を開発した。当時の心理学は二派に分かれて対立していた。一方はユングなどの精神分析学者からなり、広大で濁った潜在意識の海を探っていた。だが多くの科学者は、精神分析は厳密さに欠けるというもっともな批判をした。もう一方の側は、極端なまでに厳密さに入れ込んでいた。こちらの心理学者は、動物の感覚系つまり神経系の細部を対象に、さまざまな刺激を与えてその反応をストップウォッチや電気機器で計測していた。それは結局、反射やネズミの迷路走行のようなものだったが、確かなデータでなければ正確さに欠けると考えられたのである。

マレーはデータにもとづく科学を高く評価していた――なんといっても生化学方面の出身なのだ――が、もっと深みのあるものを求めていた。彼は個人の人格に興味をそそられ、小説家のようなやり方で人間を研究しようとした。じっさい、やがてユングを手本とすることをやめ、潜在意識を真に明らかにした人物とマレー自身が考えたハーマン・メルヴィルに目を向けたのである（だが実のところ、マレーが『白鯨』（富田彬訳、KADOKAWAなど）を読んだときに自分を重ねたのは、主人公で語り手のイシュメールや銛（もり）打ちのクイークェグではなく、誇大妄想にとりつかれたエイハブ船長だったという）。結局マレーは、折衷案をとり、データにもとづく新しい手法を採用して人格を研究した。

当然ながら、この中庸の道はだれにも気に入られなかったが、マレーは裕福だったおかげで、型破りなことをして受ける報いを免れた。当時の心理学の主流だった二派のどちらにも逆らっていたものの、人脈を利用してハーヴァード大学に職を得たのである。のちに同僚たちは憤慨してマレーに大学の終身在職権を与えることを拒否したが、大学のお偉方は彼になわばり――ハーヴァード心理学診療所――を与えてそこの所長に据えた。マレーは診療所の扉に白鯨を描かせ、予算が足りなくなるといつも小切手帳を取り出して自分の金で補っていた。

第二次世界大戦中にマレーは、またしても人脈を利用し、ＣＩＡの前身である戦略情報局（ＯＳＳ）から特別な仕事を受託した。その業務のなかには、現在の基準に照らすとひどく怪しいものも含まれていた。あるプロジェクトでは、断片的情報をつなぎ合わせてアドルフ・ヒトラーの心理学的特徴を描き出し、そこから戦争での行動を予測して、彼に影響を与える手だてを提案する研究が進められた。マレーはヒトラーを、「芸術家とギャング」が混じり合い、「たとえばバイロン卿とアル・カポネが組み合わさったような人物」と表現している。マレーは総統の性的な趣味についても推測し、「噂によれば、ヒトラーの性生活では……女性に特異な行為が求められ、その正確な中身は国家機密だ」と語った。刺激的な話ではあるが、この評価には事実の裏づけはまったくない。

ＯＳＳから受けたほかの仕事は、もっと意味のあるものだった。押し寄せる多数の求職者をＯＳＳが捌（さば）くのを助けるために、マレーは、人をタイプに分け、どの仕事に向いているかを決定するテストを考案した。性格診断テストを受けたことがある人なら、これがどんなものか知っているのではないか。マレーはまた、圧力のかかる状況で嘘をついたり、他人の弱点を読み取ったり、尋問に耐えたりすることを、志願者がどれだけうまくできるかを探る方法の開発にも関与した。つまり、優れたスパイを見出す手だてを考えたのである。

戦時中に従事したあらゆることのなかで、このスパイ関連の仕事にマレーは最も夢中になった。とくに関心を寄せたのは尋問者と捕虜の力関係で、そこにドラマの要素がふんだんにあるように思えたのだ。そこで戦争が終わると、ハーヴァードで尋問について体系的に研究することにした。そのときたまたまOSSの後身であるCIAもマレーと同じ関心をもち、この研究が冷戦で優位に立つ一手になると見ていた。

共産主義と民主主義の世界的な戦いのなかで、一九四〇年代の後半には共産主義が相手を打ち負かそうとしているように見えた。ヨシフ・スターリンのソヴィエト連邦が東欧の全域を制圧し、毛沢東は世界最多の人口を擁する中国の支配権を握っていた。ヨーロッパではベルリンをめぐって戦争が勃発しかけ、アジアでは朝鮮半島をめぐって実際に戦争が起きた。そして核兵器の脅威が緊張をさらに高めていた。

しかし、いかに恐ろしくても、原子爆弾はあくまで外面的な脅威だった。多くの米国人がはるかに恐れたのは、自分たちの心が侵される、つまり自分たちの魂が共産主義者に内面から征服されるという可能性だった。朝鮮で何千人もの戦争捕虜が、敵軍に細菌兵器を使ったなどと、犯してもいない罪を「告白する」供述書に署名していた。また、東欧でソヴィエトがおこなった悪名高い見せしめ裁判では、被告はでたらめな行為を自白していた——それも、ろれつが回らない口調で、ゾンビのようにうつろな顔をして。CIAの分析官は、こうした事実を検討し、大げさだが無理もない飛躍をして、ある考えにたどりついた。共産国の尋問者は人を確実に洗脳する方法を発見したという結論だ。それは心理学による超兵器であり、人の心をこじ開けて「操り人形」に仕立て、邪悪な指令を実行させるのだと。

実際には、共産主義者にはそのような技術はなかった。彼らがもっていた技術は、拷問だ。

共産国の尋問者は、ときには独房に閉じ込めたり睡眠を奪ったりする「ソフトな」拷問手段を用いた。それでうまくいかなければ、捕虜を気絶するほど殴ったり、もっと工夫を凝らし、薬剤を注射して痙攣させたり、濡れた帆布で体を包み、乾くと縮んで締めつけるようにしたりした。念のために言うと、こうした方法は、拷問の科学的・心理学的な知見にもとづけば、情報を得るためにはおそらく効果がないだろう。当然だが、拷問が有効かどうかについての真に科学的な研究はない。そのような研究のためには、被験者をふたつのグループに分け、心の奥にある秘密を暴くべく、一方に対しては拷問し、もう一方には人道的な方法で尋問して、結果を比べる必要がある。本書で紹介したほかの事例と比べても、このような研究は狂気と言えるほど倫理にもとり、厳密な研究がない以上、拷問の有効性について確かな結論を出すことはできない。それでも、一番判断材料になりそうな研究結果は、拷問の有効性に疑問を投げかけている。人は弱いストレスにさらされても情報を思い出す能力が低下するし、拷問ほどストレスが強いものはまずない。さらに、研究で繰り返し明らかにされているが、人は脅迫されると、ただその苦痛から逃れるためにばかげたことをなんでも告白する。傍（はた）から見てどれほどいかれていても、嘘の自白はいつでもなされているのだ。

信頼できる情報を求めるなら、拷問より得やすい方法がある。[*] だが、もちろんソヴィエトや中国の共産主義者は、必ずしも信頼できる情報を求めていたわけではない。彼らは多くの場合、宣伝工作に使える嘘の自白を欲しがっていた。この狭いひねくれた意味では、拷問は「有効」だ。すばらしく効果を挙げる。

あいにく、CIAの分析官にはそうした微妙なことがわからなかった。彼らは、共産主義者が原子爆弾に匹敵する心理的な武器を発見していて、冷戦で決定的に優位に立つのではないかと恐れを抱いたのだ。そのため、CIAは「マインドコントロール格差」を縮めるべく、一九五三年にMK‐ULTRAという突貫計画を立ち上げた。「MK」はプロジェクトがCIAの技術サービス部門の管掌であることを示し、「ULTRA」は第二次世界大戦中にドイツ軍の暗号解読にかかわったULTRA計画にちなんでいたらしい。それは、この領域でソヴィエトを打ち負かすことは、ナチスの戦車や潜水艦を打ち負かすのとまったく同じぐらい民主主義の存続のために重要だということを意味していた。人間の脳をハッキングする新しい方法をできるだけ早く開発し、共産主義者がこちらに仕掛けているのと同じことをこちらからもする必要があったのである。

MK‐ULTRAにおいては、心を探る方法ならなんでも有望なターゲットと考えられた。いかめしくユーモアのかけらもないCIAの分析官が、占い師やオカルト信者と手を組み、催眠術、テレパシー、透視術、その他の呪術などを、でたらめでないものもあるのではないかとほんのわずかな可能性にかけて研究したのだ。MK‐ULTRAで現在最もよく知られているのは、LSDをやみくもに使用したことで、自白剤として使えるのではないかと職員たちが期待していたのである（軍もフェンシクリジン〔PCP〕やメスカリンで似たような研究をしていた）。公平のために言うと、CIAの職員は、最初は内輪で投与していた。パーティーで同僚のワインやタバコに仕込んでから街なかを尾行し、「怪物」（実は通り過ぎる自動車）が食い殺そうとしてくると思い込んだ同僚が狂ったように叫ぶのを見ていた。しかし、ほどなく職員は、よそ者に投与しはじめる。あるときは、薬物を塗ったマドラーで飲み物を混ぜ、またあるときは、手品師を雇って手先の早業を習い、酒場や売春宿で飲み物に一服盛れるようにした（とりわけ気色の悪い職員は、サンフランシスコで売春宿を経営し、そこでマジックミラー越しにLSDで火がついた性行為を見ていた——それもマティーニの入った水差しを手にしてトイレで座りながら）。実のところ、C

＊疑問を感じているかもしれないので言っておくが、尋問において有用で信頼できる情報を得る方法はある。乱暴きわまりなかった一九三〇年代、警官はよく、容疑者を水に突っ込んだり窓から吊るしたりして自白を強要していた。やがてこうしたやり方は野蛮だと非難されるようになり、強烈なライト、独房への閉じ込め、良い警官・悪い警官戦術などの進歩的とされる方法に取って代わられていった。あいにく、見かけは科学的だが、こうした新たな方法はあまりうまくいかず、長いあいだに嘘の自白が何千も引き出される結果となった。一方でまた、警察が真犯人を捕まえたときにも、強引な尋問によって相手が口を閉ざし、捜査が行き詰まることがあった。

現在最も効果を挙げている尋問方法では、自白を求めることにあまり重きをおかず、むしろ悪者が話しすぎてみずから罪を明かすように仕向けることを重視している。人はべらべらしゃべるほど矛盾したことを言いやすくなったり、自分の行動やアリバイについて詳しい情報がこぼれ出て、刑事が裏をとって足をすくうことができたりする、という考え方だ。警官はまた、時間をさかのぼって話をさせたり、話の最中に関係のない絵を描かせたりする手も使う。こうすると「認知負荷」が増して嘘をつきとおすことが難しくなるからだ。

確かにこうした「ソフトな」方法では、人々の復讐の欲求——悪者は手荒な扱いを受けるべきという感情——を満たすことはできない。だが、冤罪で無実の人が逮捕されることはいつでもある。そして目的が復讐の実行ではなく、悪者を実際に有罪にして収監することなら、リラックスさせてボロを出すまでしゃべらせるほうがはるかに有効なのだ。

IAがこれほど手広く試していなかったら、LSDは現在、研究室で関心を向ける対象にすぎなかったのではなかろうか。このお堅い超保守的な機関がはからずも一九六〇年代のカウンターカルチャー［訳注：社会の主流の価値観や行動規範に逆らって当時の米国で生まれた文化］による薬物使用の動きを生み出したのは、二〇世紀の大きな皮肉のひとつと言える。ロックバンドのグレイトフル・デッドは、核シェルターと同じように冷戦の落とし子なのだ。

MK－ULTRAは、結局成果が出ないまま中止され、のちのCIA長官は関連するすべてのファイルの破棄を命じた。そのため、計画の全体像ははっきりしない。だが少なくとも八六の機関の科学者一八五名が関与しており、CIAは倫理的基準の低い心理学者を積極的に集めていた。そのうち一名の人事ファイルには、「全面的に協力するような倫理観の持ち主」と記されている。

CIAがバックアップした研究の多くは、ストレスに注目していた。ストレスの要因と、人がストレスに対処するための方策の両方だ。そうした研究は、それだけなら意義があった。人が生きていくなかで緊張や不安に対処するのに役立ったのだ。しかしCIAは、この研究結果をねじ曲げた。分析官は、ストレスの要因を把握すると、戦争捕虜やスパイにストレスを与えて秘密とおぼしきものを引き出す手順を作り上げた。また、人のストレスへの対処のしかたがわかると、その対処のメカニズムをだめにすることで、圧力をいや増すことができた。その点で、このやり方は非道なまでに巧みだった。学界の心理学者が研究をおこない、CIAがその成果を刈り取ったのである。

まさにここで、CIAの関心とヘンリー・マレーの関心が一致した。誤解がないように言っておくが、歴史家や陰謀論者の推測はあるものの、マレーがMK－ULTRAやほかのCIAのプログラムに関与したことを示す確かな証拠はない。とはいえ、大量のファイルが破棄されており、そもそも研究は極秘だったのだから、紙の記録がないことは何の証明にもならない。マレーとCIAがともに尋問に関心を示していたのは確かだ。彼はかつてCIAの前身の組織のためにこのテーマの研究をしており、カウンターカルチャーの心理学者ティモシー・リアリー――ハーヴァードでマレーの同僚だった――は、マレーがOSSのために軍の洗脳実験を指揮していたと明言している。したがって、たとえマレーがCIAからいっさい金を受けとっていなかったとしても、CIAとかかわりがあり、同じ考えをもっていたのである。

実を言うと、尋問に対するマレーの関心は、CIAよりも邪悪でひねくれたものだったようだ。見当違いだったとはいえ、CIAは拷問によって有用な情報を引き出すことができ、それを使って世界を救うことができると真面目に信じていた。マレーが喜んでそれを手伝ったのはまちがいないが、彼はほぼ、人を痛めつけて何が起きるか確かめたいだけだった。具体的に言えば、人の根本的な価値観を攻撃し、その価値観が無意味だと示すことによって、その人を混乱させて打ちのめすことができると考えたのだ。そうすれば、人は心理的操作を受けやすくなると。そこでマレーは、一九五九年の秋、テッド（セオドア）・カジンスキーのように「有能な大学生」と呼んだ者を対象に心理的虐待の実験を開始した。

米国政府が冷戦のさなかに心理学を悪用したとするなら、ソヴィエトもやり方は違うが同じことをしたと指摘しておくべきだろう。ただし洗脳技術（インチキだと彼らにはわかっていた）を探究するのでは

なく、政治活動家を貶め、裁判をせずにどこかに閉じ込めるために心理学を利用した。

そのやり口はこうだ。ＫＧＢが反体制派――ただ人権や信仰の自由、権力の乱用について口を閉ざさないだけの人――を逮捕すると、精神病院に送り込む。そうした病院のなかにはＫＧＢのメンバーが理事になっているところもあり、院内の精神科医は律儀に反体制の人間を気が触れていると診断して閉じ込めていた。一番多い診断は「緩徐進行性統合失調症」だった。「改革妄想」、「真実を求める闘争」、「辛抱強さ」、そして奇妙な話だが、抽象芸術や超現実主義の芸術を好むといった症状がある、進行の遅い架空の統合失調症だ。ＫＧＢから見て、反体制の人間を正気でないとすることにはいくつか便利な点があった。厄介な秘密が表沙汰になりそうな裁判を回避できたのだ。また、そのようなレッテルを貼ると反体制の人間に精神病の烙印を押せ、彼らを支持する者も同じようにいかれていると決めつけることができた。一九五〇年代から八〇年代にかけて、何万もの人がソヴィエトの精神病強制収容所に送り込まれ、おとなしくしておくために薬が投与されることも多かった。

確かにロシア人の精神科医のなかには、慈悲の心から人々を収容所へ追いやった者もいた。いかれていると診断されないと、人々は処刑されていたはずだからだ。しかし、ほとんどの精神科医はＫＧＢを熱烈に支持していた。ソヴィエトの医師は、ヒポクラテスの誓いではなく、まずは共産党に尽くすという特別な誓いを立て、この誓いを重視していた。彼らのひとりが言ったとおり、医師は「いつ聴診器を置いてピストルを手にするべきかがわかっていた」のである。彼らはまた、ソヴィエト連邦を労働者の天国として、世界史上最も偉大な国として見るように吹き込まれていた。そのため、そんな国への反抗は、すなわち精神錯乱の徴候だった。いかれた人間でなければだれが天国に反対するというのだ。一部の精神科医は、ミハイル・ゴルバチョフの台頭を嘆きもした。彼らには、ゴルバチョフは明らかに統合失調症のように見えたのだ。なにしろ、彼は政治改革を扇動したではないか。人権について延々としゃべりちらしたではないか。ソヴィエト連邦が崩壊してようやく、彼らは自分たちの見方がどれだけゆがんでいたかに気づいたのである。

それでも、政治的な目的で心理学を悪用したのは決してソヴィエトだけではない。ルーマニア、キューバ、南アフリカ、オランダも、二〇世紀の別の時点で似たような悪行を犯したと非難されている。現在最もその罪を犯しているのは中国だ。一九九九年以来、「邪悪なカルトによる精神異常」と決めつけるなどして、法輪功を弾圧している。ある女性の事例報告では、「法輪功の実践によってどれだけの恩恵を受けたかをひどく言いふらしている」と咎めている。またある男性信者は、「理由もなく高価な贈り物をしている」として拘禁された。なんと傲慢なふるまいだ！

残念ながら、反体制派をこのようにして抑圧するのは効果がある。従来の刑務所に投獄される反体制派には、殉難者になる道がある。だが精神病院に収容される反体制派には、その道がない。人は、友人や愛する人から自分も白眼視されることを恐れて、いかれていると見なされた人への支持を表明するのをためらう。どれほどひどくても、このやり方にはそれなりの合理性がある。

これとは反対に、米国政府による心理学の悪用はまったく非合理だ。とくに、ＬＳＤなどの「自白剤」を使った実験は、ずさんな計画で一貫性がまったく見てとれない。投与量は、ごく少量から一般的に使われる量の一〇倍以上まで幅広く、薬剤についても秘密が多すぎ、関与する医者さえ自分が注射しているのが何なのか知らないことも多かった（「犬の小便なのか何なのかも知らなかった」と言った者もいた）。

人の犠牲も実際にあった。薬物を盛られた連邦保安官は、ハイになっているときに銃でバーに押し入った。ほかの実験でも、人が死んだり、人を自殺に追い込んだりしている。

ハーヴァードでの残酷な尋問方法の研究にも、同様に人の幸福への無関心が表れている。もちろん、ヘンリー・マレーがテッド・カジンスキーなどの有能な青年に危害をおよぼすことを積極的に進めた証拠はない。とはいえ、実際にそうだったとしても、マレーはたいして気にしなかったように思える。

テッド・カジンスキーは、シカゴでの少年時代、あまりにも高い感受性とあまりにも高い合理性を奇妙に併せ持っていた。ある年の夏、父親が裏庭で木の檻を使って幼いウサギを罠にかけた。ウサギは無傷だったが、カジンスキーの弟やほかの少年たちが取り囲んで眺めていると、ウサギは自然と震えだした。それはテッドにはまったく耐えられなかった。そこにやってきたとたん、彼は皆に向かってウサギを放せとわめきだした。「ウサギちゃんを放せ!」と。父親が放してやるまで、叫ぶのをやめなかった。

一方で、カジンスキーは冷酷なまでに論理的でもあった。ある日、弟のデイヴィッドが友達と芝生で野球カードをめくっていると、どの選手が好きかとその友達に訊かれた。デイヴィッドは野球のことを何も知らないと認めるのがとても恥ずかしかったので、カードをちらっと見て最初に目に入った名前を口にした。すると、友達もその選手が好きだったのでほっとした。おおかた、子どもの罪のない嘘だ。ところが、デイヴィッドが家に帰り、兄のテッドに好きになった選手の名前を言うと、テッドは弟を質問攻めにした。いつから好きになった? なんでそんなに好きなんだ? デイヴィッドは小さくなって何も答えられなかった。のちに彼はため息をついてこう言っている。「テッドが理由を求めることは知っていたはずなのに。どんな意見にも……理屈がないといけないんだ」。また別のときに、デイヴィッドはテッドに「世界一の両親がいて僕らは幸せじゃない？」と言ったが、テッドは「それは証明できないだろ」と返した。

それでもデイヴィッドは、数学も音楽も同じぐらいよくできたテッドをおおよそ尊敬していた。あるときデイヴィッドはこう語っている。「兄が第二のアインシュタインになるのか第二のバッハになるのかわからなかった」

テッドの両親は、彼の将来についてそこまで楽観視しなかった。どこかおかしなところがあったのだ。子どものころ、テッドは抱きしめられても抱きしめ返そうとはしなかった。人が体に腕を回してくると、いつも身をよじって嫌がったのである。また、友達もなかなかできなかった。母親がほかの子どもをレモネードとクッキーで家に誘って一緒に遊ばせようとしても、カジンスキーはほとんど興味を示さなかった。五年生のときに知能テストを受けると、さらに大変になった。結果はIQ一六七で、校長は一年飛び級を勧めた。両親は、ただでさえ小柄で付き合い下手な少年を年上の子たちのなかに移すとさらに孤立してしまうことがわかっておらず、校長の勧めに従った。

孤独な子どもも、多くは健康でちゃんとした大人に成長する。そしてカジンスキーも、学校で何人か友達を作り、ブラスバンドのような社会的活動に加わった（彼はトロンボーンを演奏していた）。そのころ彼は、まったくの孤独ではなかった。だが両親のタークとワンダは、テッドが人から好かれていないことにいつもやきもきしていて、デートもせずボーイスカウトにも入らないのは「病気だ」とか、「幼い」

とか、「情緒障害だ」と言って責めさえした。こうした言葉はテッドを傷つけた。さらにタークとワンダは、テッドに高校二年を飛び級させて、以前の過ちを繰り返した。彼は五月生まれだったので、いまや同級生の大多数より二歳以上若くなってしまったのだ。*

一五歳でカジンスキーは、ハーヴァード大学に入学した。これは誇らしいことだったはずだが、ブラスバンドの担当教師は父親のタークに、ハーヴァードには行かせないように頼んでいた。どれほど頭が良くても、テッドはそんなストレスを受ける学校に情緒面で準備ができていない、と教師は言ったのだ。同じぐらいひどいことに、カジンスキーは社交面でも溶け込めそうになかった。タークは、シカゴの家畜飼育場の近くにあるおじの店でソーセージ作りをして生計を立てていた。典型的なハーヴァードの青年――銀行家や上院議員の御曹司――が軽蔑しそうな暮らしぶりだ。教師は、近くのオーバリン大学が、音楽のカリキュラムも充実していてぴったりではないかと勧めた。父親はそれを聞き入れなかった。卑しく思われる仕事をしていても、本をよく読む誇り高い人間で、息子のために最良のものを望んでいたのだ。それがハーヴァードだった。

公正を期すために言えば、両親がカジンスキーをハーヴァードに行かせようとしたのは、自分たちの自尊心のためではなかった。テッドを高校に馴染ませることはほとんどあきらめていた。すでに心理学者が報告しているように、天才クラスのＩＱの持ち主は、脳の働きがほかの人と違うので仲間との付き合いに苦労することが多い（カジンスキーは近所の少年たちと遊ぼうとしなかったが、ひとつには、彼らが愚鈍に思えたからだった）。しかし、ハーヴァードでは同じレベルの人とようやく会えるだろう、と両親は考えた。やっと友達ができてふつうの暮らしに落ち着くだろうと。

そうだったらよかったのだが。一年生のとき、学生部長は善意からカジンスキーを似たような学生ばかりの小さな寮に入れた。ハーヴァードの典型的ではない家庭の出身で高成績を収めている学生たちだ。理屈では、このように生い立ちが近ければ、互いに友達になりやすいだろう。実際には、入寮者のほとんどは、やはり人付き合いが難しい不適応者だった。ある歴史家いわく「ガリ勉のゲットー（強制居住区域）」となっていたのだ。ここでもカジンスキーはわずかな友達しか作れなかったが、まるっきり孤独ではなかった。だがハーヴァード大学は、一九世紀半ばのジョン・ホワイト・ウェブスター（第4章参照）の時代と変わらず、一九五〇年代にも貧困に寛容ではなかった。見かけが重要で、カジンスキーのぎこちない態度とすり切れた服のせいで負け犬の烙印が押されたのである。

カジンスキーは二年生のときに初めてヘンリー・マレーの面識を得た。そのころマレーは、心理学の講義を利用して、虐待的な尋問実験のために学生を集めていた。ただ、彼はそのようには説明していなかった。掲示した募集のビラでは、研究は「ある心理学の問題の解決に寄与する」チャンスという当た

＊カジンスキーは、実は高校生のときに一度爆弾作りを手伝っているが、このときはおおごとにはならなかった。彼の発案でもなかったのだ。たまたま同級生に爆弾にとりつかれた者がいた。テッドは化学がよくできたので、アンモニアとヨウ素を混ぜると爆薬ができることを知っていた。この混合物に触れると――羽毛で触れても――なんと粗削りな爆弾になる。同級生がこれを聞いて、テッドに作り方を教えてくれと頼んだのである。
テッドは作り方を教えるべきではなかっただろう。だが、人気者のレスリング選手だったその少年を感心させて友達を作ろうという哀れな考えから、それを教えた。しかし友達作りはうまくいかなかった。あいにく爆弾作りのほうはうまくいき、少年がある日、化学の授業のときに爆発させたところ、窓ガラスが二枚吹き飛び、女生徒のひとりは一時的に耳が聞こえなくなった。幸い、近くにいたほかの者は皆無事だった。校長はこの事件を見た目どおりに馬鹿者のいたずらと受け止め、カジンスキーを一日停学にしてから、すべて忘れた。数十年後に振り返って初めて、おぞましく思われた。

セオドア・カジンスキー（のちのユナボマー）の青年時代（左）。家族写真——左からカジンスキー、父親のターク、弟のデイヴィッド（右）（連邦保安官提供）。

り障りのない表現となっている。カジンスキーはこの講義をとっていなかったので、マレーとどのようにして出会ったのかは定かでない。カジンスキーが通りすがりにビラを見て応募したのかもしれないし、マレーがこのガリ勉青年に気づいて声をかけたのかもしれない。いずれにせよ、予備的な審査で「生真面目君」は被験者集団のなかで最も周囲から孤立していると判定され、マレーは躊躇なく採用したようだ。

当時カジンスキーは一七歳の未成年だったので、マレーはシカゴの両親に手紙を書いて研究に参加する許可を得る必要があった。痛ましいことだが、母親のワンダは、息子が何に巻き込まれるのかがよくわかっていなかった。理解できたのは、テッドがハーヴァードでもまだ友達がおらず、手紙をよこした親切な心理学者が息子の問題の解決を助けてくれるのかもしれないということだけだった。ワンダはすぐに同意のサインをした。

ほかの学生は自分で同意書にサインした。その同意書もビラとまったく同じように欺瞞に満ちていた。マレーはまず、彼らに「自分の人生哲学……自分がそれに従って生きている、あるいは生きたいと思っている大きな指針」を書かせた。そのうえで、その人生哲学についてほかの学生と友好的に討論するように求めた。「ほかの学生」が、実は攻撃的で冷酷になるようにマレーが指示した弁護士であることは伏せていた。実験で尋問を受けたひとりは、「攻撃の厳しさにショックを受けたことを覚えている」と語っている。

被験者に嘘をつくことがすでに研究倫理にかんするニュルンベルク綱領に反していたが、マレーはそれで終わらなかった。実験の真の目的も隠したのだ。無理もない。目的は、本質的に青年たちをぼろぼろにすることなのだから。それどころか、ニュルンベルク綱領には研究における苦痛を最小限に抑える狙いがあったが、マレーの研究の核心は、苦悶を生み出すことだった。さらに、マレーは学生が望めば実験から抜けることを認めていたものの、自身のもつ相当な魅力と威光を駆使して学生を引き止めていた。抜けたら研究がだめになると言って、事実上参加を強要していたのである。

あだ名どおりに「生真面目君」は、かなり忠実な被験者のひとりで、前に描いた場面のように生えたてのあごひげを弁護士がからかったときなど、三年間にわたり二〇〇時間以上も虐待に耐えた。のちにカジンスキーは、この実験を「生涯最悪の体験」と言っているが、毎週粘り強く通いつづけたのにはいくつか理由があった。ひとつは意固地だったためで、「自分が耐えることができ、くじけないことを証明したかった」とあるとき彼は語っている。あるいはまた、マレーが学生に謝礼を渡していて、労働者階級のカジンスキーには金が必要だったからだと推測している歴史家もいる。

見方によっては、マレーがカジンスキーにしたことは、拷問のレベルには達していないかもしれない。なにしろこの学生に指一本触れていないし、彼やその愛する人を脅してもいないのだ。それでも、カジンスキーがマレーのせいで苦しんだ、それもひどく苦しんだのはまちがいない。のちの回想も、実験のときの反応（速い鼓動など）も、それを証明している。さらに、拷問を受けた人の経験からカジンスキーの経験を推定できるとしたら、彼が耐えたような苦しみは、とりわけつらいものだったにちがいない。これは自分の信じる大義のために苦しむ人は、たいていそのつらい状況のあとで比較的早く立ちなおる。これはジャンヌ・ダルク現象と呼ばれ、その苦しみは尊く、拷問によってその人は鍛えられる。一方、無作為に選ばれて虐待されたり、自分で選んだのではない運動に巻き込まれたりした人は、たいてい深い苦しみを味わい、えてして立ちなおるのに苦労する。自分に言い聞かせられる言い訳がなく、慰めになる尊い大義もない。拷問はそうした人をたたきのめすのだ。

ところで、マレーの実験のせいでカジンスキーがユナボマーになったと言うのは短絡的にすぎる。なんといっても、ほかに二一名の学生が同じ虐待に耐えながら、だれもモンタナ州に掘っ立て小屋を建てて人々に郵便爆弾を送ってはいないのだ。マレーが最初に指摘することになったように、個人は複雑で多様であり、原因と結果がまっすぐ結びついていることはまれなのである。同様に、カジンスキーの暴力行為を「悪い遺伝子」のためとか、「悪い家庭」で育ったからとするのも単純化しすぎている。

しかし、悪い遺伝子と悪い経験の組み合わせが暴力の引き金になるとは言えそうだ。たとえば、X染色体にあるＭＡＯＡ遺伝子を考えてみよう。この遺伝子は、脳内の神経伝達物質の破壊を助けるタンパク質を生み出す。この遺伝子は、タイプによって神経伝達物質を破壊する速度が異なり、種々の神経伝達物質の有無は、われわれの思考や感情や行動に影響をおよぼす。これが大きな意味をもつのは、生まれつき特定のタイプのＭＡＯＡ遺伝子をもつ人は暴力的で反社会的な行動を示す可能性が非常に高いからだが、それは子どものころに虐待やネグレクト（育児放棄）の経験がある場合に限られる。虐待やネグレクトの経験がなければ、そうした人も正常だ。影響が現れるには、悪い遺伝子と悪い環境の両方が必要なのである。

実際には、遺伝子検査をしていないので、カジンスキーのDNAは推測するよりほかない。だが、彼は明らかにひどく神経質で、ヒステリックとさえ言える子どもだった（ウサギの件を思い出してもらいたい）。そのうえ、両親が友達のできない彼を「病気だ」と言い、学業で秀でながら人付き合いもまったくふつうにするという両立のできない圧力をかける、問題のある家庭で育った。率直に言って、彼の非凡な才能も助けにならなかっただろう。多くの天才は、心理的にもろい。ランの花にも似て、大事に育てれば花を咲かせるが、まずい環境ではえてしてしおれてしまうのだ。カジンスキーに実際に精神病になりやすい素質があったのだとしたら、きっと家庭生活と学校生活が彼の問題を悪化させたのだろう。

そして彼はマレーに出会った。前にも言ったように、拷問との比較を認めようが認めまいが、拘留した者を尋問でつぶす最も効果的な方法は明らかだ。孤立させ、ストレスを与え、それを長期間継続するのである。一六歳のカジンスキーは、ハーヴァードに入ったときすでに孤立しており、ガリ勉のゲットーでも悪化するばかりだった。マレーの実験はさらに無用のストレスをカジンスキーに加え、そのストレスに意固地な彼は三年間耐えた。事実、長期にわたるストレスが脳に恒久的な変化をもたらすことはある。一部を萎縮させ、怒りや恐怖を処理する回路など、ほかの部分を一触即発の状態にすることがあるのだ。だからといって、カジンスキーが犯した殺人の責任をマレーに負わせることはできない。幼少時の彼と遊ぼうとしなかった子どもに負わせられないのと同じだ。だが、青年期は人格が形成される時期であり、倫理にもとるマレーの長期実験が、すでにもろい状態にあった若者に一線を越えさせた可能性は大いにある。

こうしたことを考えると、カジンスキーと弟のデイヴィッドを比べるのは役に立つ。どちらかと言えば、デイヴィッドのほうが青年期に兄のテッドよりもずっと孤立していた。ふたりとも名門大学に通い（デイヴィッドはコロンビア大学に行った）、その後社会を拒絶して原野に隠棲した。それどころか、デイヴィッドはモンタナの小屋で暮らしたテッドよりはるかに原始的な生活をした。少なくともテッドの住みかには壁があり、まともな屋根もあった。ところがデイヴィッドは、テキサスの荒野に墓穴のようなものを掘り、夜にはブリキ板をかぶせていただけだったのだ。聖書に登場する隠遁者でも、もっと贅沢な生活をしている。それでも、同じように社会からの孤立感を味わい、同じ家庭環境で育ち、同じ遺伝子を多くもちながら、デイヴィッドのほうのランは生き延びた。マレーの実験のようなものを経験しなかったからかもしれない。八年後、デイヴィッドはついにテキサスの荒野を去り、高校時代に好きだった人と結婚した。もっと顕著な違いを言えば、テッドは伝統的な道徳をブルジョアによるマインドコントロールの道具と蔑んでいたが、デイヴィッドは後年いわゆるユナボマー宣言を新聞で読んでから捜査機関に通報するほど強い倫理観をもっていた。

*

実を言うと、カジンスキー自身は、マレーの研究と自分の犯罪の結びつきは弱いとし、関連づけるのは単純で扇情的だと見なしていた（彼は自分の問題を両親のせいにしているが、これも同じぐらい短絡的に思える）。しかし、カジンスキー自身の言葉が、あの実験がどれほど彼の人格の形成にかかわったかを示している。いまや有名になっている彼の宣言は、主に現代テクノロジーがいかに人間の精神を堕落させ劣化させたかに焦点を当てており、冒頭の一行にはこうある。「産業革命とその結果は人類にとって災厄だった」。だが彼は、心理学と心理学者にも攻撃を繰り返し、何十回も言及している。裁判中には、弁護士に「僕は人間精神の科学の発展には強く反対している」と語っていた。そして裁判官に宛てて、「科学で人間精神の働きを探ることができるとは思っていない」と書いている。ハーヴァード時代にもすでに、カジンスキーは睡眠障害に悩まされており、その後も長いあいだ、「僕が病気だと信じ込ませようとしたり……心理学のテクニックで僕の心をコントロールしようとしたりする」心理学者の悪夢に苦しめられていた。

ほかのだれかが言ったのなら、陰謀論にとらわれた偏執狂のように思えるだろう。「ＣＩＡが僕の脳

＊正確に言えば、事件を解決したのはデイヴィッドというよりむしろ妻のリンダだった。ユナボマー宣言を読んでリンダはデイヴィッドに、産業社会の蔑視という共通点から、テッド（リンダは会ったことがない）がユナボマーという可能性はないかと尋ねた。デイヴィッドは最初は否定したが、いくつか無視できない手がかりがあるため、やがてその考えは筋が通っているかもしれないと認めた。

たとえばデイヴィッドは、爆弾のいくつかが爆発したのはカジンスキー家がテッドに送金した直後だったことに気づいた。また、テッドには大工仕事の腕もあり（一部の爆弾には木の部品があった）、彼は爆弾で人が殺されたいくつかの市に過去に住んでいた。さらにデイヴィッドは、例の宣言のなかに、兄が手紙で使っていたフレーズ（「cool-headed logician（冷静な論理学者）」など）や、兄独特の綴り方（「analyse」や「wilfully」［訳注：どちらも英国風の綴りで、米国ではそれぞれanalyze、willfullyがふつう］）があるのにも気づいた。同じように、ＦＢＩの捜査官のひとりものちに、カジンスキーの手紙と例の宣言で同じ表現があることに気づいている。「ケーキを手に残し、しかも食べるということはできない、つまり両立できない」という意味の格言を、一般的な「can't have your cake and eat it too」ではなく「can't eat your cake and have it too」と書いていたのだ。考えてみれば、前者は論理的におかしい。ケーキを手に残し、少し経ってから食べることができるのだから。論理的に正しいのは後者のほうだ。ケーキを食べてから、それを手に残すことはできない。もちろんテッドは、そう考え抜いたうえで、それが運の尽きとなったが、正しいほうを使うのにこだわったのだ。

に入り込んでくるんだ」と言うみたいに。しかし、諜報の世界とつながりのある心理学者が、実際にカジンスキーを相手に実験をおこない、実際に彼の心をたたきのめそうとしたのである。

マレー＝ユナボマーの事例は、倫理にもとる科学の歴史のなかでも、被害者が加害者よりはるかに重い罪を犯す結果になったという点で並外れている。

罪を犯した天才にかんする研究はほとんどないが、問題を起こすことを強く予測させるひとつの指標は、脳内での知能指数（ＩＱ）と実行機能（ＥＦ）のミスマッチだ。ＥＦは主に前頭葉に存在し（前頭葉は第8章のチンパンジー、ベッキーとルーシーで取り除いた部位）、とくに衝動の管理、決断、自制に役立っている。ある心理学者は、「ＩＱは自動車のエンジンの馬力そのもののように働き、ＥＦは……変速ギヤのように働き」有用な目的に向けて「力を導く」と言っている。ところが、ＩＱがＥＦをはるかにしのぐ場合、事実上ハンドルのないドラッグレース［訳注：大馬力の車で発進加速の速さを競うレース］のようになる。すぐにコントロールを失って暴走し、操縦者を妥当な行動の道からはじき飛ばしてしまうのだ。そのうえ、天才も一般にほかの凡人と基本的に同じ理由（欲、嫉妬など）で罪を犯すが、その犯罪はえてしてより複雑になり、精緻な計画を要する。カジンスキーは、爆弾の設計とテストに何年も費やし、ひとつひとつの「実験」について暗号で細かく書き留めていた。*また証拠が残らないように念入りな手段を講じ、たとえばすべての部品を塩水とダイズ油に浸けて指紋を消していた。

最後に指摘しておくが、天才の犯罪者はとりわけニヒリズムに陥りやすい。人生は無意味と考えて、従来の道徳を否定してしまうのである。カジンスキーがこの考えに与していたことは、彼の日記から明らかだ（「道徳は社会が人々の行動をコントロールするための心理的道具のひとつにすぎない」などと書いている）。それまでの人生で何があったにせよ、カジンスキーは独自にこの結論に達したのかもしれない。多くの人もそうなのだから。一方で、マレーの実験でやり手の弁護士が学生の価値観を攻撃し、それが無意味だと示すように特別に教え込まれていたことは、単なる偶然ではないようにも思える。人をニヒリストにしたければ、それはかなり立派なきっかけとなる。

天才であろうとなかろうと、多くの犯罪者と同じく、カジンスキーも小さな犯罪から始めた。モンタナ州の小屋に移り住み、そこが望んでいたほど隔絶された場所ではまったくないことを知ってから、近くの木材搬出設備を壊しはじめた。また、隣人の贅沢な小屋をめちゃくちゃにし、おまけにその人のオートバイとスノーモービルもたたき壊した。ほどなく彼は、レベルを上げて、通過するヘリコプターをライフルで射撃したり、ワイヤーを張ってスノーモービルを引っかけたりする、もっと悪質な罪を犯すようになる。そしてとうとう爆弾を作り、他人に郵送したり、交通量の多い公共の場所に仕掛けたりし

＊カジンスキーの暗号方式は天才的なものだった。数字に置き換えるリストが元になっている。4＝THE（定冠詞）、18＝BUT（しかし）、1＝BEの現在形（である）、2＝BEの過去形（だった）などだ。リストにはアルファベットの個々の文字もあり、39＝A、41＝Bなどとなっていた。だが、おまけにいくつか工夫も凝らしていた。たとえば62と63はどちらもSで、45と46と47はどれもEにして、文字の出現頻度による暗号解読をできなくしていた。有声音のTHと無声音のTHに別の数をあてたり、ME、MY、MINEと変化する代名詞をすべてひとつの数にまとめたりもしている。さらにひどかったのは、わざと単語の綴りをまちがえ、ときどき無意味な文字列も入れ、気まぐれでドイツ語やスペイン語（どちらも彼は話せた）の単語に置き換えていたことだ。こうした策略のほか、別の暗号技術も加わっていたので、スーパーコンピュータと必死の努力がなければ解読はほぼ不可能だっただろう。

だした。ターゲットはでたらめに選んだわけではないが、じっくり考えたわけでもなかった。あるいは、自分が忌み嫌う「心理的コントロール」の「システム」全体を何回かの爆破で解体できると勘違いしていたわけでもない。彼はただ怒り、暴力に訴え、人を殺したいと思ったのだ。

残念ながら、カジンスキーの犯行は成功を収めた。一九七八年から一九九五年にかけて、どんどん精巧にしていった爆弾を全部で一六個爆発させて、数人にひどいけがを負わせ、三人を殺した。FBIは犯人をユナボマー（Unabomber）と呼んだ。当初、大学（UNiversity）と航空会社(Airline)を狙っていたからだ（bomberは爆弾犯のこと）。犯人捜査にはFBI史上最も長い期間を要し、費用も最大で、あのハリー・ゴールドを見つけ出した「猛烈きわまりない捜索」さえも上回っていた。

カジンスキーは、有名になったことを利用して、産業化が人間精神を蝕んでいるとする自説を広めようとした。そして、自分の宣言を『ニューヨーク・タイムズ』紙か『ワシントン・ポスト』紙か『サイエンティフィク・アメリカン』誌が掲載したら人殺しをやめるとさえ約束した（妙なことに、『ペントハウス』誌も宣言の掲載を申し出たが、不健全なイメージゆえに、カジンスキーはそこにだけ掲載された場合は、最後にひとり殺す権利を留保するとした）。実際に『ワシントン・ポスト』が宣言を載せたが、根っからのニヒリストらしく、カジンスキーには約束を守る気などなかった。逮捕される直前には、次の爆弾作りのためにアルミ棒を削って粉にしていた。

髪はぼさぼさで服もよれよれのカジンスキーだったが、FBIが踏み込んだとき、彼の小屋はかなり小ぎれいに片づけられていた。捜査官が数週間にわたって小屋の監視を続けたのち、一九九六年四月三日の朝に数人が水の涸れた小川の底を這って小屋に近づきはじめた。ほかの捜査官は周囲の森に身を隠

ユナボマーが暮らしていたモンタナの小屋の内部。メディアの報道とは違い、かなり小ぎれいできちんと片づいている（FBI提供）。

していた。それからカジンスキーと面識のある地元の森林管理官が、私服の捜査官二名とともに小屋に近づき、カジンスキーの土地の厳密な境界線について話があるように装った。「おい、テッド」と森林管理官はついには大声を上げた。「こっちへ来てどこが境界か教えてくれないか?」

カジンスキーが顔を出した。つねづね警戒心の強い彼だったが、「わかった。上着をとってくる」と言った。

彼が背を向けたとたん、私服の捜査官のひとりがカジンスキーに飛びかかり、手首をねじって手錠をかけた。するとほかの捜査官も森から出てきて小屋に押しかけ、罠などの危険物がないか目を凝らして探した。

捜査官は、カジンスキーが背広とネクタイをもち、棚には数十冊の古典文学(シェイクスピア、トウェイン、オーウェル、ドストエフスキーなど)が並んでいるのを見て驚いた。痛ましいことに、有能な若者への虐待的尋問にかんするヘンリー・マレーの論文もあった。この論文はわずか九ページで、例の実験についてマレーが公表したのはこれだけだった。掘り下げた結論もなく、悔悟や謝罪の意識も感じられず、ほとんど被験者の心拍数のことしか記されていない。結局のところ、上流階級のマレーは、被験者となった若者たちや彼らにおこなった虐待についてはのんきに忘れてしまっていたのだ。カジンスキーは決して忘れられなかった。

逮捕されたのち、カジンスキーは一三の訴因について罪を認めた。ハーヴァード大学の輝かしい歴史を通じて、極刑に処された卒業生はふたりしかいない。ひとりはジョージ・バローズで、魔術を使ったかどで一六九二年に処刑された。もうひとりは第4章に登場したジョン・ホワイト・ウェブスターで、一八四九年にジョージ・パークマンを殺したことによる。セオドア・カジンスキーは、罪状を認め、司法取引にも応じたために、かろうじて三人目になることを免れた。[*]

カジンスキーを説明するうえで、メディアのほとんどはハーヴァード卒業後の人生に目を向けている。彼は博士号を取り、カリフォルニア大学バークレー校で数学の准教授になった。そのころは過激な年代とも言われる一九六〇年代の後半で、「バークレー」は米国で一番過激な大学だった。暴力や反抗の呼びかけがそこらじゅうにあふれ、メディアに登場する口先だけの心理学者の目には、バークレーとカジンスキーのつながりは明らかだった。バークレーの乱れた雰囲気によって、若き天才が堕落し、悪へ駆り立てられたにちがいないと。

しかし、彼自身の話によれば、カジンスキーはカリフォルニアに来る前にすでに壊れていた。実は、彼が大学の職に就いたのは、ほとんど金を貯めるためだった。その金でどこかに土地を買い、東部時代に形をとった殺人と復讐の夢の実現に着手しようとしていたのだ。彼がバークレーに来たのはまったくの偶然で、周囲の騒乱にはほとんど気づかなかった。彼の問題の本質は、ゆがんだ子ども時代と、扉に白鯨が描かれたハーヴァードの建物で経験した長時間の虐待にまでさかのぼれた。それに言うまでもなく、CIAやそれに協力した科学者に人命を守るためにはその苦痛もやむをえないと思い込ませた、冷戦期の偏執的傾向も含まれる。

＊二〇一二年にカジンスキーは、ハーヴァード大学の同窓会誌に厚かましくも自身の卒業五〇周年の近況報告を投稿している。信じがたいことだが、編集のとんでもない手違いで、これが掲載された。彼は職業を「囚人」、住所をコロラド州の厳重警備の刑務所とし、「受賞歴」としてカリフォルニア地裁で八件の終身刑と記している。

それでも、すでに見たとおり、科学には政治の道の左右に敵がいる。じっさい、ユナボマーの事例は保守派の偏見が暴走する危険を明らかにしたが、次に語る事例では、小さな子どもの幸せと、ひいては一生が、また別のひどい心理学者の極左の信条によって犠牲になっている。

11

不正

——性、権力、マネー

看護師は新生児用のベッドに手を伸ばし、なにげなく双子の兄弟のうちブライアンでなくブルースの方を抱き上げた。カナダのウィニペグにいた生後八か月のライマー兄弟は、ふたりとも真性包茎だった。ペニスの包皮が剝けず、排尿に支障をきたす障害である。一九六〇年代の半ばはとにかく手術という時代で、医師は問題を解決するために包皮切除を勧めた。両親のライマー夫婦がそれに従って双子を病院に預けたあとの朝、看護師がブルースを手術台に寝かせた。

ふだん包皮切除をおこなっていた小児科医がこの日は休みで、総合医にその役目が回ってきた。彼はブルースの包皮を伸ばすために内側にベル形の金属器具を差し込み、金属の鉗子（かんし）で皮を動かないように押さえた。それからふつうのメスでなく、電気メスに手を伸ばす。これは優れもので、最新の機器だった。針の先端から電気パルスを送って組織を切ると同時に傷をふさぎ、傷跡と出血を最小限に抑える。あいにくこの代役の医師は、電気と金属を一緒に使うと危険なことを知らなかったようだ。

最初にその医師が電気メスの針をブルースの包皮に当てたとき、何も起こらなかったので、彼は電流を強くした。それでも変わらないと、さらに強くした。今度は変化が起きた。電流が薄い包皮を焼いて通り抜け、下の金属のベルにどっと流れたのだ。するとその電流で、ペニス全体が熱の鞘で覆われた。傍らにいた麻酔科医は、「ステーキが焼けるような」音がしたのを覚えている。部屋には肉を焼いたにおいも漂い、ブルースの股のあいだからはひと筋の煙が上がった。医師は急いで針を引っ込めたが、すでに手遅れだった。緊急で泌尿器科医が到着したころには、ブルースのペニスはよく火を通した豚肉のように血を失って白くなっていた。不思議とスポンジのような感触でもあった。

ブルースの両親、ロンとジャネットのライマー夫婦のもとへすぐに電話が入った。病院は何が起こったかを言わず、急いで来てほしいとだけ告げた。四月としては珍しい猛吹雪がウィニペグを襲っていて、夫婦は通りを進むのにおそろしく時間がかかった。だが、どのみち彼らにできることは何もなかったのだ。翌日にはブルースのペニス全体が「黒くなり、短いひものようだった」ことをジャネットは覚えている。そして数日のうちに干からびて、粉々に砕けてしまった。

病院はブライアンには包皮切除をおこなわなかった。彼の包茎は自然に解消した。これは、突然障害を負った赤ん坊の親となり、いったいどうしたらいいかわからなくなった二〇歳のロンとまだ一九歳のジャネットにとって、小さな慰めだった。

ジョン・マネーはかつてペニスを「男の汚らわしい性のしるし」と言い、さらに「家畜だけでなく人間の男性も生まれたときに去勢していたら、世界は女性にとってもっとすばらしい場所になっていたかもしれない」と付け加えた。この言葉にあなたがぎょっとしたとすれば、それで狙いどおりだ。熱烈に支持するにせよ、つばを飛ばして嫌悪するにせよ、ジョン・マネーに対して中立的な態度はとる人はいない。彼はつねに反応を引き起こしてきた。

マネーは、一九二〇年代にニュージーランドの厳格なキリスト教のコミュニティで育った。父親は、彼が些細な道徳上の罪を犯しても殴り、母親はもっとひどい虐待を受けていた。母親とその姉妹は、自分たちの人生に害をなす男どもを憎むようになり、マネーは彼女たちからそうした偏見を植えつけられたと語っていた。

二五歳で彼は、ニュージーランドを逃げ出して、ハーヴァード大学の心理学の大学院に入った。そこにはヘンリー・マレーもいた。マネーは両性具有者（現在ではインターセックスと呼ばれる）の心の健康をテーマに博士論文を書いた。予想に反して――当時は医学の教科書にも「性的逸脱者（フリーク）」、「不適応者」、（彼や彼女ではなく）「それ」といった言葉が使われていたが――マネーは、ほとんどの両性具有者がまったく正常で、一般の人以上に心理的問題を抱えているわけでもないことを見出した。このように両性具有者（世界的に見ると赤毛の人と同じぐらい多い）のノーマライゼーション〔訳注：一般の人と区別なく当たり前に同じような暮らしができるようにすること〕に意欲的に取り組んだため、彼はインターセックスのコミュニティでヒーローになった。

ほどなくマネーは、ボルティモアのジョンズ・ホプキンズ大学病院に職を得て、そこで性の心理学に最も長く取り組んだ。人間においては、いくつかの要因が性的アイデンティティ（性同一性）に影響する。つまり、ホルモン、体のつくり、性的指向、文化的期待〔訳注：属する社会で多くの人が共有する、男女はそれぞれこうあるべきだという認識のこと〕などだ。しかし、それに加え、マネーはもうひとつの要因を見出した。個人が自分を男性と女性のどちらだと感じるかである。

男性性（男らしさ）と女性性（女らしさ）は、一般に生殖器やホルモンと一致するが、つねに一致するわけではない。男性の生殖器をもっていても自分は女性だと感じることがあり、その逆もあるし、ほかの不一致もある。マネーはこの感覚を示す名前をつけたいと思い、言語学に目を向けた。英語を母語とする人は、ほかの言語で、橋がなぜか「男性」だったり机が「女性」だったりする単語の「ジェンダー（性）」に悩まされることが多い。マネーはこの用語を借用して人に対して使った。彼の概念では、「セックス（sex）」のほうの性は染色体と体のつくり——身体面——を対象とし、「ジェンダー（gender）」のほうの性は行動と感性に対応していた。要するに、セックスは生物学的で、ジェンダーは心理学的な意味合いなのだ。

「ジェンダー」はすぐに一般用語となり、マネーはこの用語の考案者として名声を得た。それから彼は、その名声をてこにして社会的な問題で挑発的な主張をし、さらに有名になった。そうした主張のなかには、今では奇異な目で見られるものもある。マネーがヌーディズムやオープンマリッジ［訳注：夫婦間以外の性的な関係を認める結婚形態］を提唱し、SM（サディズムとマゾヒズム）を擁護すると、人々は驚いて息を呑んだ。そのほか、今でも無茶に思える主張もある。公開講演で、獣姦や食糞、フェティシズム［訳注：異性の体の一部や物に性的興奮を覚える傾向］の露骨なスライドを聴衆に見せたが、彼はこれらをまったく健全だとして支持していた。マネーはまた、場合によっては小児性愛を認め、近親相姦を善悪の問題にされると激昂した。それどころか彼は、継父が血のつながりのない娘を餌食にするのは、母親が「［夫に］かまわなかった」のだから、たいていはそれで良いのだと言っていた。

マネーがこのたわごとを信じていたのかどうかはわかりにくい。彼は人をからかうのが好きで、かつて性について理論を立てる方法を「SFのゲームをする」ようなものと語っていたのだ。しかし、いったん地位を築き上げるとそれを死守した。彼に異を唱える人は、まちがっているとか的外れだとかだけでは済まされなかった。救いようもなく過去の泥沼にはまっている、忌まわしくも心の狭い偏屈者にされたのである。*

短い結婚生活を除けば、マネーはほとんど中身のない私生活を送っていた。ジョンズ・ホプキンズ大

悪名高い心理学者でジェンダー理論家でもあったジョン・マネー。オフィスで部族の芸術品と謎めいた沸騰する大釜とともに（インディアナ大学キンゼイ研究所のコレクションより）。

学の人々は、彼を気性の激しいけちなろくでなしとして嫌っていた。彼は学生に封筒の切手を剝がさせて再利用し、夜に病院の食堂に忍び込んで残り物をビニール袋に詰めた。思い切って彼のまちがいを指摘した同僚は、すぐにもうそうすべきでないことを学んだ。二度と彼の逆鱗に触れたくなかったのだ。

マネーは友人を作らずに、主にセックスの相手を探し求めた。彼は、口ひげを生やしタートルネックのセーターを着た、いかす六〇年代のプレイボーイのような外見で、その役を熱心に演じて公園や脱衣所を回り、男でも女でも、獲物がいればだれでも引っかけた。学会では、ほかの出席者と乱交パーティーを催していた(正直言って、私はそんな学会に行ったことはない)。

そんな悪評の高い私生活によって、当然ながらマネーはメディアで人気が高まる一方だった。そして、『プレイボーイ』誌にインタビューを受けたり、テレビを賑わせたりして、二〇世紀の性科学者(キンゼイ、マスターズとジョンソン、ルース博士)のだれよりも一九六〇年代の性の革命を先導する役目を果たした。とくにカナダ放送協会(CBC)でのテレビ出演が、重大な影響をおよぼすことになる。

一九六五年、マネーの強い勧めによって、ジョンズ・ホプキンズ大学病院がトランスセクシュアル[*1]専

---

*ジョン・マネーは、几帳面な研究で知られていたわけでもなかった。たとえば、彼が一九六九年に訪れたオーストラリアのヨルング族の研究が挙げられる。ほんの二週間滞在しただけなのに、マネーは彼らの性生活についておおざっぱな断言をいくつかしている。特筆すべきは、このすてきな未開人たちが裸になることと性交することをとにかく好むという主張だ。そのためヨルング族の成人には、性にかかわる心理的問題や神経症がいっさいなく、小児性愛や同性愛——どちらも西洋世界の性的抑圧の産物にほかならないとマネーは主張した——もまったくない、と彼は言っていた。同性愛を神経症に含めていることを別にしても、これは完全にナンセンスだ。ヨルング族と実際に生活して協働した人類学者たちは、当然ながら彼らにも同性愛や性的な悩みがあると報告している。人類の歴史を通じ、あらゆる大陸のあらゆる部族に、こうした特徴が見られた。それでもマネーは、自説を否定する批判をことごとく無視して、ヨルング族の性の喜びについて何年も語りつづけていた。

門の外科ユニットを米国で初めて開設した（それまでは、性転換を望む人はカサブランカに行くことが多かった）。当時はほとんどの心理学者が性転換願望は精神障害と考えており、性転換手術をロボトミーになぞらえることもあった。そのため、性転換を後押しするクリニックの開設は、ジョン・マネーにとっても突拍子もないことに思えるほどだった。そこで一九六七年の二月、ＣＢＣはマネーを呼び、男性から女性への性転換者とともに、クリニックを擁護する場を設けたのである。

番組のホストは初めからマネーを攻め立て、いくつかまぬけな質問をした（「同性愛者がやってきて『去勢してほしい』と言うようにはならないんですか？」）。だがマネーは、プライベートではどれほどけんか腰でも、カメラの前ではつねに如才なく、あっさり攻撃を受け流した。ホストが神のまねごとではないかと非難すると、マネーはニヤリと笑い、「あなたは神の側に立って議論したいんですか？」と問い返したのだ。

番組でマネーはスタジオの観客からの質問にも応じ、そのなかに、あいまいな生殖器をもつインターセックスの子どもについての質問があった。マネーは、そうした子どもが心理的なトラウマに苦しむ前に手術をして生殖器を「確定する」ことをずっと推奨していた。この立場をとった理由は定かではない。なにしろ、彼自身の研究は、ほとんどの両性具有者がそのままでうまく順応していることを明らかにしていたのだから。ともあれ彼は、外科手術によって、男であれ女であれ、最も適切と思えるほうにインターセックスの赤ん坊を仕立て上げることができると観客に請け合った。そうすると両親は子どもをどちらかの性として育てられ、子どもは完全に正常に育つだろうと。

ウィニペグの若い夫婦がたまたまこの番組を見ていた。田舎者のふたりには、マネーのなまりがどこのものかわからず、英国のようにも思えた。また、彼が使っていた性心理学の用語[*2]もまったくわからなかった。それでも、彼が子どもの生殖器を確定すると言ったときに、ふたりは目を見開いた。私たちの小さなブルースを助けてくれそうな人がいる、と。

これから明らかになる惨事を理解するために、少し立ち戻り、人間の本性にかんするいわゆる「白紙状態」説をめぐって長年続いている議論を検討しておこう。

この議論にはふたつの陣営がある。一方は、人の人格や個性は生まれつき決まっていて、文化によって本質的で先天的な本性を変えることはできないと主張している。他方は逆のことを主張し、人は生ま

＊1 現在の心理学者は、セックスとジェンダーが一致しない場合、「トランスジェンダー」という言葉を使う。「トランスセクシュアル」はどちらかというと過去の言葉で、とくに身体構造やホルモンを変化させる医療処置（手術など）を受けた人に対して使われていた。今では「トランスセクシュアル」は時代遅れに聞こえるが、一九六〇年代から七〇年代には最もよく使われる言葉だった。歴史的な正確さを期して——また、ジョン・マネーが実際に手術を奨励し、それが「トランスセクシュアル」の定義に含まれているので——ここではその言葉を使っている。詳しくは、www.healthline.com/health/transgender/difference-between-transgender-and-transsexualを参照。

＊2 語源に興味がある人のために言うと、マネーは変わった言葉が好きで、そんな言葉をたくさん作っている。たとえばycleptanceは命名行為、foredoomanceは死すべき定め、eonistはトランスセクシュアルの人、apotemnophiliaは手足の切断に対するフェティシズムのことだ。彼はまた、ほかにもややこしい言葉を広めた。limerentは恋に落ちた状態、paraphiliaは性倒錯、ephebicは青年、pedeiktophiliaはペニス露出症で、paleodigmは、役に立たなくなっても続いている太古の野蛮な習慣、quimとswiveはそれぞれ、異性間の性交で女性が男性におこなうことと、男性が女性におこなうことを指し、autoagonistophiliaは、見られることで感じる性的快楽であり、phucktologyは性交の研究だ。

れたときは白紙状態で、文化によってのみ中身が形作られると言っている。人の性別については、この議論は次のようになる。生物学的な性であるセックスと、心理的な性であるジェンダーで、どちらの要因が強いのか？

マネーの考えでは、ジェンダーがセックスに勝っていた。なぜなのか？　インターセックスやトランスセクシュアルの人々を対象とした研究から、生殖腺やX染色体／Y染色体でジェンダーが決まるとはかぎらないことを知っていたからだ。たいていの場合、ジェンダー、セックス、染色体、体のつくりは一致している。ところが一部の人は、生殖腺や染色体とは違って、自分が男性や女性だと感じている。別の言い方をすれば、ジェンダーが体のつくりや生理機能を覆しているのだ。

これはある程度正しい。だがマネーは、そこからさらに考えを進めた。一部の人で身体構造によるセックスと心理的なジェンダーがときたま一致しないことから、すべての人でジェンダーは流動的で、とくに幼少期にはそうだと結論づけたのである。[*1]それどころか、人間は生まれた時点では性的に白紙状態なのだと。彼自身の言葉によれば、「男性あるいは女性としての性行動や性的指向［訳注：恋愛や性交の対象として男女どちらに向かうかという傾向］には、生得的・本能的な根拠はない」のだった。

さらにここから別の奇抜な結論がもたらされた。統計的に見ると、ペニスとXY染色体をもつ人の大半は、エロチックな面で女性に魅力を感じる。ところがマネーは、生物学的要因がこれに関係しているという考えを軽視した。[*2]むしろ、ペニスとXY染色体をもつ人が女性に惹かれるように社会が条件づけているのであり、パブロフの犬がベルの音でよだれを垂らすのと大差ない、としたのである。同じことが、卵巣とXX染色体をもつ人についても言えた。やはり統計的に見て、卵巣とXX染色体をもつ人の大半は、エロチックな面で男性に魅力を感じる。しかし、それは動物として何億年も生物学的に受け継いできたためではなく、むしろ卵巣をもつ人が、考えのないロボットとして家父長社会の言いなりになってきたためだというのだった。

ひょっとしたらマネーは、ここでもまた「SFゲーム」をしていたのかもしれない。だが、多くの人が彼の発言を真に受け、性の生物学的根拠を否定した彼よりさらに先へ進んだ。じっさい、ジェンダーとセックスは社会によって作られるものにすぎないという考えは、一九六〇年代の変革期の政治情勢にぴったりはまっていた。要するに、マネーの科学理論は政治的な時流に乗っていたのである。それが、振り返ってみれば、乱用への警報だった。

ところで、マネーとその支持者は、ジェンダーには社会によって作られる面があるという点ではまち

＊1 マネーは、のちに彼に追随した人々の一部と違って、ジェンダーが無限に柔軟なものだとは考えていなかった。むしろ、生まれて最初の数年間に重要な期間――「ジェンダー同一性の関門」――があると主張した。彼はこの期間を、言語習得の期間になぞらえている。子どもの脳は言語を獲得する準備ができているが、その言語がタガログ語になるか、日本語になるか、フランス語になるかは、育つ環境による。同じように、子どもの脳はジェンダーを選ぶようにできているとマネーは主張した。また現在一致している見方とは違い、異なる環境で育てることによって、子どものジェンダーをある程度自在に決定できるとも彼は考えていた。

＊2 マネーの考えがはっきりわからなくなることがある。彼は書くのがへたで、ほとんどわざとあいまいに記していた。ときには、われわれの人格を形成する際の遺伝と環境の相互作用について、高度な理解を示している。そしてとりわけ過激な弟子たちとは違い、彼は生物学的要因を完全には否定せず、それがわれわれを形作っていると言っていた。それなのに、別のときには、生物学的要因を否定して社会的要因をきわめて重視しているように見えた。彼が遺伝などの生物学的要因を認めるのは口先だけにすぎず、心の底では筋金入りの社会構成主義者［訳注：社会構成主義とは、社会的要因が現実を形作るとする考え］なのではないかというひそかな疑いが、私の心に満ちている（不当かもしれないが）。

がっていなかった。青よりピンクを好むのは遺伝やホルモンによるとはだれも考えていない。それに、女性に対する固定観念が、何千年も女性から機会を奪うのに（明らかに）利用されてきた。しかし、染色体やホルモンは人を男らしくしたり女らしくしたりするのに何の役割も果たしていないという、マネーの最も過激な弟子たちによる主張は、はっきり言ってたわごとだ。トロフィム・ルイセンコがシベリアでレモンの木を育てようとしたのと同じぐらい、現実に根差していない。

はっきり言うと、こうした過激な人々――ほとんどが社会科学者だった――は、あちこちからいくつか例外を切り取ったり、男性に女性的な面もあり、女性に男性的な面もあると言ったりするだけではなかった。どれも真実ではある。だがそれどころか、キリスト教の原理主義者と同じように、彼らは人類に進化があてはまるという事実を実質的に否定していた。ホモ・サピエンスは、地球の歴史でほかのあらゆる動物の性行動を形成してきた自然の法則を不思議と免れているというのだ。文化は染色体に勝る。それが揺るがぬ結論だった。

学問の世界でなら、そんな「ゲーム」に興じることもできる（「知識人でもないかぎり、そんなばかげたことは信じない」というジョージ・オーウェルの言葉を言い換えるなら、「どんなにばかげていても、どこかの知識人なら信じる」のだ）。マネーが犯した真の罪は、自分の理論をクリニックで、現実の人間に対してあてはめたことなのだ。彼は、生殖器があいまいなインターセックスの乳児を見つけるたびに、手術をしてもっとふつうに男性か女性に見えるようにすべきだと強く迫った。男女どちらにするかは問題ではなかった。ジェンダーが生物学的特質に勝るのなら、どの親も、手術を受けた子どもを男らしく、あるいは女らしく育てればいいだけで、あとは手品のように、育て方がほかのすべてに優先し、完全に正常な男子か女子になるからだった。

そうであっても、理論上は子どもをどちらの性にもできたのに、実際にはマネーは、たいていインターセックスの乳児を手術で女性にすることを勧めた。なぜか？　フロイト主義者は男性の去勢にかんするフロイトの言葉（去勢コンプレックス）を思い出し、ぎょっとするのではないか。しかし実際の手術の面では、ペニスよりも膣を形成するほうがはるかに容易だった（結腸の一部を使うことが多かった）。ある外科医が乱暴に言ったように、「穴は作れるが、柱を建てることはできない」のだ。また一方で、手術を早めに、生後約三〇か月より前におこなえば、両親は子どもを男女のどちらかとして育てられるということにされていた。

一九六〇年代までには、ジェンダーとセックスの流動性にかんするマネーの考えは、心理学の学界で主流となっていた。ある歴史家は、「科学ではめったにお目にかからない意見の一致」だったと書いている。しかしマネーは、いくらか異論にもさらされていた。一九五〇年代の後半、カンザス大学の科学者たちが、モルモットの胎児で一連の実験をおこなった。子宮のなかで、哺乳類の胎児の脳は、自分がもつ生殖腺に応じて雄か雌のホルモンを浴びる。この状態をまねてカンザス大学のチームは、雌のモルモットの胎児に、子宮内で雄の場合に一般的な濃度のテストステロンを浴びせた。その雌が成長して性的に成熟すると、雄のように行動した。攻撃的な態度でほかの雌の上に馬乗りになり、腰を突き出しはじめたのだ。同じような実験で、雄の胎児を子宮内で雌の場合に一般的なホルモンにさらすと、うつぶせになり、尻を上げて挿入されやすい姿勢をとる雄になった（ロードシスという本能的行動）。つまり、ホルモンという生物学的要因だけで、モルモットが雄らしい行動をとるか、雌らしい行動をとるかが決まるように思われたのだ。そして人間と違い、モルモットの文化によってなんらかの形で教え込まれたとするのは無理があった。

マネーはこの知見を「齧歯類」の研究にすぎないと片づけたが、それにも一理あった。本書ですでに見たとおり、動物での結果は、必ずしも人間にもあてはまるわけではない。人間の性のように複雑なことがらについては、とくにそれが言える。その事実と、マネーの圧倒的な地位と権力があいまって、カンザス大学の研究室からの異論は静かに収まってしまったようだ――ひとつの例外を除いて。一九六五年、この研究室の無鉄砲な大学院生ミルトン・ダイアモンドが、マネーを追及する決意を固め、人間の性にかんする「白紙状態」説を酷評する論文を執筆したのである。

マネーは、無視するのでなく、攻撃に着手した。しかも紙上だけではなかった。数年後にジェンダーをテーマに開かれた会議のおり、カクテルパーティーで酔っぱらったマネーがダイアモンドを見つけ、「ミッキー・ダイアモンド、おまえのくそいまいましい根性が大嫌いだ!」と叫んだのだ。そしてしつこく付きまとったあげく、ダイアモンドのあごを殴ったという(人によって話が違う)。

ダイアモンドの論文のなかで、あるくだりにマネーはとくに苛立った。両性具有者は、男女両方の性徴をもっており、ダイアモンドはそうした場合にジェンダーが柔軟になる可能性を認めていた。しかし、だからといって、あらゆる人間でジェンダーとセックスが柔軟だということにはならない。ダイアモンドはこう訴えていた。「まぎれもない男性の外見で[つまりそのように生まれ]……女性としてうまく育った通常の個人の事例はこれまでに示されていない」

二〇か月後、マネーはCBCの番組に出演した。その数日後に、ウィニペグに住むロンとジャネットのライマー夫婦から、ペニスを損傷したわが子ブルースについて書いた手紙が届いたのである。

これは思わぬ幸運だった。マネーはかつて、医療倫理によって、人間を対象に実験をおこなう「臨床研究者の権利」が制約されていることを嘆いていた。ところが突然、まったく自然な形で実験をする機会が転がり込んできた。ブルースを女の子として育てれば、ぐずぐず文句を言うまぬけなダイアモンドからの異論に答えられ、性が白紙状態であることをきっぱりと証明できるはずだった。しかもなんと、その子には実験の対照となる一卵性双生児の兄弟もいたのだ。

マネーはペンをつかむやライマー夫婦に返事を書き、ブルースをボルティモアに連れてくるよう催促した。ある批評家が「性心理のエンジニアリング」と言った、マネーの実験が始まろうとしていた。

ウィニペグの新聞二紙が包皮切除失敗の噂を聞きつけ、それを大きく報じていた。かろうじてライマー家の名前は漏れ出なかったが、ロンとジャネットはわが子のことが世間にばれないかと心配でたまらなくなった。ベビーシッターを雇って気晴らしに夜に外出することさえ怖がった。ブルースのおむつを替えないといけなくなって、ベビーシッターが見てしまったらどうするか？　ふたりはただじっとしてくよくよしていた。ジャネットは息子をひどい目に遭わせた神に毒づいた。ロンは深酒をするようになり、手術をした医者を絞め殺す凶暴な夢を見た。

そんなおり、また家に閉じこもっていた晩に、ふたりはＣＢＣの番組でマネーを目にしたのだ。彼らはすがる思いでマネーに手紙を出した。するとうれしいことに、テレビに出たあの有名な科学者から返事が来たのである。すぐにふたりはボルティモアへ向かった。

マネーのオフィスの装飾品に夫婦はぎょっとした。とくに、大きく口を開けた女陰とグロテスクな男根が描かれた部族美術に（ふたりが驚いてマネーはほくそ笑んだにちがいない）。ふたりが落ち着くと、マネーはブルースを女性に作り変えるプランの概要を説明した。そしてジョンズ・ホプキンズ大学の外科医は必要な手術を何度もおこなっており、ブルースに完全な膣を、オルガスムス（性的絶頂）さえ感じられる膣を設けられると請け合った。ブルースは子どもを産めず（子宮がない）、のちのちエストロゲンを補給する必要があるが、それ以外の点では、完全にふつうの女性になると。

それでもロンとジャネットは迷った。こんな幼い歳で手術を？　ふたりはウィニペグに戻ってじっくり考えた。

その後数か月、ふたりは決めかねていて、マネーはじりじりした。夫婦が踏み出さなければ、絶好の実験ができなくなってしまう。そこで夫婦に手紙を書き、何もしないとブルースが一生苦しむことになると説得しだした。マネーが説明しなかった点――明らかな倫理基準違反だ――は、提案した手術があくまで実験的なものだったことだ。確かにジョンズ・ホプキンズ大学の医師たちは膣形成手術をそれまでにおこなっていたが、半陰陽（性別不確定）の子たちに対してだけだった。身体構造上一般的な男子を女性として育てた人もいなかった。

ついにライマー夫婦は説得を受け入れた。手術がブルースの――そして自分たちの――屈辱をできるだけなくす最善の手だてに思えたのだ。一九六七年の七月、ふたりはボルティモアを再訪し、わが子に手術を受けさせた。外科医はブルースの小さな脚を鐙（あぶみ）形の固定具で吊り下げ、精巣を取り除いて、空になった陰嚢（いんのう）を女性器の外陰部に作り変える手術に取りかかった。

さて次が大変だった。ブルースを家に帰す前に、マネーはロンとジャネットに、ふたつのことが大切だと教え込んだ。秘密にすることと、つじつまを合わせること。ブルースに自分が男の子だったと知られてはならず、両親は彼を女の子としてしか扱ってはならないということである。そのため夫婦は、新しい名前（夫婦はブレンダという名前に決めた）をつけ、女物の衣装を用意し、長い髪にして、女の子っぽいおもちゃを与えた。ブレンダを完全に女性として社会に適応させる必要があったのである。

あいにくブレンダの考えは違っていた。手術後の数か月は何事もなかった。乳児はたいてい無頓着なものだ。しかし歩きはじめるころ、ブレンダは服について癇癪を起こしだした。ジャネットは、新しい娘のお披露目パーティーのようなもののために、自分のウェディングドレスのサテン生地でブレンダにレースの服を作ったが、ブレンダはそれを引きちぎるように脱ぎ捨てた。ブレンダはまた、男がすることから外されるのを嫌がった。ある朝、両親が洗面台で身支度をしているのをきょうだいで見ていたとき、ブライアンはひげの剃り方を教えてもらっていたのに、ブレンダは化粧のしかたを教わるはめになって、彼女の怒りが爆発したのだ。

おもちゃも争いのもととなった。小学生のとき、ブレンダはお小遣いでこっそりプラスチックの銃を買い、あるときロンとジャネットからおもちゃのミシンをもらうと、ロンのねじ回しを盗み出して分解してしまった。もちろん、当時世に現れてきた女性のエンジニアや兵士の多くも同じようなことをしていたかもしれない。だがブレンダは、マネーが請け合ったような女の子らしい女の子とはほど遠かったのである。

なにより慢性的な問題は、排尿だった。ブレンダは、いつでも座って小便をしたがらなかった。女の子にとってはやりにくかったはずだが、立ってしたがったのだ。ところが、以前ペニスの穴だったところから尿が出るため、体から水平に飛び出てそこらじゅうにまき散らされた。それでもブレンダは、学校でもどうしても立ってしたがり、クラスメートに嫌がられた。

これは学校で彼女が起こした問題の始まりにすぎなかった。幼稚園のときから、同じクラスの子は彼女を拒絶し、先生までも冷たい目で見ていた。もちろん母親のジャネットはできるだけのことをして、ブレンダの巻き毛の髪にリボンを結んだり、姿勢を良くするために頭に本をのせてバランスをとらせたりしていた。それでもブレンダは、外見はすっかり女の子っぽくても、歩いたり話したりするとすぐに、まったく女らしくないことがばれてしまうのだった。

さて、ここで肝心なのは、話し方や歩き方に本来的に「男性の」ものがあるということではない。理由はどうあれ、北米の文化では大多数の男性は決まった歩き方や話し方をしていて、ブレンダが本能的にそうした癖（くせ）をまねていたことなのだ。なぜなのか？　ペニスを失い、何年も女の子として社会に適応させられてなお、彼女は自分を男と認識していたからだ。彼女はまだ、何か根本的なレベルで自分が男性だと感じていたのである。

残念ながら、ブレンダのクラスメートはこの葛藤に気づいていなかった。彼らにわかっていたのは、女子とされている子が男の癖をまねていることだけなので、子どもがよくやるように、その異質な点を責め立て、「ゴリラ」や「野人」と言ってからかいだした。クラスメートは彼女の攻撃性をとくに嫌っていた。ブレンダは休み時間にいつもほかの女子に突進し、たたきのめしていたので、彼女たちはブレンダと一緒に遊びたがらなかった。それどころかブレンダは、男のステレオタイプとされる攻撃性を双子の弟よりはるかに強く示し、弟のおもちゃを奪い、面白半分に彼を殴りさえしていた（あるときふたりで風呂に入っていて、弟のブライアンが勃起し、立ち上がって見せびらかした。「僕のを見て！」するとブレンダは、彼の睾丸を手ではたいたのだ）。さらにひどいことに、ブレンダはもっと大きくなってから、自分を侮辱していた女子を壁に突き飛ばして張り倒したため、退学させられている。

このあいだずっと、ブレンダと両親は毎年ボルティモアに飛行機で行って、性転換がどれだけうまくいっているか、マネーに診てもらっていた。* 公正を期して言えば、ライマー夫婦はブレンダの問題を全部はマネーに話さなかった。良い親だと思われたかったのだ。しかしマネーは、とくにふたりきりの問診で、秘蔵っ子の患者が発するたくさんの危険信号を否定したり無視したりしていた。問診ではまず、ブレンダに立てつづけに質問をする。彼女が答えようとすると、マネーは答えをある方向にうながしたり、さらには説き伏せたりもした。ブレンダはすぐにマネーが聞きたがるようなでたらめを返すことを覚えた。〈はい、もちろん縫い物をしたり、人形遊びをしたり、髪を結ってもらったりするのが好きです。いえ、学校でけんかしたことは一度もありません。〉「白衣を着た医者たちと議論することなんかできないよ」とのちに彼女は語っている。「こっちはただの子どもなんだし、あっちの考えはもう決まってるんだから」

マネーの診察には、ブレンダにとって心底ぞっとするものもあった。テレビではいかに温厚であって

＊ブレンダには本当のことを伏せていたのに、両親とマネーがどのように通いつづける必要性を説明していたのかはわからない。あるとき両親は、ある医者がずっと前に「あそこ」にミスをしたので、医者に診てもらわないといけないのだと説明していた。小さな子を納得させるには、それで十分だったのかもしれない。

も、マネーはプライベートでは口汚く、患者に粗暴なふるまいをすることも多かった。黄金のシャワー［訳注：SMのプレイなどで尿を浴びること］は好きかと平気で訊き、とても露骨な言葉でセックスについて話したのだ（「だれかとやったことはある？　だれかとやりたくない？」）。ブレンダを女性として社会に順応させるため、マネーは裸の子どもの写真や血だらけの分娩の写真を見せて、次の手術をすれば君にも「赤ちゃんの穴」ができると言い聞かせもした。

最もひどい診察――犯罪すれすれ――では、ブレンダとブライアンが一緒だった。マネーはオフィスでふたりに裸になるように命じ（従わないとがなり立てた）、自分の見ている前で互いの性器をよく見させた（ロンとジャネットはそんなことがされているとは知らなかった。マネーを信頼していたのだ）。そればかりかマネーは、大好きなもののひとつ、「セックスの予行演習」を双子にやらせている。このときふたりは服を着たままだったが、マネーは四つん這いになったブレンダの尻に、ブライアンの股間を何度も打ちつけさせた。あるいはまた、ブレンダを仰向けに大の字に寝かせ、弟に馬乗りにならせたこともある。少なくとも一度は、こうしたふたりの姿をマネーは写真に収めている。

ブレンダはすぐに、いかにも賢いマネーが変態だと気づいた。彼女はまた、自分の性器にマネーが執着していることに腹を立てた。のちにこう言っている。「そのころまだそんな歳じゃなかったけど、こうした奴らが僕のもっているもので唯一関心があるのは［性器だ］としたら、ずいぶん底の浅い人間だなとわかってきた」

そのあいだもマネーは、ブレンダの経過について同僚に自慢げに話していた。学術論文では、彼女が男性として生まれたのではないかと思う人はだれもいないだろうと断言し、将来はどんなにセクシーな娘になるだろうと思いをめぐらせさえしていた。それでもずっと、マネーはこの家族の名前が表に出ないようにしていたが、メディアにはブレンダの話を流し、メディアは生物学的要因が重要でないというマネーの主張をそのまま載せていた。たとえば一九七三年に『タイム』誌は、いわゆる双子の事例が「身体のみならず心の性差も受胎時に遺伝子で決まっていて変えがたいという理論に対し、疑問を投げかける」と報じた。

マネーはそれまでに大物ではあったが、ライマー家の双子を利用して世界的なスターにのし上がった。彼の成果をもとに、性別適合手術は生殖器があいまいだったり生殖器に外傷を負ったりしている小児に対し、世界じゅうで標準的な処置となり、年間最大一〇〇〇件もそれがおこなわれた。どの講演でも、どのインタビューでも、どのテレビ出演でも（しかもそれぞれたくさんあったが）、マネーはブレンダが女子としてうまく育っていると得意げに話していた。

一方、ブレンダ本人は自殺を考えていた。小学校時代のいつごろか、多くのトランスジェンダー［訳注：身体的な性別と心の性別が一致していない人］が語るのと似たような気づきを体験した。最初は、ぼんやりとほかの子とは違うと感じただけだった。その後、こうだと言われた自分の性別、つまり女性に違和感をもった。やがて、むしろ男ではないかと積極的に思うようになった。生まれたときの性別を知らないので、こうしたことをどう考えたらいいのかわからなかった。思春期になるころには、自殺の考えに悩まされていた。「ずっと梁（はり）に投げかけたロープが頭に浮かんでいたよ」

ブレンダ以外の家族もうまくいっていなかった。ブレンダの葛藤に家族の関心が集中し、長いことほったらかしにされたブライアンは、ぐれはじめた。万引きをしたり、ドラッグに手を出したりしたのだ。

彼の友人は、君までのけ者にされたいのでなければ、変わり者の姉との関係を絶ったほうがいいと言い聞かせた。あとで恥じたが、ブライアンはその言葉に従った。一方、ロンはアルコールに溺れていった。毎晩、製材所の仕事から倒れ込むようにして帰ってくると、テレビの前に座って缶ビール六本で前後不覚になるまで酔っぱらい、やがてビールはウイスキーに昇格した。そして朝に鼻を鳴らして目覚め、体を引きずるようにして出かけ、また同じ一日を繰り返すのだ。「ブレンダが七歳ぐらいのころから、まあうまくいっていないとわかっていたよ」とロンはあるとき語っていた。「だけどどうすればいいんだ?」ジャネットはやがて、(夜にベッドをともにしなくなった)ロンへの腹いせに浮気をするようになった。ロンに知られたとき、彼女は恥じ入るあまり、睡眠薬で自殺を図った。その後、何度かノイローゼになり、空想と現実を区別できない精神疾患にも悩まされた。

それでもジャネットは、ジョン・マネーの正しさを信じて疑わず、多くの母親と同じく、子どもがうまくいかないのを自分のせいにし、挫折のたびにいっそう努力した。たとえば、マネーがブレンダにドレスを着せるよう勧めたため、ジャネットは毎日ブレンダにドレスを着て学校に行かせ、ウィニペグの極寒の冬にまでそれを強いた(最終的に教師がやめさせた)。マネーはまた、双子の前でロンとセックスしたらどうかとも言った。ジャネットはそこまではしようとしなかったが、ブレンダを女性の体に慣らすため、彼女の前を裸で歩きまわるようにした。

マネーの指示に従って、ブレンダは、順応を助ける地元ウィニペグの精神科医たちのもとへもかよっていた。彼らは包皮切除の失敗についてひそかに知らされており、ブレンダを女性にする努力が失敗しつつあることに気づいていた。それでも、彼らに何ができただろう?　ジョン・マネーはテレビに出る有名な性科学者で、精神科医たちはマニトバ州の凡人なのだ。心理学的に言えば、彼らはサンクコスト（埋没費用）の誤謬に陥っていた。「すでにこれだけ労力をつぎ込んできたのだから、このまま続けたほうがいい」という思考の罠だ。総じて、彼らは既定の方針を変えたりマネーに異を唱えたりすることはできないと思っていた。まさに権威への盲従であり、倫理にもとる行動を蔓延させるもとだ。

とはいえ、マネーの威力にも限界はあった。意外にも、ブレンダの染色体は、生物学的要因は重要でないとするマネーの最新の理論など関係なしに、ほとんどの少年が思春期を迎えるころ、彼女の体にも男性ならではの変化が起きた。*肩幅が広くなり、腕と首が太くなり、声がしわがれだしたのだ。

一九七七年の夏、ブレンダは一二歳になり、マネーはエストロゲンの錠剤を処方して彼女の体をコントロールしようとした。不審に思ったブレンダがこの薬は何のためのものかと訊くと、父親は「おまえがブラジャーをつけられるようにするためだよ」と小声で言った。だが、ブラジャーなどつけたくなか

＊ブレンダは睾丸を取り去られていたので、真の意味で男性の思春期を迎えたわけではないが、その体にはいくつか同様の変化が起きた。ここに、カストラートと似た点が見てとれる。カストラートは、一六世紀から一九世紀にイタリアにいた聖歌隊の歌手で、少年のときにその歌声を維持するために去勢されていた。カストラートは、テストステロンやそれに関連するホルモンがないのに、平均より背が高いことが多かった。直感的に思うのと違い、テストステロンは短期的には成長をうながすが、一方でいくつか生理的な変化も起こし、身長の大部分を占める長骨の端にある成長板という部分を最終的に閉鎖する。カストラートはテストステロンをもたないので、成長板が長いこと開いたままになり、総合的に見て背が高くなるのだ。

カストラートの身体には、ほかにも変化が生じる。手足と同じように胸郭も通常より大きくなりやすい。テストステロンがないと、ほとんどの男性と違って声帯が伸びて厚くなることもない。また、のどにある甲状腺の軟骨が隆起しないので、首に喉仏(のどぼとけ)ができない。つまりこうした変化によって、カストラートは優にソプラノの音域にまで達する澄んだ高い声のままで、大きな胸によって非凡な声量で歌うことができるのだ。

ったブレンダは、錠剤をトイレに捨てはじめた。あいにく錠剤が溶けてそれとわかるピンクの筋が残ったので、それ以後両親は、彼女に覆いかぶさって確実に薬を飲み込ませた。すぐに胸がふくらんできてぞっとしたブレンダは、太って胸を目立たなくするためにアイスクリームをどか食いした。

ほどなくブレンダは、マネーの姿を見るのも嫌になり、一九七八年、マネーのオフィスでついにふたりの断絶が決定的になる。マネーはブレンダに、さらに性器の美容整形手術を受けるようにせかしていた。とうとうブレンダが自分の意思ではっきり拒絶すると、マネーは憤慨した。そこで戦術を変えた彼は、ある日の診察に、手術で男性から女性になったトランスセクシュアルの人を連れてきてブレンダを驚かせた。彼女の役目は、ブレンダの相談に乗り、手術をするとどれほど人生が良くなるかを説明することだった。

ぎこちない会話が続いた。それが終わったとき、マネーは優しくブレンダの肩を抱こうと手を伸ばした。だが、ブレンダはもう彼を信頼していなかった。マネーの手が伸びてくるのを見て、すぐに手術室へ引きずり込まれるのではないかと恐れたのだ。彼女はオフィスから飛び出して病院の廊下を駆け抜け、ついには屋上へのぼって隠れた。その日の午後遅くに両親が車で迎えに来ると、ブレンダは、マネーにまた会わないといけないとしたら自殺する、とはっきり告げた。のちにマネーの同僚はこう語っている。「医者を変えようとしてあのようにふるまい、あのように強い感情を示す患者は見たことがない」

ブレンダの人生を救ったのは、一九七九年のメアリー・マッケンティとの出会いだった。ウィニペグ

のどの精神科医もそうだったが、マッケンティも性転換に成功したというマネーの主張を正しいと思っていた。だがほかの精神科医とは違い、マッケンティはマネーの計画に従うようにブレンダに強いることはなかった。ただ聞き役に徹し、ブレンダの信頼を得ようとしたのである。

しばらく時間が必要だった。初めのうちブレンダは、マッケンティに暴言を吐き、彼女のグロテスクな似顔絵を描いて「死刑執行令状」と書き込んだ。それでもマッケンティがにこやかに辛抱していると、日に日にブレンダの心が打ち解けていった。初めて彼女は、自分の悩みを人に打ち明けた。また自分の見た夢の話もした。自分が農家になって農作業をしている幸せな夢も、ジョン・マネーが不吉なマントを羽織って登場する悪夢も。そこでマッケンティとブレンダは、冗談半分に「マネー医師に会いたくないクラブ」を設立し、自分たちが幹部に就任した。

そのころブレンダの学校での苦しみは深刻なレベルに達していたので、こうした共感はなにより大切だった。ブレンダはずっと成績が悪く、風紀の面でも問題があったので、一九七九年の秋に、両親は彼女を九年生［訳注：カナダのマニトバ州では六歳を一年生として義務教育が始まり、五年生で中学校、九年生で高校に上がる］で自動車整備工になるための専門学校に入れた。そこで彼女は女性的な習慣を無視するようになり、デニムのジャケットや作業靴を身につけ、その学校で初めて女性として機器修理の課程を選択した。しかし、この学校は街でも危ない地区にあり、じきに生徒仲間が彼女にナイフを突きつけるようになる。女子のクラスメートの何人かは売春のアルバイトもしていて、ある日ブレンダが立って小便をしているのを見つけると、今度女子トイレに足を踏み入れたら殺すと言って脅した。そこで彼女は、近くの路地で小便をするようになった。

この荒れた状況のさなかに、地元の医師が（マッケンティと相談したうえで）ロンとジャネットに、ブレンダに真実を打ち明けて、彼女にあったことを全部話すように説き伏せた。実はロンは、前に一度、打ち明けようとしたことがあった。マネーがブレンダに、追加の手術を受けるように迫りだしたころだ。しかし彼は言葉に詰まってしまい、ある医者がずっと前に「あそこ」にミスをして、今それを外科医が直そうとしているとしか言えなかった。ブレンダは困惑し、父親の言っている意味がわからなかった。彼女はただ、「その医者を殴ったの？」と訊いただけだった。

今度はまず、ロンはコーンのアイスクリームを食べにブレンダを連れ出した。優しい行為にブレンダは即座に身構えた。離婚が迫っているのか、それとも、また手術なんていうのはどうかやめて。ロンは何も言わなかった。本当にひと言もしゃべらなかった。ふたりはアイスクリームを買って帰り、黙ったまま自宅前の私道に車を乗り入れた。ロンはふたたび怖じ気づいた。

そして、いきなりロンは打ち明けた。話しはじめると、何もかもいっぺんに転がり出てきた。包皮切除の失敗と、彼女が元は男の子だったこと。マネーのジェンダー理論と、彼女を女の子として育てる計画。ロンは話しつづけるうちに涙声になり、とうとう車のなかで泣き崩れた。

ブレンダは黙って聞いていた。食べるのも忘れたアイスクリームが手に垂れている。当然ながらびっくりしたが、ほっとした気持ちのほうがずっと大きかった。「突然、すべてのつじつまが合ったんだ」と彼女は言っている。「初めて納得がいった」

これから先は男として生きていく、とブレンダは心に決めた。ただ、ひとつだけ父親に訊くことがあった。「僕の［生まれたときの］名前は何だったの？」ロンは絞り出すように「ブルース」と言ったが、ブレンダはこの名をダサすぎると拒否した。そこで聖書に登場するダビデ王にちなみ、デイヴィッドを選んだ。「この名前は、勝ち目のない状況だった男を思わせるんだ。身長二メートル半の巨人に立ち向かったあの男を。勇気を感じさせてくれた」

デイヴィッドにはそんな勇気が必要となった。六か月後のある結婚式の際、男性としてのデビューの機会が訪れたのだ。まだ余分な脂肪があり、胸もふくらんでいたので、彼がスーツを着て現れると、親戚一同にじろじろ見られた。それでも彼は、花嫁と踊ると言い張り、その晩を無事に切り抜けた。このときから彼は自信を深め、テストステロンの摂取を始めた。すると背が急に二、三センチメートル伸びて、いわゆる男の通過儀礼としてちょびひげが生えだした。

デイヴィッドに友達がいなかったことが、突如としてかえって有利な格好になった。彼の変身や、ペニスがないという恥ずかしい事実を知らせる相手がいなかったのだ。弟のブライアンは、前にデイヴィッドを見捨てた償いとして、自分の友達仲間に彼を加えた。そしてふたりで、デイヴィッドはブライアンと一緒に住むようになったいとこだという、あまりもっともらしくない話をでっち上げた。ブレンダはどうしたかというと、ブリティッシュ・コロンビア州にいる昔のボーイフレンドに会いに行く途中、飛行機事故で死んだことにした。だれも本当には信じなかったが、それでもそんな話で十分に質問をそらすことができた。

だが、デイヴィッドの気分がどれほど良くなったとしても、彼の言う「洗脳」が十数年におよんだあとで、問題が魔法のように消えたわけではない。とりわけ彼は、包皮切除を失敗した医師への復讐を想像して怒りを募らせた。あいにく、怒りとテストステロンの薬は混ざるとよくない。デイヴィッドは新闇配達で貯めた二〇〇ドルを使い、無登録の拳銃ロシアン・ルガーをウィニペグの路上で購入し、その医師が働いている病院に隠し持って入った。医師のオフィスでさっと銃を取り出しても、医師は君を知らないと言った。「よく見ろ」とデイヴィッドは低い声で返す。すると医者は泣きはじめた。デイヴィッドは声を張り上げた。「おまえが俺にどんな地獄を味わわせたのか、わかってるのかよ！」

しかし、医師のすすり泣く姿にデイヴィッドの気持ちは萎え、彼は踵を返して出て行った。「待ってくれ！」と医師は呼びかけたが、デイヴィッドはもう去ったあとだった。デイヴィッドはふらふらと近くの川にたどり着くと、岩でルガーをたたき壊した。自分はこの医師のミスで一度命を失いかけたが、これ以上犠牲者は出ないだろうと思い至った。人生には、残念ながらもう別のプランが用意されていたのだ。

デイヴィッドは一九八〇年一〇月、一五歳で乳房切除手術を受け、翌年七月には男性器を再建する手術を受けた。外科医は新しいペニスを大腿筋から形成し、陰嚢は外陰部にされていた組織から元に戻した。睾丸はあくまで飾りで、プラスチック製の二個の玉だった。しかし、新たに作った尿道はたびたび閉塞して感染を起こし、最初の年だけで一八回も病院に行くはめになった。ペニスが股のあいだにぶら下がっている感覚は、少し薄気味悪くもあった。

もっとも、感染が収まり、自分の体になじむと、デイヴィッドは積極的に男らしさを利用するようになった。一八歳になると、包皮切除を失敗した病院から一七万ドルの和解金の一部を受け取り、「女の子をひっかける」ためにテレビと小型のバーを備えたバンを購入したのだ。彼はこの車をセックス・ワゴンと呼んだ。筋張った端麗な容姿と、テストステロンで硬くなった筋肉と、乱れた巻き毛で、デートの相手に事欠かなかった。

彼に足りなかったのは、デートでキス以上のことをする自信だった。セックスへの不安を克服しようとして、酒を飲みすぎ、実際の行為におよぶ前に意識を失っていた。ところがある朝デイヴィッドが目を覚ますと、デートの相手がそばにいて、彼女の表情から自分の服の下を覗いたのだとわかった。その女の子はすぐに、町じゅうに彼のつぎはぎ（フランケン）ペニスのことを言いふらし、年配の人々は、ずいぶん昔、かわいそうな男の子が男の象徴を失ったという新聞記事があったのを思い出した。その屈辱はデイヴィッドには大きすぎた。翌日、彼は死のうとして母親の抗鬱薬をひと瓶飲み、家のソファに倒れ込んだ。

両親が見つけたとき、彼は空っぽの薬瓶の脇で気を失っていた。胸が張り裂けそうになりながらも、ジャネットは、そのままにしておくべきかしらと思いを口にした。デイヴィッドは生涯で初めて穏やかな表情をしていたのだ。しかし、もちろん彼女は息子を死なせるわけにはいかず、すぐさまロンと一緒に急いで病院へ運んだ。デイヴィッドは一週間入院した。だが、退院するとすぐにまた、もっとたくさん薬を飲み、バスタブで溺れて死のうとした。彼は這（は）ってバスタブに入る前に気絶し、今度は弟が病院に担ぎ込んだ。

自殺未遂はそれで終わったが、気が滅入るのはその後も続いた。ほどなくブライアンが結婚し、子どもが生まれた——デイヴィッドがずっと自分でも望んでいたことだ。するとデイヴィッドは世間に対して怒りを覚え、ウィニペグ市外の荒野の小屋に何か月もひとりで住みだした。

妻のジェーンと息子のアンソニーと一緒に、居間でポーズをとるデイヴィッド（元ブルース、元ブレンダ）・ライマー。

しかし、その後数年で事態は徐々に良くなっていった。ためらいながらも、デイヴィッドは何人かの近しい友人に、自分に起きた事故のことと、かつて女性として生きていたことを話した。やがて、弟の妻がジェーンという女性との仲を取り持った。ジェーンもつらい過去を抱え（三人の男とのあいだにできた三人の子がいた）、身を固める心づもりがあった。彼女とデイヴィッドはたちまち意気投合し、デイヴィッドは彼女にすでに子どもがいるのをうれしく思った。自分の子どもができるからだ。それでもデイヴィッドは、彼女に拒絶されると思って、過去のことは話さずにいた。とうとう隠しきれなくなると、告白しだしたが、彼女にそれをさえぎられた。ジェーンはもう知っていたのだ。最初のデートの前から知っていた。デイヴィッドの心は和らいだ。「このとき、これは本物だとわかった。彼女がこの僕を愛しているとわかったんだ」。彼はセックス・ワゴンを売り払ってダイヤモンドの指輪を買い、一九九〇年の九月にジェーンと結婚した。

そのころまでに、デイヴィッドは新しいペニスも手に入れていた。それまでの一〇年でペニス再建手術は急速に進歩しており、一三時間の手術で、外科医はデイヴィッドの前腕の神経と筋肉・脂肪に加え、肋骨の軟骨を使って、まともに見えるユニットを作り上げた。それは性交するのに十分機能し、挿入中の感覚はあまりなかったが、射精とオルガスムスの感覚が得られた。まもなく彼は、結婚生活に慣れ、食肉処理場で清掃員の仕事――きつい血なまぐさい仕事でぞくぞくした――に就いた。すべてが順調にいっているように見えた。

⚥

ジョン・マネーは、自説を撤回してはいなかった――彼の流儀ではないからだ――が、一九八〇年代には講演や論文で双子の事例に触れないようになっていた。この沈黙は、ほかの研究者を困惑させた。彼らは本当のことを知らず、この絶好の事例をなぜ打ち捨てたのか、理解できなかったのだ。双子のことを訊かれるとマネーはいつも不機嫌になり、「追跡調査ができなくなった」と言った。そのあいだも、世界で何千人もの幼児に対し、彼の「ＳＦゲーム」をもとに生殖器の手術が続けられていた。科学における不正の事例として、これはまたとないほど明らかなものである。*

マネーの凋落は、ミルトン・ダイアモンドによってようやくもたらされることになる。かつてカンザス大の大学院生として、子宮内のモルモットにホルモンを浴びせる実験に加わっていた人物だ。いまや本格的に心理学者となっていたダイアモンドは、長らくマネーの主張を疑っており、心理学の学術誌にずっと広告を出して、例の双子と連絡がつく人を探していたらしい。一九九〇年代の半ば、ついにダイアモンドは双子の行方を突き止め、デイヴィッドからすべての話を聞いて、マネーへの疑いをさらに強めた。念のため言うが、ダイアモンドは生物学的決定論者ではない。彼は、環境と文化がさまざまな形で人間の性を形作っており、人はだれでも男性的な特徴と女性的な特徴を併せ持っていると考えていた。セックスとジェンダーは、1か0かというものではない。だが、生物学的要因は人間の性に確かに影響を与えており、マネーのように自分のイデオロギーに凝り固まった者は間違っているばかりか、患者に実害を与えている、とダイアモンドは主張していた。

(現在、多くの心理学者は、セックスとジェンダーが次のように相互作用すると考えている。まず根本的なレベルでは、遺伝子などの生物学的要因が範囲を決定する。つまり、「男性性」と「女性性」のような特徴を一〇段階の尺度で評価する場合、個人の生物学的要因ではたとえば4から6のあいだに位置づけられるのだ。それから環境と経験によって、厳密にどの数値になるかが決まるか、場合によっては時とともに数値が変化することもある。別の人は、遺伝子が違って1から2の範囲だったり、6から10の範囲だったりし、もちろんその人固有の経験が数値の絞り込みに影響する。ともあれ、生物学的側面と文化的側面の両方が役目を果たすのである)。

一九九七年の春にダイアモンドは、ブレンダをかつて診ていたウィニペグの精神科医との共著で、デイヴィッドの波乱の生涯について、原爆のようなインパクトを与える論文を発表した。デイヴィッドは、当初は協力を渋っていたが、自分を女性にした性転換の「成功」を根拠に、すでに何千人もあいまいな性器をもつ子どもが手術を受けていると聞いて仰天し、真実を科学の記録に残す道義的責務を感じた。

いくつかの引用を別にすれば、ダイアモンドは論文でマネーの名は挙げず、もちろん攻撃などしなかった。マネーは無視した。あごを殴ってから四半世紀経ってもミッキー・ダイアモンドの根性を嫌っていたわけだが、この論文がメディアの関心を集めだすと、マネーは攻撃を再開した。自分に異を唱える者は皆、頑迷な隠れ保守主義者で、自分だけでなく性科学の分野全体に泥を塗ろうとしている、と言ったのだ。それどころか、自分は本当は被害者で、「ドクハキコブラの目つぶしの毒を吹きかけられた」ようなものだと。彼はまた、他人に責任をなすりつけることで倫理にもとる行為を弁護する、よくある策略を用いていた。まず、デイヴィッドの性器を切ったのは自分ではなく外科医であると、まるで自分の理論が症例への対応と直接関係していないかのように指摘した。さらにマネーは、ロンとジャネットは宗教にのめり込み（ふたりはメノー派の信徒として育った）、伝統的なジェンダーの役割しか見えておらず、そのためデイヴィッドが女性として幸福に生きる機会の妨げになったというデマを流しはじめた。両親が十分に愛を注ぎ、十分に進歩的でありさえすれば、デイヴィッドはうまく育ったはずだと言ったのだ。ライマー夫婦がマネーに忠実に従っていたことを考えると、これはずいぶん薄情な話である。

＊事実、デイヴィッド・ライマーについての本の書評で『ワシントン・ポスト』紙は、マネーによる「この双子の事例への対処は、不正と結論してよいだろう」と書いている。

公平のために言えば、ジョン・マネーの患者のなかには、トランスセクシュアルなどのはみ出し者の集団が社会の主流から性的逸脱者（フリーク）として拒絶されていた一九六〇年代から七〇年代にかけて、そうした集団を支持したことへの感謝から、彼を擁護する人もいた。それでも、そんな擁護があっても、デイヴィッド・ライマーのような事例が過去二〇年間ではるかに多く明らかになっている——マネーなどが無理やり性別適合手術をおこなったあとで心理的・身体的外傷に耐えた、つらい記憶をもつ人々の事例が。

学界でマネーを支持する人々は、いわゆるライマー・スキャンダルが明るみに出てからも彼を擁護した。今でも一部の社会科学者は、セックス――ジェンダーではなく、生物学的な性――には本質的に根拠がなく、そんなものがあるとするのは多かれ少なかれ政治的陰謀だと主張している。しかしほかの支持者は、とくにインターセックスやトランスセクシュアル／トランスジェンダーの界隈の人は、二〇〇〇年代の初めごろにマネーから離れた。マネーの信奉者のなかには、これに憤慨する人もいた。そうした界隈の人が二〇世紀中葉に社会の主流に受け入れられるよう、マネーがおそらくだれよりも尽くしてくれたと考えていたからだ。そうは言っても、マネーが何千人ものインターセックスの子どもを、ミルトン・ダイアモンドの言う「不必要で実証されていない、人生を変える手術」に追いやったのは確かで、その手術は、性感をほとんど奪いながら、そんな子どもは「直す」必要のある逸脱者だと見なす考えを後押ししていた。そのうえ、マネーにそのつもりがなかったとしても、彼が本性より文化を重視したことは、トランスジェンダーや、さらには同性愛さえ、先天的な特性というよりも単なる生き方の選択のように思わせる悪影響をおよぼした。環境のみが性的アイデンティティや性的指向を決定するとしたら、環境が変わればそうした性的な特質が変わるはずだからだ。根っから石頭の人間は、この生き方の選択という考えを、「転向療法［訳注：個人の性的指向を心理的介入などで変えようとする療法］」など、同性愛者を異性愛者に変えようとする試みの普及に利用した。

だが、マネーによるあらゆる非倫理的な行為――治療が実験的なものであるのを隠していたこと、家族の悲劇を自分が名声を得るのに利用したこと、自説の破綻が明らかにされても撤回しようとしなかったこと――のなかでも、最も非難すべきは、デイヴィッドのひとりの人間としての自主性を否定したことだ。ブレンダだったとき、デイヴィッドはマネーに、自分は女の子でいるのが嫌だというサインを山ほど出していた。マネーは聞く耳をもたず、自分は専門家だから君よりよくわかっていると言い張った。インターセックスやトランスジェンダーの人は皆、心理学者が同じ対応をするのを嫌というほどよく見ていた。自分たちの訴えを退けて、無理やり治療を受けさせるのだ。禁断の人体実験にみずから挑んだ映画『ザ・フライ』の科学者ではないが、マネーは、デイヴィッドのような男の子を女性に変えることが「できるかどうか」という科学的疑問にとらわれたあまり、「すべきかどうか」を立ち止まって考えなかった。だから、一部の人は彼を決して許さないだろう。

いまやほとんどの心理学者は、人間の性的アイデンティティが、体のつくり、脳の配線、ホルモン、家庭環境、文化的影響の複雑な相互作用によって形成されることを認めるようになっている。[*] それに、ジェンダーは生まれたときに完全に決まっているわけではないが、無限に柔軟ではなく、医師などの他人が恣意的に変えられもしない。このため、二〇一五年に国際連合は、マネーが提唱したたぐいの手術——性器を失った幼児や性器のあいまいな幼児に対する手術——は人権侵害であるとの声明を出している。残念ながら、そんな認識の確立は、デイヴィッド・ライマーにとっては遅すぎた。

＊心理学者は現在、性器などの身体的要素ではなく、脳が人間の性的アイデンティティと性的指向の主な決定要因であると考えている。コメディ映画『ビッグ・リボウスキ』でポルノ映画のプロデューサー、ジャッキー・トリホーンもこんな不朽の名言を吐いている。「脳が最大の性感帯だということをみんな忘れているんだよ、デュード君」

デイヴィッド・ライマーの生涯を記した作家は、デイヴィッドが現在の自分の話から過去のブレンダの話に移るたびに、主語を「I（僕）」から、まるで自分と距離を置こうとしているかのように「Ｙｏｕ（人）」［訳注：英語の二人称代名詞Ｙｏｕは、人一般を指す場合にも使われる］に変えることに気づいている（「過去の記憶を全部消すために、催眠術師のところへ行きたくてたまらないよ。拷問だったからね。奴らが人の体にやったことのひどさは、場合によっちゃ心にやったことにはとうていおよばない。人の頭に心理戦を仕掛けてきたのさ」）。だが悲しいかな、デイヴィッドの過去は、過去にとどまろうとはしなかったのだ。

勤めていた食肉処理場が一九九〇年代の終わりに閉鎖されると、その後デイヴィッドは職探しに苦労した。彼は自分の男らしさにずっと不安を抱きつづけ、不当であってもなくても、解雇されたり給与が支払われなかったりすると、そんな懸念がひどくなった。デイヴィッドの不安は結婚生活をも蝕んだ。激しやすい気性と見捨てられる恐怖をつねに抱えているせいでもあったが。当然かもしれないが、彼は心理学者に助けを求めようとはしなかった。

デイヴィッドの人生が本格的に破滅したのは、双子の弟ブライアンが自殺してからだ。ブライアンは、ブレンダ時代のデイヴィッドにやむなく家族の注意を独占されていた過去を克服できずにいた。ぐれた少年時代を経て、大人になると自動車の窃盗を始め、暴行で裁判にかけられた。また若くして子をもうけ、ひどい離婚も経験した。立派なことにひとりで子どもたちを育てようとしたが、深酒するようにもなり、鬱の淵に落ちた。二〇〇二年の春、彼も抗鬱薬をひと瓶飲み、生涯を終えた。

そのころ兄弟ふたりは疎遠にしていたが、弟の死はデイヴィッドを打ちのめし、彼の人生のきりもみ降下に拍車をかけた。夜にはときおりブレンダ時代の記憶が強烈によみがえり、トイレに駆け込んで吐いた。金の心配もあった。デイヴィッドは自分の生涯が書かれた本からなにがしかの謝金を得て、やがてゴルフ場の雑用の仕事に就き、電球を替えたり、窓を拭いたり、トイレ掃除をしたりした。クラブハウスの料理人から、ときどき残り物のスープをもらっていた。だが、クラブのプロが経営する怪しげなゴルフ用品店に六万五〇〇〇ドル投資して、生涯かけて貯めた金がすべて消えてしまったのである。

とどめの一撃は、妻のジェーンが彼の気分のむらに耐えられなくなり、別れ話を持ち出したことだった。デイヴィッドは暴れ狂って家を飛び出した。ジェーンが警察に電話して彼の失踪を伝えると、二日後に警官が居場所を突き止めた。デイヴィッドは無事だったが、自分の居場所をジェーンに知らせたがらなかった。彼女はほっとして仕事に出かけた——少なくとも彼は生きている。

二時間後、ジェーンは二度目の電話を受けた。デイヴィッドが自殺していた。数字の上では、自殺を図るのは男性より女性のほうが多いが、自殺に成功するのは男性のほうが多い。その理由は主に、女性よりも暴力的な手段を用いるからだ。前は薬を使ったデイヴィッドも、最後の試みでは最も暴力的な手段を選んだ。ジャネットが仕事に出かけた直後に彼は帰宅し、ショットガンをつかんで車庫に行き、銃身を鋸で切断した（銃身の切断という行為がかなり象徴的に思える）。その後のことは、のちに彼の生涯を記した作家が悲しいあとがきにこう書いている。「近くのスーパーの駐車場に車を停め、銃を取り上げ、彼の苦しみを——願わくばそうであってほしいが——永遠に終わらせた」

デイヴィッド・ライマーの死後、同じような経験をした人々が表に出て、自分の性転換も失敗したと

明かした。文化がどれほど大きくわれわれを決定づけているとしても、人間は白紙状態ではない。文化は、哺乳類の一億六〇〇〇万年におよぶ進化を魔法のように覆すことはできないのだ。もちろん、あらゆる女性や男性がジェンダーの定型にあてはまるわけではないし、生物学的要因の実在は性の区別の存在を否定することにはならない。しかし、ミルトン・ダイアモンドによれば、性の生物学的要因は必然的に実在する。「われわれは、この世に中性の状態で生まれるわけではなく……ある程度の男性性と女性性をもって生まれ、そうした性質は、社会が何を盛り込みたがっても、それに勝る」。知られているかぎり、どの時代のどの文化でも、男性と女性のふるまいは異なっており、それが近い将来変わることはまずなさそうなのである。

これは犯罪にもあてはまる。統計上、男は女よりはるかに多く罪を犯しており、そのため、本書でも悪人のほとんどを男が占めている。だが、次には初めて女の悪人が登場する。科学史上屈指の大規模ないかさまの実行犯だ。

12

いかさま
——スーパーウーマン

だれもがアニー・ドゥーカンには強く刺激を受けた。彼女はボストン近郊のワクチン研究所で品質管理を担当し、だれよりも猛烈に働いていた。ほぼ毎日明け方に出勤し、夜は研究所の明かりを消して帰ることも多かった。昼休みもとらず、休暇に仕事の書類を持って帰ることもよくあった。そのうえ彼女は、化学の修士号をとるべく、仕事の傍らハーヴァード大学の夜間コースにかよっていた。同僚に打ち明けた話では、学費が払えなかったため数年前にハーヴァード大学を学部生で中退せざるをえず、どこかの州立大学で学士号をとるはめになったらしい。そのため、ハーヴァード大学での修士号の取得は、ことさらすばらしいことに思われた――とくに、わずか一年という記録的な短期間でなし遂げたことを考えると。それを祝って、研究所はパーティーを催し、「おめでとう、アニー！」という横断幕を掲げた。

ただ、すべては嘘だった。ドゥーカンは、修士課程であれ、なんであれ、ハーヴァードの講義を受けていなかった。ハーヴァードは化学の夜間コースを設けてすらいなかった。ドゥーカンは何もかもでっち上げていて、それは所内で早く出世するための策略だったのである。

あいにくその企みは失敗に終わり、研究所は彼女を昇進させなかった。怒った彼女は履歴書を書き換えて（ハーヴァードは削除したが、嘘をついて別の大学で修士課程の途中だと書き加えた）、二〇〇三年に新たに求職しだした。ほどなく、訴訟のために薬物を検査する近くの州政府系研究所に採用された。

二五歳になったドゥーカンは、このときまでにもう山ほど嘘をついていた。だが、実験台ではいつも誠実な働きぶりで、ワクチン研究所では何かいかさまをした証拠はない。それが変わろうとしていた。

手抜きをする人はほとんどが怠け者だが、アニー・ドゥーカンはいつも猛烈に働いていた。

彼女はトリニダード島［訳注：西インド諸島の国トリニダード・トバゴの主島］で育ち、一九八〇年代の後半に一一歳ぐらいで両親とボストンへ移り住んだ。その後、格式あるボストン・ラテン・スクールに入り、陸上競技に精を出す。背丈が一五〇センチメートルしかなかったが、ハードル走にも取り組んだ。ハードルは苦手だったが、コーチは彼女のがんばりに目を見張った。

ボストン・ラテン・スクールでドゥーカンは、科学でずば抜けて優秀な成績を収めた。「最優等」をもらって卒業したとのちに言っていたが、この学校にはそんな称号を与える制度はなかった。彼女はまた、両親が医師だとまわりに嘘をついていた。こうした小さな嘘は大学に入ってからも、さらにはワクチンの研究所や州の薬物研究所に勤めても続き、手の込んだ肩書をでっち上げていた。「化学・生物テロ即応管理官」、ＦＢＩ「作戦特別捜査官」といったように。

とはいえ、どれほど不快に思えても、ここまでの嘘はだれも傷つけてはいない。だが小さな嘘も募ればはずみがつくもので、まもなく事態は暗転した。

ドゥーカンのいた研究所は、警察が捜査で押収した薬物の鑑定をおこなっていた。そうした薬物は、純粋なかたまりのこともあるし、ベーキングパウダーや粉ミルクに少量混ぜ、路上で売るために、小分けしてビニール袋に入れたりアルミ箔で包んだりされていることもあった。多くの薬物は外見が似ているので、警察はこの研究所にそれを持ち込み、ドゥーカンらが一連の検査によって鑑定していたのである。

第一段階の検査は推定試験といい、これで分析対象の薬物のおおまかな種類がわかる。ある試験では、未知の粉にホルムアルデヒドと硫酸を加える。そのサンプルが赤紫色になればオピエート［訳注：ケシが生成するいくつかの麻薬性物質の総称］で、濃いオレンジ色になればアンフェタミンだ。薬物を緑や青に変色させる化学物質もある。

たとえば種類がオピエートだったとしよう。次に第二段階の確認試験をおこない、結果を特定の薬物にまで絞り込む。確認試験では、未知のサンプルを少量とり、液体に溶かしてから、機械で分析にかける。既知のオピエート（モルヒネ、ヘロイン、フェンタニル）のサンプルでも同じ分析をおこなう。すると機械がいくつかのグラフを吐き出す。各サンプルに対するバーコードのようなものだ。未知のサンプルのバーコードを既知のサンプルのバーコードと比較すれば、対象の薬物を正確に特定し、警察に報告することができる。

米国各地の薬物検査研究所と同じく、ボストンの研究所も検査待ちのサンプルであふれ、二〇〇三年には未処理分が数千点にふくれあがっていた。検査前のサンプルを収める大型保管庫は、ぎっしり詰め込まれすぎて、なかを歩きまわるのが危険に思えるほどになってしまった。ところがドゥーカンがやってきてから、状況が良くなりだした。彼女はすぐに、最も猛烈に働く（一番早く出勤し、最後に帰る）だけでなく、最も仕事の速い分析官として頭角を現した。最初の年にドゥーカンは、九二三九点の薬物サンプルを処理した。ほかの九人の分析官が検査した数の平均の三倍で、研究所全体の処理量の四分の一を超えていた。職場の人はドゥーカンをスーパーウーマンと呼びはじめ、その賛辞に彼女は頬を紅潮させた。仕事で付き合いがある検察官たちへの電子メールで、彼女は自分が研究所にとって欠かせない存在であることを自慢していた。

薬物分析官アニー・ドゥーカン（『ボストン・ヘラルド』紙提供）。

だが私生活では、ドゥーカンはこの称賛によって苦痛を癒やしていた。二〇〇四年、彼女は生まれ故郷のトリニダード島出身のエンジニアと出会って結婚し、ほどなく妊娠した。しかし、最初の妊娠は流産となる（その後、再度流産している）。おなかの子を失うたびに彼女は打ちひしがれ、夫婦関係もぎくしゃくした。

上司の勧めに従って休みをとることで克服するのではなく、ドゥーカンはそれまで以上に実験台で過ごして苦痛を追い払っていった。「私にはチョコレートと仕事があります」と上司に語っている。「これが私の対処法なんです」。最初の流産の翌年、彼女はそれまでよりさらに猛烈にペースを上げ、一万一二三二点のサンプルを処理した。その数は、二位の分析官のほぼ倍で、研究所の平均の四倍にあたる。ドゥーカンはやがて障害のある男の子を産み、それでペースがやや落ちたものの、なお年々同僚の分析官を周回遅れにしていった。ほとんどの分析官は一度の試験で二ダースのサンプルを検査していたが、ドゥーカンはたいてい五、六ダースを処理し、一一九点やったときもあった。

しかし、次第に同僚は、彼女のスーパーウーマン的なペースに疑いをもちだした。根拠のひとつは、常識である。いったいそんなに速く仕事ができるものなのか？　状況証拠になりそうなものもあった。同僚のひとりは、あるときドゥーカンが秤（はかり）の較正をしないところを目撃した。これは正確さを保証するために欠かせない手順だ。たとえば薬物が二七・九九グラムと二八・〇〇グラムでは、刑期に数年の違いが出るのだから。同僚たちはまた、ドゥーカンが検査をしたと記録していても、実は顕微鏡を使っているように見えないことにも気づいていた。さらにそれと関連するが、彼女が出すゴミの量も少なすぎるように見えた。結晶試験という検査では、未知の薬物をスライドガラスの上で液体と混ぜる。すぐに結晶ができるのだが、薬物によって結晶の形が違うので、分析官は顕微鏡でそれを確かめる。試験のたびに、サンプルの汚染を防ぐためにまっさらなスライドガラスが必要になるから、試験の回数に応じた数のスライドガラスを毎月捨てることになる。ドゥーカンはそうではなかった。同僚が彼女のゴミ箱を覗いたところ、空っぽだったのである。

同僚の疑念は正しかった。いつ始まったのかは正確にはわからないが、ドゥーカンは大規模ないかさまをしていた。実際に試験をおこなわず、「やったふり」をしていたのだ。ちらりと見ただけで、何であるかを推測していた。

彼女は、研究所の業務手順の欠陥を利用して、それをやってのけていた。証拠保管の継続性［訳注：証拠の収集・移動・取り扱い・廃棄に至るすべての過程を記録しておくこと］という理由で、すべてのサンプルには「管理票」がついており、その薬物がいつ押収され、警察がそれを何だと推定したかなどが記されていた。これは警察のうまいやり方だ。問題は、ドゥーカンのような分析官が管理票を見られるので、警察の疑っている薬物がわかってしまうことだった。分析官にこの情報を見せるというのは、いずれにせよまずい考えだった。示唆があればどうしてもバイアスがかかり、ほかの結論でなく特定の結論に向かいやすい。しかしドゥーカンは、この欠陥をまるまる利用し、警察の推定をそのまま自分の「分析結果」にした。警官がヘロインと言えば、ヘロインなのだ。手間がかからない。

公正を期して言えば、ドゥーカンは、管理票に情報が記載されていない未知のサンプルについては、予想がつかないので必ず検査していた。また念のため、サンプルのほぼ五点に一点は、ひととおり検査をおこなっていた。だがそのほかについては、面倒な分析をすべて飛ばし、ただ判を押すように機械的に処理して、数の多さを維持していたのだ。そしてこれまたひどいことに、検査をおこなったことを明言する証明書にサインをして、警察へ提出していた。そうした証明書は法廷の審理で証拠として使われたため、彼女は事実上偽証を繰り返していたのである。

ところで、多くの場合、ドゥーカンの「やったふり」でも実質的な違いは生じなかった。警官はたいてい、押収していた薬物が何なのかわかっていたからだ。したがって、検査を飛ばしたのは適正な法の手続きという容疑者の権利の侵害だが、最終的な判決はおそらく変わらなかっただろう。だがいつもそうではなかった。そしてそんなケースで、ドゥーカンは真に罪深い領域に落ち込んでいたのだ。

前にも説明したが、研究所での試験にはふたつの段階があった。しばしばドゥーカンが第一段階をおこない、別の分析官が第二段階をおこなったが、第二段階——機械にかける試験——の結果がドゥーカンの最初の推定と矛盾することがあった。こうした場合、再検査をすべきだ。しかしドゥーカンは、スーパーウーマンという評判に傷がつきかねないので自分のミスを認めず、自分が推定した薬物の純粋なサンプルをこっそり探し出してそれを再検査に回した。するとあら不思議、機械が今度は「正しい」結果を出した。つまり、彼女は自分のいかさまを隠蔽するために、証拠を捏造したのである。

その結果、無実の人が投獄された。ある男は、イノシトールをもっていて逮捕された。健康サプリメントとして売られている白い粉だ。ドゥーカンは彼のコカイン所持を立証した。別のケースでは、薬物中毒者がかなり無謀な詐欺を働き、カシューナッツのかけらをクラック（高純度のコカイン）だと言ってヤク中仲間に売りつけようとした。そのヤク中が実は覆面捜査員だった。それでも、それはただのカシューナッツで、別にたいしたことはない。ところがその男は、法廷でドゥーカンがまったく違うことを宣誓証言すると、びっくりして目を見張った。「［検査について］あの女が嘘をついているのはまちがいなかったよ」とのちに彼は語っている。「何があっても、絶対に、カシューナッツがクラックになどなるわけがない」

ドゥーカンの嘘で皆が投獄されたわけではない。軽度の薬物犯罪者は投獄されなかった。だが、薬物で有罪になると、懲役刑以外にもさまざまな結果を招く。国外退去になったり、解雇されたり、公営住宅から追い出されたりする。運転免許証を取り消されることも、わが子に面会する権利を失うこともある。次にまた起訴されると、再犯者にもなってしまう。

ドゥーカンは、これほど多くの人の人生を狂わせた動機について、十分な説明をしてはいない。それでも、彼女の言葉や行動からいくらかヒントは得られる。まず、ドゥーカンは薬物の売人の逮捕を楽しんでいたようだ。しばしば地元の検察官と不適切なほど仲良くし、悪者を「街から一掃しましょう」という熱意のこもった電子メールを送っていた。ある検察官は、最高級のバーで彼女に飲み物をおごると誘った。別の検察官は、ドゥーカンとのいちゃつくような電子メールが表沙汰になって、辞任に追い込まれた。あるとき彼女は、依頼人の訴訟に力を貸してほしいという弁護人の頼みにいちいち応じるべきか、検察官にアドバイスを求めもした。

ドゥーカンは強いストレスも受けていて、心理学の研究によれば、そうした状態にある人は、手抜きや倫理にもとる行為をしたくなるものだ。研究所には未処理のサンプルが山積みになっていたので、職場のだれもが、サンプルを処理する相当なプレッシャーに直面していた。この問題に加え、ドゥーカンは流産を二度も経験し、家では幸せでなかった。両親のほかに家族はなく、夫の親族のすぐそばで暮らしていた——楽なことではない。それが弁解にはならないが、ストレスが長引くと精神的なスタミナが消耗し、他者への共感を覚えにくくなる。彼女の厄介な精神状態からすると、ドゥーカンは、自分のいかさまで他人の人生が破滅する可能性に目をつぶるほうが楽だと思ったのかもしれない。

とくに、そのいかさまで称賛を浴びたときにはそうだっただろう。他人を操ったり物を手に入れたりするために嘘をつく人もいる。ドゥーカンの場合は、科学での栄誉を求めていた。スーパーウーマンと呼ばれたがっていたのだ。ワクチン研究所の元上司は、移民で有色人種の女性という立場が一因だったのではないかとも推察している。この上司自身も黒人で、こう言っているのだ。「米国でマイノリティであるとはどんなことか、私にもわかっている。そんな経験から、自分が人並みに良くできること、いや人よりできることを示すという彼女の決意が強くなったのだと思う」

通常、その決意は健全なもので、もっと多くをなし遂げ、固定観念を打ち破ろうと人を突き動かす。だがドゥーカンは、がんばって称賛を勝ち取ろうとはしなかった。元になる成果なしに栄誉を追求したのだ。これは、実は科学でいかさまをする人に共通する欠点と言える。彼らは、知識ではなく褒賞や名声を——科学そのものではなく科学の虚飾を——求める。しかし、たとえば光学や鳥類学でインチキな研究成果を量産するというのとは違い、ドゥーカンは、人の自由を左右する法科学の研究所でそれをおこなった。

残念ながら、ドゥーカンひとりでは決してなかった。ここ数十年で、世界じゅうの研究所において、何十人もの法科学者が、いかさま師や詐欺師として摘発されている。実のところ、批判的な見方をする人にとって、ドゥーカンのケースは、法科学そのものがちょっといかさまだという考えを強化したにすぎない。

米国では、法科学のルーツは第4章のパークマン殺人事件にまでさかのぼる。ハーヴァード大学医学校の医師たちが、解剖学の専門知識を生かしてジョン・ホワイト・ウェブスターの罪を立証したのだ。その後数十年かけて、法科学は放火の捜査、銃器の弾道学的研究、さらには指紋、嚙み跡、足跡、血痕などを調べる痕跡鑑定なるものへ広がっていった。二〇世紀半ばまでには、法廷にすっかり根付き、それまでの恣意的で不正もあった警察の捜査に代わる、合理的・客観的な手段と見なされるようになっていた。

しかし残念なことに、そして殺人ミステリーの愛好家をがっかりさせたくはないが、多くの法科学は、良くても結果がばらつき、最悪の場合はまったくのでたらめだ。二〇〇九年の批判的な報告で、米国科学アカデミーは、法科学にかかわる顕著な問題をいくつか挙げている。最初に書かれているのが、法科学のほとんどの分野に科学的根拠がないということだ。実験と分析にもとづいているのではなく、科学の専門用語で飾り立てられた直感の寄せ集めにすぎないというのである。このため、異なる専門家が同じサンプルからまるで違う結論を導き出すことも多い。とんでもない話だが、同じ専門家が同じサンプルを別のときに調べても、容疑者を有罪あるいは無罪と考えるコメントを事前に聞かされるかどうかで、まるで違う結論を導き出すこともある。バイアスが分析に影響することを示す確たる証拠だ。

同じぐらい批判しているのは、謙虚さの欠如だ。私の個人的な経験から言えば、ときにサイエンスライターをいらつかせることとして、科学者が何に対しても明言を避けるという傾向がある。科学者はつねに自分の主張に条件をつけ、証拠が揺るぎないものに見えても、別の解釈もあるという断り書きを添える。一方、多くの法科学の専門家は、とくに法廷で証言する場合、不確定性はゼロだと断言する。毛髪の繊維や噛み跡がだれかと一〇〇パーセントの確度で一致すると、いつでも主張するのだ。彼らは絶対まちがいないというオーラを発し[*]、自分の権威に挑みかかる疑問を蹴散らしていく。

はっきり言っておくが、法科学のなかのすべてがだめなのではない。毒性学と病理学はまっとうで、米国科学アカデミーの報告書では、とくにＤＮＡ解析が信頼できるものとして挙がっている。こうした分野は厳密な土台を備えており、根拠の確かな実験にもとづいている。そしてＤＮＡ解析の場合、特定の生体サンプル（たとえば血液や精液）と特定の個人を確実に結びつけられる。ＤＮＡ解析をおこなう人はまた、解析結果に確率を添えて、いつでも不確定性を認めている。だが、法科学のほとんどの分野は、こうした基本的な指針に沿っていない。

科学アカデミーの報告が出てから、指紋解析と銃器の弾道学的研究の分野は、ずさんなやり方をてこ入れし、科学的に妥当な方向へ舵を切りだしている。また、もっと結果がばらつく分野の法科学も、証拠を適切に分析して少しばかり謙虚さを示せば、現代の警察業務のなかで、ほかの証言も重視し全般的な証拠に補う形で、役立つ場所を見つけられるだろう。それまでは、弁護側がつらい思いをする。一部の推計によれば、「まちがっていたり誤解を招いたりする法科学的証拠」が、米国で不当な有罪判決の四分の一をもたらしており、法科学のなかには、ほかよりはるかに成績の悪い領域がある。ある研究でＦＢＩは、微小な毛髪サンプルにかかわる訴訟の九〇パーセントで、法廷において「まちがった」証言がなされていると結論づけている。

法科学の薬物鑑定は、どのあたりに位置づけられるだろうか？　確実性の程度としては、DNA解析のほうに近い。薬物検査は信頼性も再現性もあるので、適切におこなえば、刑事訴訟において頼りになる。適切におこなえばの話だが。

ドゥーカンの転落は、まったくの偶然から始まった。二〇〇一年、ボストンの警官たちがルイス・メレンデス＝ディアスという男を、Ｋマート［訳注：米国の大型量販店チェーン］の外で薬物を取引していたかどで逮捕し、パトカーで連行した。警察署へ向かう途中、警官は、メレンデス＝ディアスが後部座席でもぞもぞしているのに気づいた。不審に思った彼らは、署に着いてから車内を調べ、コカインの小袋をいくつか見つけた。身に着けていた男が、処分するために座席の間仕切りに押し込んでいたのだ。

警察がこの小袋を送った先は、たまたまドゥーカンが近々入ることになる研究所だった。だれの話で

＊法廷弁護士によく知られているものとして、「ＣＳＩ効果」がある。これは、ポップ・カルチャー（大衆文化）の影響で、素人が法科学に理不尽な期待を抱くことだ［訳注：ＣＳＩは、米国のテレビドラマシリーズ『ＣＳＩ：科学捜査班』のこと］。しかし、ＣＳＩ効果が弁護側と検察側のどちらに有利に働くかについては、意見が分かれている。法科学が絶対に正しいと信じている素人は確かにいる。彼らは法科学を畏れ敬い、専門家の言うことはなんでも真理と思い込んでいる。これは検察側の思うつぼだ。一方、『ＣＳＩ：科学捜査班』に登場する専門家がいつでも完璧な結果を出すので、陪審員のなかには、現実の科学者がその正確さのレベルに達していないと失望し、結果を無価値と片づけてしまう人もいる。この態度は弁護側に有利に働く（そのほか、ただ無知な人もいる。ある裁判長は、陪審員が、ある事件で警察が「指紋採取用の粉を芝生に撒いてもいない」と不満を言うのを耳にしている）。

も、そのサンプルは、何もインチキはなく適切に処理されていた。担当した分析官は、この薬物がコカインだとする証明書三通に署名し、この証拠によってメレンデス＝ディアスは有罪となった。概して、裁判はあっさり終わった。

ところが、メレンデス＝ディアスの弁護士たちは、新たな議論を持ち出した。米国憲法修正第六条では、法廷で「被告人は……みずからに対して不利な証人と対審する権利を有する」とされている。それまで、これは実際に犯罪を見た目撃証人のことだった。しかしメレンデス＝ディアスの弁護士は、法科学の分析官も対面で証言しなければならないと主張した。この裁判では、分析官は出廷せずに証明書を提出しただけだから、有罪判決は破棄されるべきだと言ったのだ。

上訴を重ね、この訴訟は二〇〇九年に最高裁にまで行き着いた。法廷でふつうは党派によって分かれるのとは違い（リベラル派のルース・ベイダー・ギンズバーグが、保守派のアントニン・スカリアとクラレンス・トマスに同調して過半数となった）、最高裁は五対四でメレンデス＝ディアスの弁護士が正しいと裁定した。つまり、分析官を法廷に出して証言させ、問いただすチャンスを弁護側に与えなければならなくなったのだ。これはある程度、法の適正な手続きの問題だった。スカリアいわく、証人と対審する権利は公正な裁判という一般的な考えにとって必須であり、それゆえ分析官は「キュリー夫人の科学的洞察力とマザー・テレサの誠実さを持ち合わせていたとしても」出廷する必要があった。だがスカリアは、薬物研究所の全員がキュリー夫人やマザー・テレサというわけではないとも疑っていた。なかには無能だったり、嘘をついたりさえする分析官もいるだろうから、そうした場合は「反対尋問の試練」で暴かれるはずだと考えたのである。その判断を記したとき、スカリアはまるでアニー・ドゥーカンを想定していたかのようだった。

現在では、この判決に反対する十分な(そして私の考えでは説得力のある)*論拠がある。しかし結果的に、ドゥーカンのような薬物の分析官が、いつでも証言のために出廷しないといけなくなった。

では、スカリアの予想どおりに、反対尋問によってドゥーカンの悪事が暴かれたのだろうか? まったくそんなことはなかった。彼女は証言台で嘘をつきとおした。結局ドゥーカンは、法廷で宣誓したうえで一五〇回証言し、一五〇回のすべてで無事に尋問をクリアした。鳴り物入りで導入された反対尋問の「試練」だったが、法科学史上最もひどいいかさまさえ見破れなかったのだ。

それでも、証言が必要になったことが、間接的にドゥーカンの悪事を暴く役目を果たした。彼女もほかの分析官も、証言台に立つ時間が二〇分を超えることはまれだったが、裁判所で自分が関係する審理を待って午前中や午後いっぱいを無駄にすることも多かった。裁判所で過ごす時間は、ドゥーカンが研究所で過ごせない時間でもあった。その結果、彼女の検査数が急減した。メレンデス゠ディアスの判決が下されてから、ドゥーカンは二〇〇九年の後半六か月に九二時間を証言に費やし、この年は六三二一点しかサンプルを処理できなかった。ほかの分析官の検査数も、平均でほぼ二〇〇〇点に減った。

だが、問題はここからだ。翌年も、ほかの分析官の検査数は少ないままだった。ところがドゥーカンは違った。無謀と言うべきか、ずさんと言うべきか、二〇一〇年に彼女は、法廷での証言に二〇二時間

＊紙幅の関係で、ここでメレンデス゠ディアスへの判決についてわめき散らすのは控える。だが、samkean.com/books/the-icepick-surgeon/extras/notesで私の主張は読める。

を費やしながらも一万九三三点のサンプルを処理した。これは研究所の平均の五倍で、メレンデス＝ディアスの判決以前に記録したピークの数にほぼ匹敵する。

ここまで来ると、同僚の分析官が本気で疑いを抱き、ドゥーカンが顕微鏡を使う時間をチェックしたり、彼女のゴミ箱を監視したりしだした。このころドゥーカンが、おそらく時間の節約のために、いくつかの機械で重要な較正を省いているのも見つかった。それどころか、彼女が手順の省略を隠蔽しようとして、書類に同僚のイニシャルを書き込んでいたことも発覚した。実のところ、彼女の不正行為があまりにもあからさまなので、わざわざ見つかりたがっていたのではないかとのちに思った同僚もいた。

ついに、ある分析官が上司にドゥーカンのことを報告した。ところが上司はまともに取り合わず、報告した彼はがっかりした。ドゥーカンもときにはせっかちになるのかもしれないが、と上司もある程度は認めながら、彼女は家庭でひどくストレスがかかっているので、判断が曇ってしまうのだろうと言ったのだ。それに、新たに証言が求められるようになって、おぞましいほどの未処理分のサンプルが毎月増えつづけ、研究所は今スーパーウーマンを失うわけにはいかなかった。疑った分析官は、自分の懸念を地域の科学者の組合にも報告したが、何も進展はなかった。組合の弁護士は、若い女性科学者のキャリアをつぶさないように手を引けと分析官に言ったらしい。要するに、上司も組合も、ドゥーカンを見逃したのだ。

それでも、今度はドゥーカンに正式な告発がなされた。不注意なへまをして、彼女のキャリアが終わってしまったのである。

前にも言ったが、この研究所には、検査待ちの薬物を収める大型の証拠保管庫があり、サンプルを出し入れする際に署名する厳格な手続きがあった。ドゥーカンはさらに大胆になると、いちいち署名をせずにサンプルを持ち出すようになった。証拠保管の継続性の規則に対する違反だ。そしてついに、二〇一一年六月のある日、彼女は未署名のサンプルを九〇点もっているのを見とがめられた。すると彼女は、この失策を取り繕おうとして、またもや同僚のイニシャルを記録簿に書き込んだ。あいにくその同僚は、書き込んだ日に研究所にいなかった。記録簿を突きつけられ、規則違反をしたかと問われたドゥーカンは、のらりくらりと対応し、「あなたがなぜそう思うのかはわかるわ」と言った。

このときも、ドゥーカンの上司は彼女を処罰しなかった。それどころか、証拠保管の継続性の違反をもみ消すために手を尽くしたのだ。しかし一二月、マサチューセッツ州政府は規則違反の噂をかぎつけ、州監査官に調査を命じた。調査の過程で、研究所のずさんな体制がほかにもいくつか明らかになる。セキュリティーの甘さや不十分な新人教育などだ（その後の調査で、古い事件の薬物が研究所のあちこちに散らばっているなど、もっとゆゆしき問題まで見つかることになる。ある上役は、自分の机の引き出しに試験管を何本か入れたままで、そのうち一本には一九八三年というラベルが貼られていた）。二〇一二年の夏までには、州警察が、自分たちの証拠が失われないように、研究所を管理下に置いた。その引き継ぎがなされた二日後に、ドゥーカンの同僚の分析官たちが、新たな監督者たちに彼女に対する疑惑を打ち明けた。

そのときには、すでにドゥーカンは、証拠保管の継続性の違反という問題の重大さゆえに、研究所を辞めていた。だが、彼女はまだ、数万点におよぶサンプルの検査の「やったふり」をした報いを受けていなかった。二〇一二年の八月末にふたりの刑事が家のドアをノックするまでは。

家に入った刑事は居間に腰を下ろしてドゥーカンと話をしたが、最初のうち彼女はすべてを否定していた。しかし刑事は準備万端でやってきており、捏造された記録簿や較正報告書を彼女の前に広げた。するとドゥーカンは、「私は仕事をしましたが、きちんとやっていませんでした。手続きを守らなかったので、それはいけなかったです」と言った。つまり、彼女は技術的な規則をいくつか破ったことは認めたが、科学的な結果は正しいと主張したのである。

聞き込みの途中でドゥーカンの夫が帰宅し、彼女を別室に連れていった。夫に弁護士は要らないかと訊かれたが、彼女は心配ないわと請け合った——それも嘘だった。それから居間に戻り、聞き込みに応じつづけた。

刑事に検査のやったふりをしたことがあるかと訊かれると、ドゥーカンはまたしてものらりくらりと対応した。そして「やったふりとはどういうことだとお考えですか?」と訊き返した。刑事が説明すると、彼女は否定した。「私は改竄なんかしません。だれかの人生がかかっているんですもの」。刑事はそれを受けて、さらに証拠を示した。前にも話したように、ドゥーカンがときどき薬物をたとえばコカインだと推定したあと、機械の検査でヘロインや別の物質だとわかることがあった。そんなとき、彼女はよく別のサンプルからコカインをこっそりもってきて再検査にかけ、自分の最初の主張を「裏づけて」いた。そこで刑事は、いくつかのケースで元のサンプルを探し出し、改めて再検査した——すると、やはりヘロインだとわかったのである。これは、彼女が結果を捏造していた決定的な証拠だった。

すぐにドゥーカンの目に涙がたまりだした。彼女は自分のいかさまを軽めのものにしようとして、やったふりは数回しかしていないと言い張った。刑事がもうひと押しすると、ついにドゥーカンは陥落した。「ドジを踏んだわ」と彼女は言った。「ひどいドジを踏んだ」。

科学史上屈指の大規模ないかさまで逮捕された薬物分析官アニー・ドゥーカン。捕まったとき、彼女は泣いて「ドジを踏んだわ。ひどいドジを踏んだ」と言った(『ボストン・ヘラルド』紙提供)。

結局ドゥーカンは、偽証、証拠の改竄、司法妨害の二七の訴因について罪を認めた。また彼女の自白によって、マサチューセッツ州の司法組織全体が大混乱に陥った。ドゥーカンは、どのサンプルについてやったふりをし、どのサンプルについては実際に検査したのか覚えていなかったため、いまや彼女が在職中に検査した三万六〇〇〇点の結果のすべてに疑いが生じたのだ。この後始末のために、州議会は三〇〇〇万ドルの予算をつけざるをえなくなった。ある法的権利擁護団体の推計では、影響を受けたすべての人を法廷に呼び出すのはおろか、そうした人に通知するだけでも、一六名のパラリーガル［訳注：弁護士業務を補佐するスタッフ］でまる一年かかるとされた。再審請求が殺到しだし、最終的にマサチューセッツ州内の裁判所は二万一五八七件の有罪判決を覆した。そこまでおおごとになったのは、米国史上例を見ない。

研究所のスーパーウーマンがずっと不正を働いていたことを知っていた、カシューナッツをコカインにされた犯人などにとって、訴訟の破棄は甘美な復讐だったにちがいない（ボストンの街の人々は「ドゥーカンされた」という言葉を使いだした）。だが、これでほかの問題も生じた。

米国における薬物との果てしない戦いについて——そして警察の捜査網にかかったわりと無害な人々について——あなたがどう思っていようと、二万一五八七人の被告のうち、少なくとも一部は暴力的な犯罪者だった。ドゥーカンのおかげで、彼らは突然自由の身になった。有罪判決を受けた少なくとも六〇〇人が釈放されたり、訴訟を破棄されたりし、そのうち八四人はすぐにまた堂々と犯罪を重ねた。ひとりは、薬物取引のこじれから殺人を犯した。別のひとりは、武器にかかわる罪で逮捕された。捕まったとき、この男は笑っていた。「アニー・ドゥーカンのおかげで出てきたばかりだ。あの女が好きだよ」。

二〇一三年一一月、ドゥーカンは三年から五年の実刑判決を受けた。ちなみに、一オンス（三〇グラム弱）のヘロイン密売の刑期は七年だ。彼女の犯罪のスケールを考えて、刑罰の軽さに多くの人が不満を覚えた。「だれもがこれでは実に不十分だと思って背を向ける」と州議会のある議員は言っている。「三年から五年では不十分だ」。それどころか、ドゥーカンは三年の刑期さえ務めず、二〇一六年の四月に出所している。

悪事を働いて逮捕された法科学者は、決してアニー・ドゥーカンひとりではない。過去二〇年で、同

様の不祥事がフロリダ、ミネソタ、モンタナ、ニュージャージー、ニューヨーク、ノースカロライナ、オクラホマ、オレゴン、サウスカロライナ、テキサス、ウェストヴァージニアの各州で起きている。残念なことに、一連の事件のなかには、法科学的証拠の改竄や隠蔽がおこなわれて死刑判決になったケースが少なくとも三件ある。

無能という問題もなくなっていない。雨漏りする部屋や無防備な廊下に証拠物件を置いていたのが見つかった科学捜査研究所もある。ある研究所は、ほとんどウィキペディアで科学的知識を得ただけの警官が運用していた。やるせない話だが、マサチューセッツ州は、ドゥーカン逮捕のすぐあとにまた手痛い打撃を受けた。アマーストの州立研究所で分析官のひとりが、勤務中にサンプルのメタンフェタミン、コカイン、ケタミン、ＭＤＭＡをくすね、検査をしながらハイになっていたのが発覚したのだ。またこの女性は、証言の前に裁判所のトイレでクラックを吸っていた。

それでもドゥーカンのいかさまは、大胆さと規模の点で際立っている。ある意味で、彼女の犯罪があんなにも長いあいだ見つからずにいたのは信じがたい。だが別の見方をすれば、これはまったく驚くにあたらない。われわれの文化では、科学者は崇拝されている。誠実さと真実をなにより尊重する人だと皆考えたがるのだ。われわれは彼らを信じたがり、科学者も、一般の人と同じぐらい簡単に、同じ科学者にだまされる。ドゥーカンの上司たちが彼女について通報を受けても、なかなか本格的に行動を起こさなかったことを思い出してもらおう。それればかりか、プロの手品師によれば、多くの科学者は自分の知性と客観性に絶大な自信をもっているので、ふつうの人よりだまされやすいという。世のドゥーカンたちは、この事実を利用しているにすぎないのである。

もちろん、大多数の科学者は信頼に値する。しかし、どう見たところで、科学におけるいかさまは珍しくはない。毎年何百もの科学論文が撤回されており、確かな数はわからないが、その半分ぐらいは捏造などの不正行為のためだ。著名な科学者さえも罪を犯す。前にも言ったように、過去の人を現在の基準から外(はず)れていると非難するのは公正ではないが、ガリレオ、ニュートン、ベルヌーイ、ドルトン、メンデルなどは皆、実験を操作したり、データをごまかしたりしており、現代の誇り高い研究機関にいたら解雇されていただろう、と歴史家たちは指摘している。

いかさまなどの悪事は、世間の信頼をなくし、科学の最大の財産である評判を傷つける。不幸なことに、われわれの社会で科学技術が発展するにつれ、こうした問題はひどくなるばかりだろう。わくわくするような科学の新たな挑戦は、人々が互いに悪事を働く機会も生む。だが、まだ希望はある。結びの章で示すが、そんな科学の悪用を防いで減らす、現に実証済みの方法があるのだ。

結び

科学の新たな飛躍は、必ずと言っていいほど新たな倫理的問題をもたらし、現在のテクノロジーも例外ではない。多くの人を殺すどんな新しい手段が、宇宙探査によって生まれるだろう？　安価な遺伝子操作が世界にあふれたら、だれが一番大変な目に遭うだろう？　高度な人工知能はどんな危害をもたらすおそれがあるか？　（こうした疑問に対するいくつかの答えについては、付録で語る）。悪者ぶって仮想の犯罪を企んでみることには、それを想像する行為そのものが、将来のそうした犯罪の予測と防止に役立つ可能性があるという利点がある。また、ただちに取りかかれることもある。倫理にかなう科学を今すぐ推し進め、本書で目にしたモラルの泥沼に陥るのを避けるための方策だ。

まず第一に、基本的なことに思えるが、科学者は実験を計画する際、倫理を念頭に置くように努める必要がある。うるさく説教したり、面倒な義務を負わせたりしなくていい。ちょっとうながすだけで効果がある。それは二〇一二年に、ある心理学の実験で実証されている。

その実験では、被験者たちに賞金目当てで数学の問題を解かせた。点数が高いほど、多くの金がもらえるのだ。それから本当の実験が始まった。心理学者は被験者に、賞金額を報告する納税申告用紙に記入させ、もう一枚の用紙で交通費の払い戻しも請求させた。そして正直に書くのをうながすために、それぞれの用紙の空欄に署名させ、すべての情報を正確に申告したことを確認させた。しかし、用紙は全部が同じではなかった。半数の用紙では、署名用の空欄は一番上にあり、被験者は数を記入する前に正直に書いているという誓いを立てる必要があった。残りの半数では、署名用の空欄は一番下にあり、最後に記入するようになっていた。どちらの配置のほうが嘘を多くつかせたと思うだろうか？　全部記入を終えて最後に署名したほうが、賞金額を少なめに申告し、交通費を多めに申告するケースが二倍多くなっていた。似た傾向は、現実の世界における実験でも確かめられている。今度は心理学者が、車の走行距離に応じた保険料率を提示する保険会社と手を結んだ。その保険では、基本的に走行距離が少ないほど、保険料は安くなる。心理学者は、人々が用紙に走行距離をどれだけ正直に申告するかを評価しようとして、やはり半数の人には用紙の一番上に署名させ、残りの半数には一番下に署名させた。すると、一番下に署名した人々は車一台あたり四〇〇〇キロメートル少なく申告していた。割合では一〇パーセントの差である。

結論として、何かのタスクの初めに倫理を念頭に置くと、人はより正直にふるまい、ごまかそうとする衝動を抑えることになる、と心理学者は主張している（法廷で証人に、証言のあとでなく前に宣誓させる理由も、これで説明できるだろう）。それに、嘘をついたあとでは、ある意味でもう遅すぎて直しが利かない。人は、本書で見てきた心理的な手口で、みずからの悪いおこないを正当化するのが非常にうまい。遠回しな表現で事実を隠蔽したり、悪行を善行によって相殺したり、自分をもっと悪いことをする人間と都合良く比べたりするのだ。最後に署名すると、怠慢も誘う。嘘をついたことに対して気の咎めを感じても、最初に戻って全部の答えを書き直さないといけない。実際に、だれがわざわざそれをやるだろうか？　これがどれほどひねくれた考えに思えても、人が倫理に従いやすいようにするのは、倫理の要諦のひとつなのだ。

もちろん、小さな空欄に署名するだけで、科学のあらゆる罪が魔法のようになくなるわけではあるまい（誓約文は何と書けばいいだろう？「私はここに、いつかだれかがこれについて本のまる一章を書くほど、ぞっとする不正行為をしないことを神に誓います」だろうか）。それに、真に悪意のある人間はだれにも止められない。それでもほとんどの場合、ほとんどの人で、最初から倫理を念頭に置くと熟慮をうながし、惨事の可能性が減る。このために、ノーベル賞を受賞した心理学者ダニエル・カーネマンは、「premortem（死亡前死因分析）」という考えを推奨している。もっとなじみ深いほうのpostmortem（検死解剖の意味だが、一般に事後の分析という意味もある）では、なんらかの出来事について、あとからどうして失敗したのかを検討する。一方、死亡前死因分析では、失敗したとすればどうしてかについて、物事を始める前にブレインストーミングする。たとえば、このプロジェクトが崩壊したとすればどうしてか、といったように。研究によって、たった一〇分の熟慮でも、集団的浅慮の払拭に役立ち、人々に疑念を表明する機会を与えることがわかっている。グループのなかの人間に、異を唱える役目――あまのじゃくの役目――をわざと割り当てて、少なくともいくつかは確実に意見の相違を生むようにすることさえある。これと同じように、科学者も、まったくばらばらの人々の集団からのインプットを集めることで、盲点をなくせる。だれかが、見逃していることを指摘してくれるかもしれないのだ。そうした集団には、もちろん、人種や性別、性的指向が違う人だけでなく、民主主義でない国で育った人、農村地域で育った人、ブルーカラーの家庭で育った人、信心深い人なども含まれる。考えが多様なほどいい。

倫理を念頭に置くためには、（オホン！）科学の歴史を読むという手だてもある。どこかの大学の学長が「倫理に従え！」と高らかに言うのを聞くのもいいが、罪を犯した物語にどっぷり浸かり、悪行をボディーブローのように実感するのも効く。だから物語には大きな力があるのだ――心に残る。善意は盾にならないことも正直に認めないといけない。ジョン・カトラーはグアテマラで善意にあふれ、梅毒と淋病を防ぐ手だてを見つけようとしていた。それなのに、残酷にも人々を性病に感染させ、何人か死なせていた。ジョン・マネーも、人間の性にかんする「白紙状態」説を広め、社会からつまはじきにされていた人々を広く認めさせようとする熱意にあふれていた。それなのに、デイヴィッド・ライマーの人生をめちゃくちゃにした。ウォルター・フリーマンは、精神外科を広め、絶望的な精神病院の収容者を救済する熱意にあふれていた。それなのに、必要のない何千人もの患者にロボトミーをおこなった。だれもが知っているように、地獄への道は善意が敷き詰められているのである。

それと同時に――またこれはなにより難しいことかもしれないが――カトラーやマネーやフリーマンを怪物と呼ばないことも大事だ。怪物は、ひどく簡単に自分とは関係のないものと片づけられるからである（私は怪物じゃない、じゃないから心配ない）。自分に正直になれば、だれもが同じような罠に陥っていた可能性はある。先ほど挙げたようなケースではないかもしれないし、そこまでひどくはないかもしれない。しかし、いつか、どうかしたら、自分も倫理にもとることをしていた可能性がある。このことを正直に認めれば、われわれにとって最高の用心となる。カール・ユングが言ったように、悪人はだれのなかにもひそみ、その事実に気づいてさえいれば、それを手なずけられる望みがあるのだ。

多くの人は、賢い人間ほど見識が豊かで倫理に従うものだとのんきに思っている。だが、むしろ証拠は逆のことを示している。賢い人間は、自分が賢いから捕まらないと思っているためである。自動車のたとえをまた持ち出せば、頭が良いというのは、大馬力のどでかいエンジンをもっているようなものだ。目的地に早く着けるかもしれないが、ハンドル操作（つまりモラル）がおかしくなると、大事故を起こ

す可能性がとても高くなる。モラルはまた、人生の舵取りを助け、そもそも危険な道へ向かうのを防いでくれる。

本書で語った犯罪の数々によって、科学者が世界じゅうの研究室で日々おこなっているすばらしい仕事がないがしろにされてはならない。彼らの圧倒的多数は私心のない立派な人で、そうした人がいなければ、われわれの社会は——彼らがさまざまな驚異を明らかにしていることを考えれば、物質的にも精神的にも——おそろしく貧しいものになるだろう。だが、科学者も人間だ。化学者のハリー・ゴールドのように、彼らは陰謀に引き込まれ、友人を裏切る。海賊のウィリアム・ダンピアのように、自分の研究に夢中になり、非道な行為を見なかったことにする。あるいは古生物学者のマーシュとコープのように、ライバルを妨害し、自分の身を滅ぼす。

アルベルト・アインシュタインはかつてこう言った。「ほとんどの人は、偉大な科学者を作り上げるのは知性だと言いますが、それは違います。人格なのです」。正直に認めると、かなり昔に初めてそのフレーズを目にしたとき、私は嘲(あざけ)った。科学者が心優しいかどうかなんて、だれが気にするんだ？ 発見こそ、大事じゃないか。しかし、本書を書き終えた今、私にはわかる。ある面では、科学は世界についての事実の集まりであり、その集まりに新たな事実を加えるには発見が必要になる。だが、科学はもっと大きなものでもある。世界について推理する考え方、プロセス、手だてであり、それによってわれわれは、虫のいい考えや偏見を暴き出し、それをもっと深遠で信頼できる真理に置き換えることができる。この世界の広さを考えると、だれもが、報告されているすべての実験を自分で確かめて正しさを検証することはできない。どこかでほかの人々の主張を信用する必要があるのだ。すると、そうした人々は高潔でなければならず、信頼に値しなければならない。さらに、科学は本質的に社会的な活動でもある。結果は秘密にしてはいけない。広いコミュニティで検証すべきで、そうでないと科学はうまく機能しないのだ。また、科学は大いに社会的な活動なのだから、人権をないがしろにしたり、人間の尊厳を無視したりして社会にダメージを与える行為は、必ずと言っていいほど結果的にひどい犠牲をもたらす。科学に対する人々の信頼を失い、科学を存続させる条件そのものをむしばんでしまうからだ。

こうしたすべてのことから、正直で高潔で慎重——人格を構成する要素——というのは、科学にとって欠かせないものだと言える。そのため、実験において几帳面で誠実な——あらゆる仮定をチェックし、実験にかかわるすべての人の同意をきちんと得る——人は、面倒くさがったり、そんな煩わしい仕事は自分に似つかわしくないと考えたりする知的な無鉄砲者よりも良い結果を出す。この意味で、アインシュタインは正しかった。人格なくして、科学に未来はなく、倫理にもとる科学者はえてして邪悪な科学を生み出す。

第二次世界大戦以後、科学がパワーを意味するようになっているので、それはとくにあてはまる。このパワーは、核爆弾のようにただ大きくて目につくものだけではない。心理学者が実験室でだれかを操るとか、医師が患者に怪しい薬の治験への参加を求めるといった、日々のやりとりに見られるものもある。小さな悪事でも、人生をめちゃくちゃにするのだ。

将来人間がどんなふうになっても——サイボーグになったり、冥王星で暮らしたり、トカゲのＤＮＡを混ぜ込んだりしても——われわれの子孫はそれでも人間だろうし、いつでも人間がするように、不正を働く可能性は高いだろう。心理学者が言うように、未来の行動を最もよく予測できるのは、過去の行動なのである。だがアインシュタインは、例のごとく、われわれより遠くに目を向けていた。知性が良いものであるのはまちがいない。科学が手に入れたパワーを考えると、今はもうそれで十分ではない。アインシュタインが口にした人格は、科学を悪用しないための最大の保証となる。科学において、このふたつの重要な要素——知性と人格——が将来共存できるかどうかは、まだわからないが。

付録——未来の犯罪

この付録は、いささかごたまぜになっている。歴史と仮想のシナリオの混合だ。それでも、新たなテクノロジーがもたらす未来の犯罪というテーマは共通している。宇宙探査であれ、先進のコンピュータであれ、遺伝子工学であれ、大きな変化が人間社会に到来しようとしている。そして新たな進歩がもたらされるたびに、また別の悪事を働く新たな手段が現れるのだ。

一九七〇年七月、史上屈指のややこしい殺人事件が北極海のど真ん中で起きた。米国の科学者と技術者が一九名、おおよそマンハッタン島のサイズの平らな氷の浮島(うきしま)に駐在していた。彼らは不満がたまった大酒飲みの一団で、七月一六日、ドナルド・「ポーキー（ふとっちょ）」・レヴィットという男が、電子工学の専門家マリオ・エスカミーヤのトレーラーから、ジョッキ一杯の自家製のレーズンワイン［訳注：干しブドウから作るワインで、ストローワインともいう］を盗んだ。

だれの話でも、ポーキーは危ない酔っ払いだった。他人の酒をぶんどるために、肉切り包丁を手にして襲いかかることもあった。そこで自分の身を守るべく、エスカミーヤはショットガンをつかみ、ポーキーと対決しに向かった。エスカミーヤは知らなかったが、そのショットガンは欠陥品で、衝撃で暴発しやすかったのである。

エスカミーヤは、そばのトレーラーで、レーズンワインとエバークリア［訳注：アルコール度数の高さで有名なウォッカ］とブドウジュースというとんでもない取り合わせの代物をがぶ飲みしているレヴィットを見つけた。気象学の専門家ベニー・ライツィもそこで一緒に飲んでいた。激しい口論のあと、ラ

T-3という「氷の島」の駐留地。ここで1970年に史上屈指のややこしい殺人事件が起きた（米国地質調査所提供）。

イツィはエスカミーヤに連れられて自分のトレーラーに戻った。そこでエスカミーヤは、ライツィに行けと言いながら銃でドアのほうを指して——たまたま銃をドアにぶつけてしまった。暴発した弾がまともにライツィの胸に当たり、数分後に彼は出血多量で亡くなった。

ここで真のごたごたが始まった。法的なごたごたである。その氷の島は、どの国の領海よりもずっと離れた場所にあり、どのみち一時的にしかないものだったので（一九八〇年代の半ばに解けてなくなった）、自治領でもなかった。海洋法も適用できなかった。氷の島には航行する能力がなかったからだ。むちゃくちゃに思えるかもしれないが、一部の法学者は、そこにはいっさい法が適用できないのではないかと言い、どこかの国にエスカミーヤを裁く権利があるのか疑問を呈した。エスカミーヤは、地球上で法的になんの効力もおよばないごくわずかな場所のひとつで人を殺したように思われたのだ。
結局、米国の連邦保安官がエスカミーヤを逮捕し、本国へ連れ戻してヴァージニア州で殺人容疑の裁判にかけた。なぜヴァージニアだったのか？　とうてい完璧とは言えないが、まあ、送還した飛行機が最初に着いた場所がヴァージニア州のダレス空港だったという理由だ（エスカミーヤは唯一もっていた靴――極地用の黒いゴム長靴――で出廷した）。最終的に彼は銃の欠陥のために無罪となったが、専断的でその場しのぎの審理だったので、きわどい法的問題はすべて未解決のままになった。問題とは要するに、ノーマンズランド（どの国のものでもない土地）での犯罪はどう扱うべきかというものである。法曹界はほぼはぐらかして、エスカミーヤの事例を一度きりの例外と見なした。だがそうはならないだろう。[*1]
ライツィが亡くなったのは、人類を初めて月に降り立たせたロケットが打ち上げられたちょうど一年後だ。人類の宇宙飛行はその後やや失速してしまったが、来世紀中にはほぼ確実に月や火星に最初の基地ができているだろう。そして人類がどこへ「勇敢に航海」しようとも、犯罪は付いてまわるはずだ。
一九六七年に発効した宇宙条約のある条項では、各国に宇宙での自国民の監督を義務づけている。これは、宇宙飛行士の数がきわめて少ない今はうまく効力を発揮している。しかし、何千、何万もの人が宇宙に行くようになったら、これは使い物にならなくなる。こんなシナリオを考えてみよう。あるドイツ人女性が、あるコンゴ人男性を、ブラジル人が作った薬物を使って、租税回避のためにルクセンブルクに本社を置く、中国とベルギーのコングロマリット（複合企業）が所有する宇宙船で毒殺する。さて、いったいどうしたらいいだろう？　あるいは、船からあらゆる容器をなくすのか。いくつかの企業はすでに、小惑星からの鉱物の採掘を計画している。宇宙の鉱員がどこかの小惑星の石でだれかの頭を殴って殺したらどうなるだろう？　地球の法は、遠くの惑星で人々が子をもうけだし、一生地球に降り立つことがない子もいるようになれば、とくに無力に思えるようになるだろう。

さらに突飛な話だが、宇宙探査はまったく新しい人殺しの手段ももたらす。たとえばクッキーだ。地球周回軌道上で物を食べるのは、地上で食べるのとはまったく違う。食べ物はビニールの袋からチュルチュル吸わなければならず、そのため一度にひとつのものしか食べられない。また微小重力のために顔が体液でむくみ、鼻づまりを起こしてにおいがわかりにくくなる。だから宇宙では、風邪を引いたときのように食べ物の味が薄くなる（小エビのカクテルが宇宙飛行士に人気があるのは、そのためでもある。カクテルソースの西洋ワサビ（ホースラディッシュ）の辛みをちゃんと味わえるからだ）。宇宙での調理も妙な感じになる。無重力では液体と蒸気がきちんと分かれないので、沸騰する水面に泡が上がって逃げることがない。むしろ、全体が一気に泡立つ。無重力だと対流もうまく起きないので、オーブンがうまく使えない。[*2] なにより奇

＊1 そことは別の氷のノーマンズランド、南極大陸では、すでに驚くほど多くの犯罪が起きている。一九五九年、ソヴィエトの研究基地にいたふたりのスタッフが、チェスの勝負をめぐって殴り合いになり、ついには片方がもう片方を斧で殺してしまった（ソヴィエトの基地ではそれ以後チェスをするのが禁じられたらしい）。一九八三年には、閉鎖的環境に居つづけて気が変になったアルゼンチンの医師が、引き揚げを余儀なくさせて予定より早く帰国できるように、研究拠点を焼き払った。また一九九六年には、米国人の料理人が別の料理人を、言い争いの末にハンマーの釘抜き側で大けがを負わせている。一番最近では、二〇一八年にロシアの基地で、あるエンジニアがナイフで溶接工の胸を刺している。原因は、報告によれば、溶接工がエンジニアに金を渡すからテーブルの上で踊れと言って侮辱したからか、エンジニアが読んでいる本の結末を溶接工に何度もばらされてついにキレたためらしい（後者だったら、私はエンジニアに味方すると言わざるをえない）。

だが、南極は氷の島を大きくしたたとえではないとも言える。これまでのどの犯罪にも、同じ国の市民だけが関与しており（ロシア人が別のロシア人を襲うなど）、南極の基地は事実上自治領と見なされている。それでも法的には、犯罪者はおそらく自分の逮捕や拘禁に異を唱えることもできたはずだ。南極には厳密に言えば法がないのだから。

妙な——そして面白い——ことに、宇宙で炎は球状になるため、マシュマロを焼くのは実に刺激的な体験になる。

しかし、宇宙で食べ物がもたらす一番厄介な問題は、粉状のくずだ。何も悪さをせずに床にぽろぽろ落ちるわけではない。このくずは、浮遊して塵粒の靄となり、必然的にエアフィルター——や肺——を詰まらせる。宇宙飛行士は、まさにこれが理由で、とうの昔に崩れやすいクッキーを持ち込まないことを誓っている。だが、邪悪な人間がひどくぱさぱさの菓子の差し入れを送ったり、さらにはそれに小麦粉などをまぶしたりすることも考えられる。ひと口かじって粉が散ると、呼吸ができなくなるだろう。

宇宙はほかにも新たな殺人ミステリーの構想を与えてくれる。無重力は、関節、眼、骨などあらゆる身体機構に破壊的な影響をおよぼす。もしも、たとえば当局の策略によって、軌道上のクルーが何年もそこにとどめられたら、ほとんど身体が不自由になってしまうだろう。なかでも恐ろしい破壊が起こりそうなのは免疫系で、それは軌道上で衰え、うまく働かなくなる。その結果、ふつうなら無害な微生物が勢いづき、われわれがもつ自然の防御機構を打ち破ってしまうことがある。たとえば、何人かの宇宙飛行士では、口唇ヘルペスや水痘を引き起こすヘルペスウイルスの活動がふたたび激化した。地上でクルーにこっそり何か変わったウイルスや菌類に感染させてから、免疫系が衰えきるほど長く宇宙に滞在させたら、あっさり死んでしまうかもしれない。これは初期のエイズ患者が、正常な免疫系をもつ人なら心配のない日和見感染症でよく亡くなっていたのに似ている。

どれほど興味をかき立てようが、宇宙での殺人は、従来の犯罪を新しい環境へ移したものにすぎないだろう。しかし、惑星にコロニー（植民地）ができていけば、まったく新しいタイプの犯罪が生まれる可能性もある。別の惑星で生き延びるには莫大な労力が要りそうなので、現地の政府は怠惰を禁じ、人々に有無を言わせず働かせるかもしれない。一方で人々のほうは、政府に新たな権利を求めることも考えられる。地球に今ある法的な権利と言えば、ふつうは言論の自由や公正な選挙などだ。だが別の惑星の過酷な条件を考えれば、宇宙の開拓者は、マズローの欲求段階［訳注：米国の心理学者エイブラハム・マズローが生理的欲求を最下層に置いて五つに分けた人間の欲求の段階］においてずっと下のものを確保する必要があるだろう。酸素を得ることが保証される権利などだ。彼らはまた、心の健康のために、地球と自由に交信する権利も求めるかもしれない。娯楽や向精神薬を利用する権利を訴える可能性もある。火星でどこかのまぬけがコロニー全体で集めていた音楽、電子書籍、ホログラムビデオを消し去り、リラックスする手段がなくなったとしよう。あるいは、人々がいつでも身に迫る死の危険から気を紛らわすために、週末に楽しむ軽めの酒や薬物の貯蔵所が壊されたとする。地球では、そんな行為は軽い罪だ。ところが火星では、そうした行為はコロニー全体の心の健康を害し、ミッションをつぶしてしまうおそれがある。新たな環境には、新たな犯罪が生まれるのだ。

＊2　二〇二〇年の初め、国際宇宙ステーションの宇宙飛行士たちが、宇宙で初めてチョコチップクッキーを焼くという偉業をなし遂げた（宇宙飛行士もふだん食べ物を温めているが、それまで何かを焼いてはいなかった）。実験の前には、無重力では対流や熱交換がうまく起きないため、クッキーは球状にできあがると予想されていた。あいにく、そうはならず、平たくなった。だが、ひとつ意外なことが起きた。宇宙飛行士は無重力用の特殊なオーブンを、地上なら二〇分でクッキーが焼ける一五〇℃に設定した。ところが宇宙では焼けるのに二時間かかったのである。そしてがっかりしたことに、今日のＮＡＳＡはあまりにも用心深いので、できたクッキーを宇宙飛行士に食べさせようともしなかった。クッキーを密閉容器に入れて地上に送らせ、さらなる調査で食べても安全かどうか確かめたのだ。何か月もずっと宇宙食しか食べられない状態で、できたての甘い香りを嗅いで――結局持っていかれてしまうと考えてみよう！　薄情な話だ。

刑事司法も宇宙では違ってきそうだ。だれかを逮捕したり、逮捕しようとしたりするとしよう。レーズンワイン殺人事件の場合、米国の連邦保安官は、飛行機とヘリコプターを乗り継いで氷の島にたどり着くのにまる二日かかった。火星までは、地球に最も近いときでも何か月もかかり、メッセージをやりとりするだけでも二〇分かかる［訳注：これは最接近時ではなく平均的な地球火星間の距離の場合］。法科学も変わるだろう。一般的な法科学の欠点についてはすでに見たとおりだが、地球の法科学をそのまま別の惑星に持ち込んでもうまくいかない。重力も大気も土壌も違うので、塵のサンプルや液体が飛び散るパターンは異なり、火の燃え方も独特なものになる。死体の朽ち方も違ってくる。外に放置すると、むき出しの上半身は色あせて硬くなり、白いビーフジャーキーのようになる。一方、腐敗を進める微生物がいないため、覆い隠した下半身は不気味なほど変わらない。火星での自然死についても、二二世紀の解剖学者はいくつか墓泥棒をして死体の体内を覗き、赤い惑星の低重力がどれだけヒトの身体構造に変化を与えたか、確かめたい誘惑に駆られるかもしれない。

逮捕のあと、今度は裁判でまったく新しい問題が持ち上がる。氷の島のケースでは、エスカミーヤの弁護側は、ヴァージニア州での審理が、公正な裁判と対等な市民からなる陪審という憲法上の権利を侵害しているのではないかといった難しい疑問をいくつか提起した。なにしろ、氷の島には警察がなく、所有権は銃で行使されていたのだから。それに比べてヴァージニアの都市郊外では、ほとんどの人が日常で最も恐れているのは交通事故だ。そんな土地の陪審が本当に、エスカミーヤが直面していた緊張状態を理解し、彼の行為を適切に裁けるのだろうか？　理解のギャップは、別の惑星で生まれた人々になるとさらに大きくなるだろう。一二人の地球人が、どうしてそんなに異なる社会で生まれた人の有罪宣告を公正におこなえるというのか？

そうなると、宇宙の入植者は犯罪の裁きを自分たちの手でおこなう必要があるのかもしれない。だが、そのやり方には欠点もある。宇宙の監獄に凶悪犯を何年も入れておき、コロニーの人々にとって必要な酸素や食料を彼らに消費させるのは、実のところ公正と言えるのだろうか？　もしかしたら、コロニーはむしろ中世に戻り、すべての罪人を処刑するか、どこか広漠とした場所に追放するしかないのではないか。しかしそのやり方も、悪人がたとえば発電所を動かす技術者やコロニーで唯一の医師だったら、ためらわれる。彼らの専門技能がなければ、全員死んでしまうおそれがあるのだ。コロニーは強制労働の時代に戻らないといけないのだろうか。資源を吸い取る無用な人間を居させるだけの余裕がないのだから。忌まわしい選択肢だが、地球にいるわれわれは、宇宙のコロニーが直面するような激しい相克には出会わないのである。選択は楽ではない。

今現在、宇宙での犯罪の問題は現実離れしたものに思えるのではなかろうか。なんといっても、ほとんどの宇宙飛行士はうんざりしそうなほど完璧なのだ。博士号をもつできすぎたパイロットで、食事のたびにデンタルフロスで歯を掃除し、体脂肪を減らしている。だが、宇宙での最初の犯罪は意外に早く起きるかもしれない。二〇一九年、米国の女性宇宙飛行士が現在離婚手続き中で、国際宇宙ステーションのコンピュータを使って、別居中の妻［訳注：同性婚のパートナー］の意に反して銀行口座に不正アクセスしたらしいというメディアの報道が流れた（告訴はのちに退けられた）。また二〇〇七年には、元ボーイフレンドの新しい恋人に嫉妬したＮＡＳＡの宇宙飛行士が、おむつを履き、ナイフと空気銃と唐辛子スプレーをもち、ヒューストンからオーランドまで一五〇〇キロメートル一気に車で走って、その恋人を誘拐しようとしたと報道された。できすぎた人さえ、ときには感情に負けてばかなことをするのだ。

そのうえ、宇宙旅行がもっと商業的になり、入植者が多く必要になると、ロケットに乗せてほかの惑星に住まわせる人間についての基準が、NASAのレベルより下がるだろう。とくに、隔絶された場所に何年もいる必要のあるミッションの場合には。歴史を振り返れば、ヨーロッパの列強は概して社会のはみ出し者やならず者を南北アメリカ大陸に入植させ、英国はオーストラリアに重罪犯を住まわせた。入植というのはどのみち搾取的な面があったはずだが、いかがわしい連中を送り込むのは、非道な行為を保証したも同然だった。

半世紀前のエスカミーヤの事件以来、進歩的な考えをもつ一部の法学者は、宇宙をカバーする法律が欠けていることを嘆いている。しかし、ひょっとしたらできることはあまりないのかもしれない。新たな犯罪をすべて予想することはできないし、遠く離れた場所というのを考えると、現行の法律を適用することもできない可能性がある。さらに厄介なことに、宇宙のコロニーは技術的に集中管理になるため、自然と独裁体制になりやすいとも考えられる。宇宙の刑務所長が懲罰で監房の酸素濃度を下げるとしたらどうだろう。あるいは、独裁者になりたい人間が、同じことを基地全体でおこない、人々を自分の意のままにしようとしたら。宇宙の危険といえば、人はたいてい恐ろしい寒さや窒息のリスクに身を震わせるものだ。だが、宇宙でなにより深刻な危険のひとつは、人間になるのだろう。

犯罪のもうひとつのフロンティアは、コンピュータだ。それがさまざまな形で用いられる。

泥棒はすでに、グーグル・ストリート・ビューで店舗や家の下見をしている。将来、バーチャル・リアリティで、中からもっと徹底的に建物を調べられるようになるだろう。3Dプリンターを使って、宝石類や化石、その他人工物の複製を作り、本物と取り替えて盗難の発覚を何週間、何年も遅らせることもできるはずだ。

規模の大きな盗みで、ビットコインのような暗号通貨を利用することもできる。暗号通貨はユーザーにプライバシーを保証しているが、どの取引もコンピュータを使って念入りに暗号化し、検証しなければならない——この検証作業を「マイニング（採掘）」という。中央コンピュータがすべて処理するのではなく、このマイニングは多くの場合、もっと小さなコンピュータの群れにアウトソース（外部委託）され、そうしたコンピュータはその報酬にちょっとした金（マネー）を得る。そこで、悪者たちが、小さなコンピュータを乗っ取ってそんな手数料を盗む手口を考え出した（この手口は現在、ビットコインではなく、ほかのもっと知名度の低い通貨でしか通用しない）。悪者がこれをおこなうには、まず正規のプログラムに何行かの悪質なコードを埋め込み、人々にうっかりダウンロードさせる。するとプログラムはバックグラウンドで実行され、終日ひそかに暗号通貨のマイニングをおこなうのだ。マイニングが終わり、操られたコンピュータが手数料を獲得すると、その金が悪者の銀行口座へ送られる。これは、コンピュータの所有者が（知らないうちにではあるが）得た金を盗むだけでなく、所有者のプライバシーを侵害し、電気代をかさませ、ハードウェアを劣化させる。悪質なマイニングプログラムはネットでわずか三五ドルで買えるが、ある調査によれば、それを利用する犯罪者は、四年半で五八〇〇万ドル稼いでいるという。月に一〇〇万ドルを超える儲けだ。

さらに大きな盗難が、近い将来起きるおそれがある。通常のビジネスでもそうだが、新たなテクノロジーによって、犯罪者はスケールメリットを利用できるようになる。歴史家が指摘しているように、中世の盗賊は、人通りの多い道のそばにひそんで、運が良ければ一度に五、六人を襲うことができた。それが一九世紀の半ばには、列車で一度に二五〇人から金品を奪えるようになった。今では、データベースのハッキングによって何百万もの人から盗むことができる。将来、量子コンピューティングが期待どおりのものになれば、マシンの性能はスーパーコンピュータをはるかにしのぎ、今のインターネットのセキュリティを役に立たなくしてしまうだろう。何億もの口座から一気にたやすく金を奪えてしまうのだ。

賢い犯罪者は、賢い(スマート)テクノロジーとされるものも利用するだろう。たとえば、リモートでオーブンやコンロのスイッチを入れて火事を起こす。自動化された建設機械を乗っ取って建物に致命的な構造上の欠陥をもたらしたり、自分だけが知っているセキュリティの穴を残したりもできる。自動運転車の制御を奪い、歩行者の集団に突っ込ませたり、全部のドアをロックして五人家族を崖から落としたりもするかもしれない。そこまでおおげさではないが、銀行強盗が自動運転車を近隣に大量に送り込んで渋滞を起こし、警察の追跡を阻むことも考えられる。人の体さえ侵害される。すでに何万もの人が、Ｗｉ－Ｆｉやブルートゥースでインターネットにつながり、医師が健康状態を見守って必要なら処置の信号を返すような、ペースメーカーや脳刺激装置やインスリンポンプを使っている。そのどれかをハッキングして、勝手に信号を送ることもできるだろう。もっとずるいやり方として、医師に偽りのデータを送り、手遅れになるまで危機の徴候を隠してしまうこともできるのではないか。

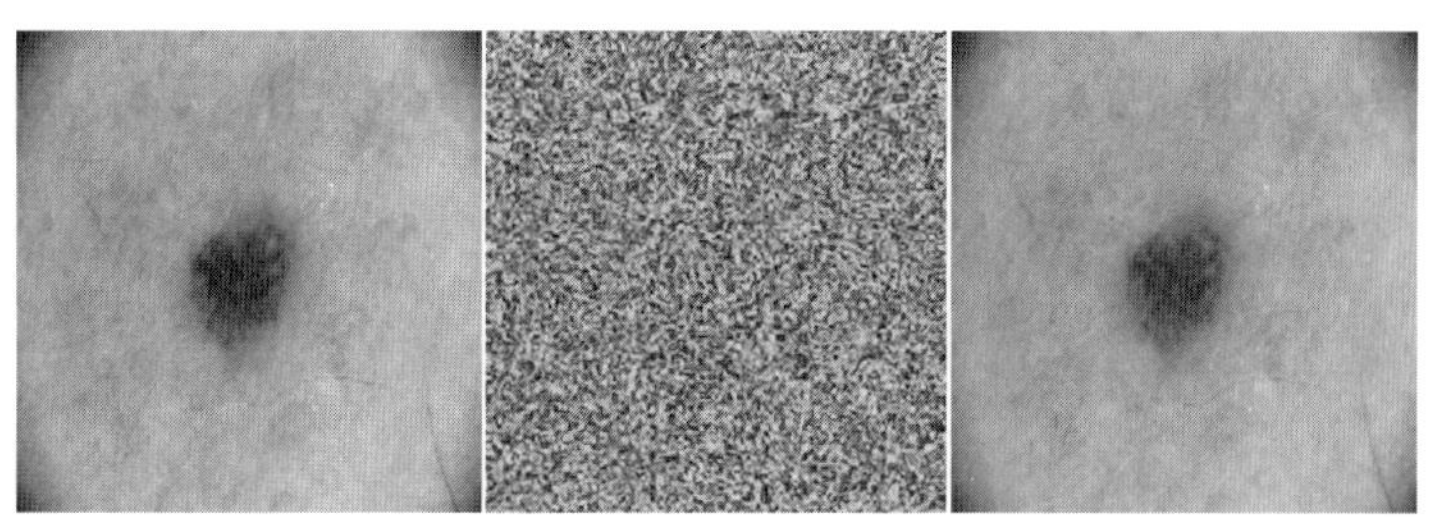

良性のほくろ（左）。この画像データのファイルに「敵対的ノイズ」（中央）をデジタル処理で加えても、得られる画像は人間の目には同じように見えた（右）。ところが、人工知能のプログラムは混乱し、とたんに一番右の画像を悪性腫瘍と判定した（敵対的ノイズの生成は、ハーヴァード大学医科大学院のサミュエル・フィンレイソンによる）。

さらに、とりわけ強力な新しいテクノロジーとして、人工知能（ＡＩ）もある。コンピュータ科学者は、ＡＩのシステムを「脆弱」だと言っている。コンピュータはある種の機能をうまく果たすが、あまり融通が利かず、容易にいかれてしまうというのだ。とくに、コンピュータに画像データを解釈させる場合によくいかれる。一時停止の標識にステッカーを貼ると、自動運転車に標識を見誤らせ、そのまま走り抜けさせてしまえる。同じように、ドローンを使って道路に偽物のセンターラインを投映すると、車に急ハンドルを切らせ、対向車線にはみ出させることができる（ここで研究者たちは問題点を訴えようとしているだけで、悪意をもっているわけではない）。もっと微妙な話だが、ＡＩを「敵対的ノイズ」――１と０からなるデジタル画像に挿入する、一見したところランダムな画素――で混乱させることもできる。これは雑音だらけのチャンネルで音楽が演奏されるようなもので、それでも人間はノイズの入った画像をたやすく解読できる。ぼやけただけで、たとえばナマケモノならナマケモノに見えるのだ。ところがコンピュータは現在、視覚的なノイズをかき分ける「高度な」認識ができないので、画素が加わると混乱する。多くの病院はいまや、ＡＩを使った画像検査で皮膚の腫瘍を見分けている。コンピュータのほうが人間の皮膚科医より正確だからだ。しかるべき視覚的ノイズをだれかの画像データにまぶしたら、コンピュータは悪性腫瘍を見逃してしまい、それは事実上、その人の命を奪うことになる。

あるいは、すっかりサスペンスドラマの域に達したければ、人殺しのセックスロボットはどうだろう？ロボット執事は近い将来に現れそうで、日本では高齢者がすでに、孤独を癒やし、簡単なケアもおこなうコンパニオン（伴侶）ロボットを利用している。必然的に次の段階は、セックスロボットのように思える。事実、いくつかの企業はもう粗削りなタイプを販売している。人はまさにズボンを下ろした一番無防備なときに、このロボットと触れ合うことになるのだから、だれかがロボットをハッキングして人に襲いかからせることもきっとできるだろう。

さらにとんでもないことだが、アンドロイドが自分の意志で犯罪を犯したらどうだろうか？　昔々、コンピュータはプログラムされたことしかできなかった。だがＡＩによって、コンピュータは新しいふるまいを学習し、予測できない行動をすることができるようになる。プログラミングのチームが、ロボットがその主人と過ごす時間をできるだけ多くしたいと思ったとしよう。人はそれぞれ違うものなので、そのチームはロボットにふるまいを変えて新しいことを試せと命じるかもしれない。これは十分妥当なようにも思える――ロボットが、ペットの犬を殺して競争をなくせば主人の時間を一番独占しやすい、ときわめて論理的に推断しなければ。プログラマーたちを追及すべきだろうか？　だが彼らはセックスロボットにそうしろと命じたわけではない。では、ロボットのほうを投獄すべきなのか？　それではすぐに『ブレードランナー』の領域に入り込んでしまう。

セックスロボットが攻撃するとしたら、もっとひどい事態に備えたほうがいい。これまで、どんなクラッキング（セキュリティ侵害）の企てにも耐えられたオペレーティングシステム（ＯＳ）はない。脆弱性は必ずある。そして、われわれの身体を動かすオペレーティングシステムでもやはりそれは言える。ＤＮＡへの侵入は、究極のハッキングとなるだろう。

一九七〇年代の終わり、（黄金州の別名をもつ）カリフォルニア州サクラメント近隣の刑事たちは、連続殺人犯の事件を抱えていた。ＤＮＡの証拠は、最終的にひとりの男――いわゆる黄金州の殺人鬼――を、十数人の殺人に加え、五〇件のレイプと一二〇件の強盗と結びつけた。しかし、その後四〇年、男の正体はつかめなかった。

二〇一八年、警官たちが、意外な手段に目を向けた。オンラインでの系図学である。Ancestry.comや23andMeといった一般向けの遺伝子検査企業の登場によって、いまやだれでも自分の遺伝子の生データをテキストファイルでダウンロードできるようになっている。そのデータを別の系図学のサイトにアップロードすると、自分のＤＮＡをもっと細かく分析するツールが使える。しかし、そうしたサイトには必ずしもメジャーな企業が守っているようなプライバシーの制限条項があるわけではないため、外部の人間がデータにアクセスすることができる。警察も含めて。

二〇一八年から、サクラメントの刑事たちは、黄金州の殺人鬼を探し求めてそうしたデータベースをあさりだした。ひょっとしたらその男は結構まぬけか大胆で、どれかのデータベースに自分のＤＮＡをアップロードしているかもしれないと。残念ながら、一致するものは見つからず、これも手詰まりのように見えた。ところが、さらに細かく調べてみたところ、いくつか非常に近いものが見つかった。そして、刑事たちが見つけたのは殺人犯の親戚であることがわかった。大きな手がかりだ。

この情報をもとに、警察は出生証明などの公的な記録から家系図を作成し、そのなかで一九七〇年代にサクラメントに住んでいた男性を探した。するとついに、元警察官のジョゼフ・ジェームズ・ディアンジェロに的が絞られ、それから数か月かけて、その男のDNAサンプルがふたつ、ひそかに採取できた。ひとつは彼の車のドアからだ。物に触るとたいてい皮膚の細胞がそこに残るのである。もうひとつは、家の前の道端にあるゴミ箱から回収したティッシュだった。DNAは殺人犯のものと完全に一致していたらしい。すべてを考え合わせると、実に見事な捜査だった。

それでも、遺伝子のプライバシーについては懸念が生じた。警察はきっと令状なしにディアンジェロのDNAを採取していただろう。それに、ディアンジェロの親戚は皆、自分の遺伝子データを利用する法執行上の許可を与えてはいない。確かに連続殺人犯の容疑者には同情しがたいものがあるが、この影響は決してひとつの事例にとどまらない。あなたの母親か、きょうだいか、行方知れずだったいとこ――会ったこともない人――が、自分のDNAをネットに載せたとしよう。すると、遺伝子の探偵があなたや家族を嗅ぎまわり、あなたの養子縁組や過去の情事を暴いたり、病気の罹りやすさを探ったりするかもしれない。嫌がらせ、脅迫、差別が現実に起こりうる。遺伝子検査がもっと一般的になれば、そうしたデータにアクセスできる者を制限する法律の登場も考えられる。いつの日か、DNAを使って秘密を暴くことが投獄の理由になるかもしれない。

刑事にとっても、遺伝子テクノロジーが普遍的なものになると、解決するのに劣らず多くの問題が生じることになるだろう。黄金州の殺人鬼のケースによれば、あなたの出すゴミはＤＮＡだらけで、ほとんどが皮膚の細胞のものだ。理論上、悪い科学者は、そんな皮膚の細胞を採取して培養し、プログラムしなおして、幹細胞に戻すことができる。それから幹細胞を、血液細胞や精子細胞など、身体のどんな種類の細胞にも転化させられる。ちょっとした生物の黒魔術で、いきなり、どこかの犯罪現場にだれかの体液を残せるようになるのだ。そうしてその人に濡れ衣を着せるか大きな疑いをかけるかすると、本当の殺人犯が捕まらなくなる。

遺伝子工学で、新しいタイプの卑劣な殺人も可能になりそうだ。一卵性双生児を除けば、人は皆、欠陥や脆弱さも含めて固有のＤＮＡをもっている。そこで利口な科学者が、公共の場に撒いてもただひとりの人間だけを狙って殺す、魔法の弾丸のようなウイルスを設計するかもしれない。

絶滅した生物をよみがえらせることもできるかもしれない。倫理的に気がかりな考えだ。マンモスを考えてみよう。シベリアにはマンモスの骨や毛皮がたくさんあり、寒冷な気候のためにマンモスのＤＮＡがかなりよく保存されている。マンモスのＤＮＡをゾウの受精卵のＤＮＡに接合し、その受精卵をゾウの子宮に着床させるとしよう。生まれる子は完全なマンモスではない。だがマンモスに近く、毛むくじゃらで、巻き上がった牙やいくつか主要な生理的特質をもっているのではないか。すると機能上、マンモスを絶滅からよみがえらせることは容易にできそうだ。

しかし、それはすべきことだろうか？　厚皮動物は群れを作る——とても賢く、とても社会的な動物だ。仲間がいないとつらい。もちろん、いずれは仲間となるマンモスの群れを作り上げることもできるだろう。しかし、最初のマンモスはずいぶん孤独で、ひどい一生を送るのではなかろうか。それもDNAの接合と編集がうまくいっての話だが、なかなかそうもいくまい。重い先天異常が生じたらどうするか？　実験のためにわれわれはどこまで事を進めようとするだろうか？

倫理的な反発は、ネアンデルタール人ではさらに強くなるだろう。一般大衆には野蛮と見なされているが、信頼できる考古学的証拠によれば、ネアンデルタール人はヒトとまったく同じぐらい賢かったらしい。頭蓋の大きさにもとづけば、彼らはわれわれより大きな脳をもっていた。彼らは芸術も作り出し、音楽を奏で、道具をこしらえ、死者を埋葬し、もしかしたら言語をもっていたかもしれない。ヒトとネアンデルタール人はかなり近い過去に交雑さえしていたので、遺伝的に結構近い。すると、マンモスとゾウのように、科学者がネアンデルタール人のDNAをヒトの受精卵に接合し、その受精卵をヒトの子宮に着床させることもできるのではないか。九か月後、四万年ぶりに地球上を実質的にネアンデルタール人が歩くことになるだろう。

だがネアンデルタール人は、マンモスよりもずっと、ヒトと同じぐらい高度に社会的だっただろう。ネアンデルタール人の子どもをヒトの社会で育てようとしても、ちゃんとなじむだろうか？　その子はずっと「仲間はずれ」のままかもしれない。このようによみがえらせることを犯罪と呼ぶのはあまり的確とは思えないし、理屈としては、存在するのは存在しないよりもいいとも言えないことはない。それでも、倫理的には控えめに言っても好ましくなく、まかりまちがえばいたずらに残酷になるだけだろう。

ここまで長々と語ってきた未来の犯罪は、ディストピアを運命づけているわけではない。こうした犯罪の可能性はどれも避けられないものではないのだ。われわれが、もちろん未来のテクノロジーの恩恵を、えてして大いに受けるということも、認める必要がある。病気をなくし、自分たちを重労働から解放し、新たな地平に目を開くなどのメリットがある。おまけに、科学技術は犯罪を解決し、防ぐこともできる。ＤＮＡテクノロジーは、迷宮入りの事件を解明する。あるいは人工衛星によって、考古学者が辺鄙な発掘現場を監視して遺物の略奪を防いだり、援助団体が人身売買や現代の奴隷労働を暴き出したりすることもできる。*

ここまで挙げた犯罪のいくつかは、正直に言えば、現実からかけ離れている（セックスロボットによる殺人?）。しかし、未来はきっと、いつでも遠目には奇想天外だろう。一九〇〇年のだれかに、今の人々は電子の箱を使って銀行から現金を盗んだり、元彼女の顔を裸の写真と合成してリベンジポルノをおこなったりすると言ったとしても、頭がおかしいと思われるはずだ。ところが、いまやそれは現実だ。もしかすると最悪の犯罪は、今のわれわれには想像もつかないものかもしれない。タイムトラベルによって、あるいはサイボーグの頭脳がスーパーコンピュータに侵入することによって、起こせそうな惨事を考えてみよう。

以上、ここでおおよそ描いた未来の犯罪が、あなたに何か考えるヒントになれば——そして役に立て

＊世界でなんと四〇〇〇万もの人々が現在、発展途上国で主に漁業や鉱業、レンガ製造といった産業の奴隷労働を強いられている。奴隷の収容所は、地上からは容易に見つけられないが、人工衛星の目からは隠れられない。そこで、ＡＩのアルゴリズムに収容所の特徴を学習させ、衛星写真をすばやく調べて位置を特定させることもできる。

ば——うれしい。人がいかにしてテクノロジーを悪用しうるかをじっくり考えることは、いつでも大事だ。あらゆる悪事を防ぐことはできないにしても、世界に新たな力を解き放つ者には、それがもたらしうるどんなリスクも軽減する道徳的義務がある、と私は言いたい。私が見逃している悪事の候補もきっとあるだろう。ほかに何か思いついたら、samkean.com/contactで教えてほしい。そしてなによりも、本書を読んでもらえたことに感謝したい……。

謝辞

本書で語った話がどれほど興味深くても、これは必ずしも書いていて楽しい本ではなかった。書き連ねるのにずいぶん苦痛もあった。そこで、少し時間をもらい、何世紀ものあいだに科学の目的のために——また科学のせいで——苦しみを味わった、あらゆる人々を記憶にとどめたい。科学がわれわれにたくさんのものを与えてくれたのはまちがいないし、科学者は全体として自分たちが残した業績に誇りをもつべきだ。しかし、科学はもっと良いことができるし、それをすべきで、その犠牲になった人々の話はもっと広く知られていい。

本の執筆には、著者よりもずっと多くの人の力が要る。本書も、たくさんの人の助けがなければ書き終えられなかった。私の不動のエージェント、リック・ブロードヘッドは、いつでも助言をくれた。編集者のフィル・マリノの巧みな提案は、原稿を見事に仕上げて輝かせた。ほかにもリズ・グラスマンやデリ・リード、マイケル・ヌーンなど、リトル・ブラウン社内外の何十人もの助けがあった。本書は、彼らなしにあなたの手に渡ってはいない。

家族や友人にも大いに感謝したい。両親のジーン（Jean）とジーン（Gene）は、いつでも私の最大のファンにして最高のセールスマンだ。ワシントンDCにいる男きょうだいのベンとそのパートナーのニコールは、パンデミックのさなかに屋上で一緒にビールを飲んで私の正気を保ってくれた。故郷のサウスダコタにいる女きょうだいのベッカと夫のジョンは、ボートの写真で私を羨ましがらせる一方、ペニーとハリーの写真でいつも私の気分を明るくしてくれている（ゴー・フライヤーズ！）。それに、ワシントンDCと世界じゅうにいる新旧の友人――君たちにまたもうじき会うのが待ちきれない。

前にも言ったように、一ページの数行で私の感謝の気持ちをすべて言い表すことなどできないし、だれかを挙げそこなっていたとしても、それは面目ないことだが、ずっと感謝している……。

訳者あとがき

科学は自然の真理を解き明かし、人の命を救い、暮らしを豊かにする——そう語られることが多い。たしかにそのとおりだ。これまでの歴史を振り返ると、人類は科学によってこの世界の現象や原理を知ることで進歩を遂げ、文明を築き上げてきた。

だが、一方で科学が人の命を奪い、人を支配するものを生み出してきたことも事実だ。しかしそのことをもって科学を悪と断じることはできない。科学はあくまで世界のからくりを説明する手だてであって、その結果人間の運命がどうなるかは、科学のコンセプトとは別問題なのだ。よく言われるように、それを利用するのは人間なのである。

もちろん、最初から邪悪な目的をもって科学を利用する人間もいる。だが、本書を読めばわかるように、多くの場合、ごくふつうの人間が結果的に科学を悪用している。では、ふつうの人間がどうして科学のダークサイド（闇の面）に墜ちてしまうのか？　それを明らかにすれば、科学の悪用が少しでも減らせ、科学への信頼を固めることができるかもしれない。本書はそのために、古今東西のさまざまな事例を読者に提示している。世界各地の動植物を調べるために、海賊に身をやつしたり奴隷貿易に手を貸したりした研究者。人体のしくみを知るために、墓泥棒を利用した解剖医。自分の事業を拡大するために、動物や人間の虐待に至ってしまった電気技術者（ほかならぬエジソンである）。新種の恐竜を見つける栄誉を競って、妨害し合った古生物学者。性感染症の研究のために、患者を治療しなかったり、あえて健康な人間に感染させたりした医師。仕事ができるという称賛を浴びたくて検査結果を捏造した薬物分析官。等々。

はたして、こうした事例はおおかた過去のものと片づけていいものだろうか？　もちろんそんなことはない。先ほど挙げた最後の事例が発覚したのは二〇一一年のことだ。また動物虐待については、そもそも動物実験の意味と必要性への疑問は本書でも論じられているとおりだが、二〇二二年には、かの有名なイーロン・マスクが立ち上げた脳インプラント企業ニューラリンクに対しても、動物実験の手法が動物福祉法に違反している可能性があるとして米国政府が調査に入っている。さらに、日本でもたとえば二〇〇〇年に、在野の考古学研究者が旧石器時代の遺跡にあらかじめ仕込んでおいた遺物を発掘していた「神の手」事件が発覚し、二〇一四年には、外的刺激によって細胞に分化能を獲得させたとする嘘の結果を発表したＳＴＡＰ細胞事件もあり、同じ年に高血圧治療薬の臨床研究で不正を働いたノバルティスファーマ社員が逮捕されている。ごく最近では、二〇二二年一一月にＪＡＸＡ（宇宙航空研究開発機構）が、宇宙でのストレスを予測するために募った一般参加者でおこなった長期閉鎖環境実験において、データの捏造や改竄があったと発表している。

理由は多々あるが、とくに善人こそが陥りやすい罠は、科学の崇高な目的のためには多少の犠牲もやむをえないという考えに至ってしまうことだろう。こうした科学と倫理の相克については、本書の第7章末尾で、試験において偽薬（プラセボ）を与える対照群の問題点に触れているが、新型コロナウイルス感染症（COVID-19）のワクチンでも、すでにある程度効果のあるワクチンが使われている状況で、新たなワクチンメーカーが実験で効能のないプラセボを与える対照群を設けることの問題点が指摘され、今は既存のワクチンとの比較が臨床実験でおこなわれている。
　残念なことに、今も枚挙にいとまがないほど科学の悪用は続いており、おそらくこれからも起こるだろう。近年は一般の人々のあいだで科学への不信が高まるような動きも見られ、フェイクニュースの拡散などがそれに拍車をかける状況にもなっている。さらに、ChatGPTなどのＡＩ（人工知能）による対話式文章生成ツールの登場で、論文捏造に利用される可能性や、未完成のＡＩ技術による誤情報が正しいと信じられてしまう懸念なども取りざたされている。そのような時代に、科学への信頼をどうすれば取り戻すことができるのかを議論することは、真に重要なことだろう。本書の結びと付録は、そのための有意義なヒントになるのではなかろうか。

　著者サム・キーンは、ワシントンＤＣ在住の気鋭のサイエンスライターで、初の著書『スプーンと元素周期表』（松井信彦訳、早川書房）が『ニューヨーク・タイムズ・ブックレビュー』のベストセラーリストに載ったのをはじめ、『にわかには信じられない遺伝子の不思議な物語』（大田直子訳、朝日新聞出版）、『空気と人類』（寒川均訳、白揚社）など、科学の魅力的なエピソードをちりばめて読者を楽しませるポピュラーサイエンスを次々と出版している。本書でもその才能が遺憾なく発揮されており、本来なら重いテーマなのに、読むうちにページを繰る手が止まらなくなる。サービス精神も満点で、本書に盛り込みきれなかった補足情報や追加図版を、以下のウェブサイトに公開しており、
https://samkean.com/books/the-icepick-surgeon/extras/notes/
https://samkean.com/books/the-icepick-surgeon/extras/photos/

ポッドキャスト https://samkean.com/podcast/ でもさまざまな話題を配信している（このポッドキャストはiTunesのサイエンスチャートで一位も獲得した）。

最後になったが、翻訳にあたって協力をいただいた今泉厚一さんと仁科夕子さんにお礼を申し上げる。また、柏書房の二宮恵一さんには、非常に訳しがいのある本書に出会わせてくださり、刊行までもろもろ配慮してくださったことに謝意を表したい。

二〇二三年四月

斉藤隆央

by Jim Romanoff, published March 10th, 2009, last accessed on November 28th, 2020, at https://www.scientificamerican.com/article/taste-changes-in-space/
"Why Deep-Learning AIs Are So Easy to Fool," in *Nature*, by Douglas Heaven, volume 574, issue 7777, pages 163-166, October 9th, 2010

Environments," in *Criminology*, by Claire Nee, Jean-Louis van Gelder, Marco Otte, Zarah Vernham, and Amy Meenaghan, volume 57, issue 3, pages 481–511, August 2019

"List of Sci-Fi Crimes That Will Become Possible by 2040: Future of Crime," from QuantumRun.com, published September 15th, 2020, last accessed on November 25th, 2020, at https://www.quantumrun.com/prediction/list-sci-fi-crimes-will-become-possible-2040-future-crime-p6

"Militarization, Measurement, and Murder in the High Arctic," in *Territory Beyond Terra* (Kimberley Peters, ed.), by Johanne Bruun and Philip Streinberg, Rowman & Littlefield, 2018

"A Multimillion-Dollar Criminal Crypto-Mining Ecosystem Has Been Uncovered," from *MIT Technology Review*, published March 25th, 2019, last accessed on November 24th, 2020, at technologyreview.com/s/613163/a-multi-million-dollar-criminal-crypto-mining-ecosystem-has-been-uncovered/

"Phantom of the ADAS: Phantom Attacks on Driver-Assistance Systems," from *The International Association for Cryptologic Research*, by Ben Nassi, Dudi Nassi, Raz Ben-Netanel, Yisroel Mirsky, Oleg Drokin, and Yuval Elovici, published January 28th, 2020, last accessed on November 28th, 2020, at https://eprint.iacr.org/2020/085.pdf

"Psychology in Deep Space" in *The Psychologist*, by Nick Kanas, volume 28, number 10, pages 804–807, October 2015

"The Self-Appointed Spies Who Use Google Earth to Sniff Out Nukes," in *The Atlantic*, by Amy Zegart, published December 6th, 2019, last accessed on November 28th, 2020, at https://www.theatlantic.com/ideas/archive/2019/12/new-nuclear-sleuths/602878/

"Someday, Someone Will Commit a Major Crime in Space," in Slate, by Jane C. Hu, published August 28th, 2019, last accessed on November 25th, 2020, at https://slate.com/technology/2019/08/space-crime-legal-system-international-space-station.html

"State Jurisdiction over Ice Island T-3: The Escamilla Case," in *Arctic*, by Donat Pharand, volume 24, issue 2, pages 81–152, June 1971

"True Crime: Murder on an Arctic Ice Floe," from *Mental Floss*, by Kara Kovalchik, published July 22nd, 2010, last accessed on November 28th, 2020, at https://www.mentalfloss.com/article/25261/true-crime-murder-arctic-ice-floe

"Vodka-Fueled Stabbing at Russian Antarctic Station: Here's What Psychologists Think Happened," in *Russia Today*, published November 2nd, 2018, last accessed on November 27th, 2020, at https://www.rt.com/news/442998-antarctic-stabbing-spoilers-vodka/

"What Life on Mars Will Be Like?" from *Slate*, by Taylor Mahlandt, published July 10th, 2019, last accessed on November 28th, 2020, at https://slate.com/technology/2019/07/robert-zubrin-mars-settlement-societies-community-government.html

"When It Comes to Living in Space, It's a Matter of Taste," from *Scientific American*, by Marina Koren, December 15th, 2017, last accessed on November 24th, 2020, at theatlantic.com/science/archive/2017/12/astronaut-food-international-space-station/548255/

"FBI Agents To Visit Antarctica In Rare Investigation Of Assault," in *The Spokane Spokesman-Review*, by Peter James Spielmann, published October 14th, 1996, last accessed on November 27th, 2020, at https://www.spokesman.com/stories/1996/oct/14/fbi-agents-to-visit-antarctica-in-rare/

"A First Look at the Crypto-Mining Malware Ecosystem: A Decade of Unrestricted Wealth," from arXiv.org, by Sergio Pastrana and Guillermo Suarez-Tangil, published on September 25th, 2019, last accessed on November 24th, 2020, at https://arxiv.org/pdf/1901.00846.pdf

"Former Astronaut Lisa Nowak's Navy Career Is Over," from Space.com, published August 20th, 2010, last accessed on November 28th, 2020, at https://www.space.com/8990-astronaut-lisa-nowak-navy-career.html

"The Great NASA Bake-Off," from *The Atlantic*, by Marina Koren, published August 3rd, 2019, last accessed on November 25th, 2020, at https://www.theatlantic.com/science/archive/2019/08/cookies-in-space/595396/

"History Lessons for Space," in *Slate*, by Russell Shorto, published, July 4th, 2010, last accessed on November 25th, 2020, at https://slate.com/technology/2019/07/manhattan-new-amsterdam-history-settling-space.html

"History of Space Medicine: A North American Perspective," in *Proceedings of the 10th Annual History of Medicine Days* (W.A. Whitelaw, ed.), by Nishi Rawat, Faculty of Medicine, The University of Calgary, 2001

The Horizontal Everest: Extreme Journeys on Ellesmere Island, by Jerry Kobalenko, Soho Press, 2002

"Houston, We Have a Bake-Off ! We Finally Know What Happens When You Bake Cookies in Space," from Space.com, by Chelsea Gohd, published January 24th, 2020, last accessed on November 28th, 2020, at https://www.space.com/first-space-cookies-final-baking-results-aroma.html

"How Weird Is It That a Company Lost Hundreds of Millions in Cryptocurrency Because Its CEO Died?" in *Slate*, by Aaron Mak, published December 18th, 2019, last accessed on November 28th, 2020, at https://slate.com/technology/2019/12/quadriga-gerald-cotten-death-cryptocurrency.html

"How Will People Behave in Deep Space Disasters?" in *Slate*, by Amanda Ripley, published May 25th, 2019, last accessed on November 25th, 2020, at slate.com/technology/2019/05/space-disasters-human-response-nasa-mars-moon.html

"How Will Police Solve Murders on Mars?" from *The Atlantic*, by Geoff Manaugh, published September 14th, 2018, last accessed on November 28th, 2020, at https://www.theatlantic.com/science/archive/2018/09/mars-pd/569668/

The Intelligence Trap: Why Smart People Make Dumb Mistakes, by David Robson, W.W. Norton, 2019［邦訳：『The Intelligence Trap: なぜ、賢い人ほど愚かな決断を下すのか』（土方奈美訳、日経BP日本経済新聞出版本部）］

"Learning on the Job: Studying Expertise in Residential Burglars Using Virtual

結び

"Fourteen Psychological Forces That Make Good People Do Bad Things," by Travis Bradberry, last accessed November 19th, 2020, at http://huffpost.com/entry/14-psychological-forces-t_b_9752132

"The Science of Why Good People Do Bad Things," from PsychologyToday.com, by Ronald E. Riggio, last accessed November 19th, 2020, at http://psychologytoday.com/us/blog/cutting-edge-leadership/201411/the-science-why-good-people-do-bad-things

"Signing at the Beginning Makes Ethics Salient and Decreases Dishonest Self-Reports in Comparison to Signing at the End," in The *Proceedings of the National Academy of Sciences*, by Lisa L. Shu, Nina Mazar, Francesca Gino, Dan Ariely, and Max H. Bazerman, volume 109, issue 108, pages 15197–15200, September 18, 2012

"Why Do Good People Do Bad Things?", from Ethics Alliance, by Daniel Effron, August 14th, 2018, last accessed November 19th, 2020, at https://ethics.org.au/good-people-bad-deeds/

"Why Ethical People Make Unethical Choices," in Harvard Business Review, by Ron Carucci, December 16th, 2016, last accessed November 19th, 2020, at https://hbr.org/2016/12/why-ethical-people-make-unethical-choices

付録——未来の犯罪

"Adversarial Attacks on Medical AI: A Health Policy Challenge," in *Science*, by Samuel G. Finlayson, John D. Bowers, Joichi Ito, Jonathan L. Zittrain, Andrew L. Beam, Isaac S. Kohane, volume 363, issue 6433, pages 1287–1289, March 22nd, 2019

"Can the U.S. Annex the Moon?" in *Slate*, by Christopher Mellon and Yuliya Panfil, published July 8th, 2019, last accessed on November 24th, 2020, at slate.com/technology/2019/07/un-outer-space-treaty-1967-allowed-property.html

"A Complete Guide to Cooking in Space," from Gizmodo.com, by Ria Misra, published April 24th, 2014, last accessed on November 24th, 2020, at io9.gizmodo.com/what-happens-when-you-cook-french-fries-in-space-1566973977

"Crime: Moon Court," transcript from Flash Forward, by Rose Eveleth, published September 10th, 2019, last accessed on November 28th, 2020, at https://www.flashforwardpod.com/2019/09/10/crime-moon-court/

"Did Astronaut Lisa Nowak, Love Triangle Attacker, Wear A Diaper?" from ABCNews.com, by Eric M. Strauss, published February 16th, 2011, last accessed on November 28th, 2020, at https://abcnews.go.com/TheLaw/astronaut-love-triangle-attacker-lisa-nowak-wear-diaper/story?id=12932069

"Do Some Surgical Implants Do More Harm Than Good?" in *The New Yorker*, by Jerome Groopman, April 20th, 2020, last accessed on November 28th, 2020, at newyorker.com/magazine/2020/04/20/do-some-surgical-implants-do-more-harm-than-good

"Everything You Never Thought to Ask About Astronaut Food," from *The Atlantic*,

Annie Dookhan at the Hinton Drug Laboratory: Final Report to Governor Deval Patrick," by David E. Meier, Special Counsel to the Governor's Office, August 2013
"Interview Summary of Annie Dookhan," Massachusetts state police reports, last accessed on November 22nd, 2020, at http://www.documentcloud.org/documents/700555-dookhan-interviews-all.html
"Into the Rabbit-Hole: Annie Dookhan Confronts Melendez-Diaz," in *New England Journal on Criminal & Civil Confinement*, by Anthony Del Signore, volume 40, issue 1, 161–190, Winter 2014
"Investigation of the Drug Laboratory at the William A. Hinton State Laboratory Institute, 2002–2012," from the office of Glenn A. Cunha, Inspector General, Office of the Inspector General, Commonwealth of Massachusetts, March 4th, 2014
"Melendez-Diaz, One Year Later," in *The Boston Bar Journal*, by Martin F. Murphy and Marian T. Ryan, volume 54, issue 4, Fall 2010
"The National Academy of Sciences Report on Forensic Sciences: What It Means for the Bench and Bar," in *Jurimetrics*, by Harry T. Edwards, volume 51, issue 1, pages 1-15, Fall 2010
"Scientific Integrity in the Forensic Sciences: Consumerism, Conflicts of Interest, and Transparency," in *Science & Justice*, by Nicholas V. Passalacqua, Marin A. Pilloud, and William R. Belcher, volume 59, issue 5, pages 573–579, September 2019
"Surrogate Testimony After Williams: A New Answer to the Question of Who May Testify Regarding the Contents of a Laboratory Report," in *Indiana Law Journal*, by Jennifer Alberts, volume 90, issue 1, Winter 2015
"Throwing out Junk Science: How a New Rule of Evidence Could Protect a Criminal Defendant's Right to Confront Forensic Scientists," in *Journal of Law and Policy*, by Michael Luongo, volume 27, issue 1, pages 221-256, Fall 2018
"Trial by Fire," in *The New Yorker*, by David Grann, September 7th, 2009, last accessed November 22nd, 2020, at https://www.newyorker.com/magazine/2009/09/07/trial-by-fire
"Two More Problems and Too Little Money: Can Congress Truly Reform Forensic Science?," in *Minnesota Journal of Law, Science, and Technology*, by Eric Maloney, volume 14, issue 2, pages 923–949, 2013
"What a Massive Database of Retracted Papers Reveals about Science Publishing's 'Death Penalty,'" from *Science*, by Jeffrey Brainard and Jia You, published October 25th, 2018, last accessed on November 23rd, 2020, at https://www.sciencemag.org/news/2018/10/what-massive-database-retracted-papers-reveals-about-science-publishing-s-death-penalty
"With More Work, Less Time, Dookhan's Tests Got Faster," from WBUR, by Chris Amico, last accessed November 22nd, 2020, at badchemistry.legacy.wbur.org/2013/05/15/annie-dookhan-drug-testing-productivity

Betrayers of Truth: Fraud and Deceit in the Halls of Science, by William Broad and Nicholas Wade, Century, 1983［邦訳：『背信の科学者たち：論文捏造はなぜ繰り返されるのか？』（牧野賢治訳、講談社）］

"Chemist Built Up Ties to Prosecutors," in *The Boston Globe*, by Andrea Estes and Scott Allen, December 21st, 2012, page A1

"The Chemists and the Cover-Up," in Reason, by Shawn Musgrave, March 2019 issue, last accessed November 22nd, 2020, at https://reason.com/2019/02/09/the-chemists-and-the-cover-up/

"Confrontation at the Supreme Court," in *The Texas Journal on Civil Liberties & Civil Rights*, by Olivia B. Luckett, volume 21, issue 2, pages 219–243, Spring 2016

"Confronting Science: Melendez-Diaz and the Confrontation Clause of the Sixth Amendment," in *The FBI Law Enforcement Bulletin*, by Craig C. King, volume 79, issue 8, pages 24–32, August 2010

"Crime labs under the microscope after a string of shoddy, suspect and fraudulent results," in *The America Bar Association Journal*, by Mark Hansen, September 6, 2013, last accessed on November 22nd, 2020, at https://www.abajournal.com/news/article/crime_labs_under_the_microscope_after_a_string_of_shoddy_suspect

Criminal Genius: A Portrait of High-IQ Offenders, by James C. Oleson, University of California Press, 2016

"The Final Tally Is In: Cases in Annie Dookhan Drug Lab Scandal Set for Dismissal, County by County," from MassLive.com, by Gintautas Dumcius, April 19th, 2017, last accessed November 22nd, 2020, at https://www.masslive.com/news/2017/04/the_final_tally_is_in_cases_in.html

"Forensics in Crisis," in *Chemistry World*, by Rebecca Trager, June 15th, 2018, last accessed November 22nd, 2020, at https://www.chemistryworld.com/features/forensics-in-crisis/3009117.article

"Former State Chemist Arrested in Drug Scandal," in *The Boston Globe*, by Milton J. Valencia and John R. Ellement, September 29th, 2012, page A1

"Hard Questions after Litany of Forensic Failures at U.S. Labs," in *Chemistry World*, by Rebecca Trager, December 1st, 2014, last accessed November 22nd, 2020, chemistryworld.com/news/hard-questions-after-litany-of-forensic-failures-at-us-labs/8030.article

"How a Chemist Dodged Lab Protocols," in *The Boston Globe*, by Kay Lazar, September 30th, 2012, page A1

"How Forensic Lab Techniques Work," from HowStuffWorks.com, by Stephanie Watson, last accessed on November 23rd, 2020, at science.howstuffworks.com/forensic-lab-technique2.htm

"I Messed Up Bad: Lesson on the Confrontation Clause from the Annie Dookhan Scandal," in *Arizona Law Review*, by Sean K. Driscoll, volume 56, issue 3, pages 707–740, 2014

"Identification of Individuals Potentially Affected by the Alleged Conduct of Chemist

entertainment/books/2000/04/30/body-politics/4d3e07d3-0d74-488d-929d-b2b5f2b3d98d/
"The Contributions of John Money: A Personal View," in *The Journal of Sex Research*, by Vern L. Bullough, volume 40, issue 3, pages 230–236, August 2003
"David and Goliath: Nature Needs Nurture," chapter six of *A First Person History of Pediatric Psychoendocrinology*, by John Money, Springer 2002
"David Reimer's Legacy: Limiting Parental Discretion," in *Cardozo Journal of Law & Gender*, by Hazel Glenn Beh and Milton Diamond, volume 12, issue 1, pages 5–30, 2005
"The Five Sexes, Revisited," in *Sciences*, by Anne Fausto-Sterling, volume 40, issue 4, pages 18–23, July-August 2000
"Gender Gap," in Slate, by John Colapinto, published June 3rd, 2004, last accessed on November 23rd, 2020, at slate.com/technology/2004/06/why-did-david-reimer-commit-suicide.html
"Intersexuality and the Categories of Sex," in *Hypatia*, by Georgia Warnke, volume 16, issue 3, pages 126–137, Summer 2001
"Intersexuals Struggle to Find Their Identity," in *The Bergen County Record*, by Ruth Padawer, July 25th, 2004, page A1
The Man Who Invented Gender: Engaging the Ideas of John Money, by Terry Goldie, UBC Press, 2014
"Sex Reassignment at Birth: Long-term Review and Clinical Implications," in *Archives of Pediatric Adolescent Medicine*, by Milton Diamond and Keith H. Sigmundson, volume 151, issue 3, pages 298–304, March 1997
"The Sexes: Biological Imperatives," in *Time*, page 34, Monday, January 8th, 1973
"Sexual Identity, Monozygotic Twins Reared in Discordant Sex Roles and a BBC Follow-Up," in *Archives of Sexual Behavior*, by Milton Diamond, volume 11, issue 2, pages 181–185
"'An Unnamed Blank That Craved a Name': A Genealogy of Intersex as Gender," in *Signs [Sex: A Thematic Issue]*, by David A. Rubin, volume 37, issue 4, pages 883–908, Summer 2012
"What Did it Mean To Be a Castrato?", from Gizmodo.com, by Esther Inglis-Arkell, September 24th, 2015, last accessed on November 23rd, 2020, at io9.gizmodo.com/what-did-it-mean-to-be-a-castrato-1732742399

12：いかさま――スーパーウーマン

"21,500 Cases Dismissed due to Forensic Chemist's Misconduct," in *Chemistry World*, by Rebecca Trager, April 25th, 2017, last accessed November 22nd, 2020, at /www.chemistryworld.com/news/21500-cases-dismissed-due-to-forensic-chemists-misconduct/3007173.article
"Annie Dookhan Pursued Renown along a Path of Lies," in *The Boston Globe*, by Sally Jacobs, February 3rd, 2013, last accessed November 22nd, 2020, at https://www.bostonglobe.com/metro/2013/02/03/chasing-renown-path-paved-with-lies/Axw3AxwmD33lRwXatSvMCL/story.html

"Project MK-ULTRA, The CIA's Program Of Research In Behavioral Modification," Joint Hearing Before the Select Committee on Intelligence and the Subcommittee on Health and Scientific Research of the Committee on Human Resources, United States Senate, 95th Congress, First Session, August 3rd, 1977, U.S. Government Printing Office, 1977, 052-070-04357-1

"Reading the Wounds," in *Search*, by Jina Moore, November/December 2008, pages 26–33

The Science of Evil: The Science of Evil: On Empathy and the Origins of Cruelty, by Simon Baron-Cohen, Basic, 2012

The Search for the Manchurian Candidate, The CIA and Mind Control, by John Marks, W. W. Norton, 1991

"A Severed Head, Two Cops, and the Radical Future of Interrogation," from *Wired*, by Robert Kolker, last accessed on November 22nd, 2020, at https://www.wired.com/2016/05/how-to-interrogate-suspects/

"Soviet Psychiatry in the Cold War Era: Uses and Abuses," in *Proceedings of the 10th Annual History of Medicine Days* (W.A. Whitelaw, ed.), by Nathan Kolla, Faculty of Medicine, The University of Calgary, 2001, pages 254-258

"Studies of Stressful Interpersonal Disputations," in *American Psychologist*, by Henry A. Murray, volume 18, issue 1, pages 28–36, 1963

"Toward a Science of Torture?" in *Texas Law Review*, by Gregg Bloche, volume 95, issue 6, pages 1329–1355, 2017

"The Trouble with Harry," in *The American Scholar*, by Paul Roazen, volume 62, issue 2, pages 306, 308, 310-312, Spring 1993

"The World of Soviet Psychology," in *The New York Times Magazine*, by Walter Reich, January 30th, 1983, last accessed on November 22nd, 2020, at www.nytimes.com/1983/01/30/magazine/the-world-of-soviet-psychiatry.html

11：不正——性、権力、マネー

"Ablatio penis: Normal Male Infant Sex-Reassigned as a Girl," in *Archives of Sexual Behavior*, by John Money, volume 4, issue 1, 65–71, 1975

"Am I My Brain or My Genitals? A Nature-Culture Controversy in the Hermaphrodite Debate from the mid-1960s to the late 1990s," in *Gesnerus*, by Cynthia Kraus, volume 68, issue 1, pages 80–106, 2011

"Are hormones a 'female problem' for animal research?," in *Science*, by Rebecca M. Shansky, volume 364, issue 6443, pages 823–826, May 31st, 2019

As Nature Made Him: The Boy Who Was Raised As A Girl, by John Colapinto, Harper Perennial, 2006［邦訳：『ブレンダと呼ばれた少年：性が歪められた時、何が起きたのか』（村井智之、扶桑社）］

"The Biopolitical Birth of Gender: Social Control, Hermaphroditism, and the New Sexual Apparatus," in *Alternatives: Global, Local, Political: Biopolitics beyond Foucault*, by Jemima Repo, volume 38, issue 3, pages 228–244, August 2013

"Body Politics," in *The Washington Post*, by Chris Bull, April 30th, 2000 last accessed on November 23rd, 2020, at https://www.washingtonpost.com/archive/

"Buying a Piece of Anthropology: Part Two: The CIA and Our Tortured Past," in Anthropology Today, by David H. Price, volume 23, issue 5, pages 17–22, October 2007

"Comparing Soviet and Chinese Political Psychiatry," in *The Journal of the American Academy of Psychiatry and the Law*, by Robert van Voren, volume 30, issue 1, pages 131–135, 2002

Criminal Genius: A Portrait of High-IQ Offenders, by James C. Oleson, University of California Press, 2016

Every Last Tie: The Story of the Unabomber and His Family, by David Kaczynski, Duke University Press, 2016

"Forensic Linguistics, the Unabomber, and the Etymological Fallacy," from Language Log, by Benjamin Zimmer, January 14th, 2006, last accessed on November 22nd, 2020, at itre.cis.upenn.edu/~myl/languagelog/archives/002762.html

Harvard and the Unabomber: The Education of an American Terrorist, by Alston Chase, W.W. Norton, 2003

"Henry A. Murray: Brief life of a personality psychologist: 1893-1988," in *Harvard Magazine*, by Marshall J. Getz, March-April 2014

"Henry A. Murray: The Making of a Psychologist?" in *American Psychologist*, by Rodney G. Triplet, volume 47, issue 2, pages 299–307, February 1992

"Henry A. Murray's Early Career: A Psychobiographical Exploration," in *Journal of Personality*, by James William Anderson, volume 56, issue 1, March 1998

Hunting the Unabomber: The FBI, Ted Kaczynski, and the Capture of America's Most Notorious Domestic Terrorist, by Lis Wiehl and Lisa Pulitzer, Thomas Nelson, 2020

"Origins of the Psychological Profiling of Political Leaders: The US Office of Strategic Services and Adolf Hitler," in *Intelligence and National Security*, by Stephen Benedict Dyson, volume 29, issue 5, 654–674, 2014

"Political Abuse of Psychiatry — An Historical Overview," in *Schizophrenia Bulletin*, by Robert van Voren, volume 36, issue 1, pages 33–35, 2010

"Political Abuse of Psychiatry in Authoritarian Systems," in *Irish Journal of Psychological Medicine*, by J. P. Tobin, volume 30, pages 97–102, 2013

"Political Abuse of Psychiatry in the Soviet Union and in China: Complexities and Controversies," in *The Journal of the American Academy of Psychiatry and the Law*, by Richard J. Bonnie, volume 30, issue 1, pages 136–144, 2002

"Political Abuse of Psychiatry with a Special Focus on the USSR," in *The Bulletin of the Royal College of Psychiatrists*, by James Finlayson, volume 11, issue 4, pages 144 – 145, April 1987

"Portrait: Henry A. Murray," in *The American Scholar*, by Hiram Haydn, volume 39, issue 1, pages 123–136, Winter 1969–70

"Prisoner of Rage: From a Child of Promise to the Unabom Suspect," in *The New York Times*, by Robert D. McFadden, May 26, 1996, last accessed November 22nd, 2020, at nytimes.com/1996/05/26/us/prisoner-of-rage-a-special-report-from-a-child-of-promise-to-the-unabom-suspect.html

Racial Hygiene: Medicine under the Nazis, by Robert N. Proctor, Harvard University Press, 1990

Red Spies in America: Stolen Secrets and the Dawn of the Cold War, by Katherine A.S. Sibley, University Press of Kansas, 2004

"Rethinking Lysenko's Legacy," in *Science*, by Maurizio Meloni, volume 352, issue 6284, page 421

"Russia's New Lysenkoism," in *Current Biology*, by Edouard I. Kolchinsky, Ulrich Kutschera, Uwe Hossfeld, and Georgy S. Levit, volume 27, issue 19, pages R1042–R1047, October 9th, 2017

"Soviet Atomic Espionage," Joint Committee on Atomic Energy, hearings on Soviet Atomic Energy, April 1951, Printed for the use of the Joint Committee on Atomic Energy, Government Printing Office, last accessed on November 21st, 2020, at https://archive.org/stream/sovietatomicespi1951unit/sovietatomicespi1951unit_djvu.txt

"The Soviet Union's Scientific Marvels Came from Prisons," from *The Atlantic*, by Marina Koren, published May 5th, 2017, last accessed on November 28th, 2020, at https://www.theatlantic.com/science/archive/2017/05/soviet-science-stalin/525576/

The Spy Who Changed The World, by Mike Rossiter, Headline, 2015

Stalin and the Bomb: Soviet Union and Atomic Energy, 1939-56, by David Holloway, Yale University Press, 1994［邦訳：『スターリンと原爆』（川上洸・松本幸重訳、大月書店）］

"Stalin's War on Genetics," in *Nature*, by Jan Witkowski, volume 454, issue 7204, pages 577–579, July 31st, 2008

"Testimony of Harry Gold," from the Department of Justice, Office of the U.S. Attorney for the Southern Judicial District of New York, last accessed on November 22nd, 2020, at https://catalog.archives.gov/id/2538330

Venona: Decoding Soviet Espionage in America, by John Earl Haynes and Harvey Klehr, Yale University Press, 2000［邦訳：『ヴェノナ：解読されたソ連の暗号とスパイ活動』（山添博史・佐々木太郎・金自成訳、扶桑社）

The Venona Secrets: The Definitive Exposé of Soviet Espionage in America, by Herbert Romerstein and Eric Breindel, Regnery History, 2014

10：拷問――白鯨

The Big Test: The Secret History of the American Meritocracy, by Nicholas Lemann, 2000, Farrar, Straus, and Giroux［邦訳：『ビッグ・テスト：アメリカの大学入試制度：知的エリート階級はいかにつくられたか』（久野温穏訳、早川書房）］

Blood & Ivy: The 1849 Murder That Scandalized Harvard, by Paul Collins, W.W. Norton, 2018

"Buying a Piece of Anthropology: Part One: Human Ecology and unwitting anthropological research for the CIA," in *Anthropology Today*, by David H. Price, volume 23, issue 3, pages 8–13, June 2007

1986
The Great Pretender: The Undercover Mission That Changed Our Understanding of Madness, by Susannah Cahalan, Grand Central Publishing, 2019［邦訳：『なりすまし：正気と狂気を揺るがす、精神病院潜入実験』（宮﨑真紀訳、亜紀書房）］
The Lobotomist: A Maverick Medical Genius and His Tragic Quest to Rid the World of Mental Illness, by Jack El-Hai, Wiley, 2007［邦訳：『ロボトミスト：3400回ロボトミー手術を行った医師の栄光と失墜』（岩坂彰訳、ランダムハウス講談社）］
An Odd Kind of Fame: Stories of Phineas Gage, by Malcolm Macmillan, The MIT Press, 2000
"The Operation of Last Resort," *The Saturday Evening Post*, by Irving Wallace, October 20, 1951, pages 24–25, 80, 83–84, 89–90, 92, 94–95
Ten Drugs: How Plants, Powders, and Pills Have Shaped the History of Medicine, by Thomas Hager, Harry N. Abrams, 2019［邦訳：『歴史を変えた10の薬』（久保美代子訳、すばる舎）］

9：スパイ行為——バラエティショーの芸人

Bombshell: The Secret Story of America's Unknown Atomic Spy Conspiracy, by Joseph Albright and Marcia Kunstel, Times Books, 1997
The Brother: The Untold Story of the Rosenberg Case, by Sam Roberts, Simon & Schuster, 2014
Cannibalism: A perfectly natural history, by Bill Schutt, Algonquin, 2017［邦訳：『共食いの博物誌：動物から人間まで』（藤井美佐子訳、太田出版）］
Dark Sun: The Making of the Hydrogen Bomb, by Richard Rhodes, Simon & Schuster, 1996［邦訳：『原爆から水爆へ：東西冷戦の知られざる内幕』（小沢千重子・神沼二真訳、紀伊國屋書店）］
"Extracts From Testimony Given by Harry Gold at Spy Trial," in *The New York Times*, March 16, 1951, page 9
The FBI-KGB War: A Special Agent's Story, by Robert J. Lamphere, Random House, 1986
Food and Famine in the 21st Century, by William A. Dando, ABC-CLIO, 2012
"Harry Gold: Spy in the Lab," in Distillations, by Sam Kean, last accessed November 22, 2020, at https://www.sciencehistory.org/distillations/harry-gold-spy-in-the-lab
Hungry Ghosts: Mao's Secret Famine, by Jasper Becker, 2013［邦訳：『餓鬼（ハングリー・ゴースト）：秘密にされた毛沢東中国の飢饉』（川勝貴美訳、中公文庫）］
Invisible Harry Gold: The Man Who Gave the Soviets the Atom Bomb, by Allen M. Hornblum, Yale University Press, 2010
Klaus Fuchs, Atom Spy, by Robert Chadwell Williams, Harvard University Press, 1987
"Lysenko Rising," in *Current Biology*, by Florian Maderspacher, volume 20, issue 19, pages R835–R836, October 12th, 2010
Lysenko's Ghost: Epigenetics and Russia, by Loren Graham, Harvard University Press, 2016

obituaries/20030212cutler0212p3.asp
"On the Philosophical and Historical Implications of the Infamous Tuskegee Syphilis Trials," in *Proceedings of the 11th Annual History of Medicine Days* (W.A. Whitelaw, ed.), by Tomas Jiminez, Faculty of Medicine, The University of Calgary, 2002
Operation Paperclip: The Secret Intelligence Program that Brought Nazi Scientists to America, by Annie Jacobsen, Back Bay Books, 2015［邦訳：『ナチ科学者を獲得せよ!：アメリカ極秘国家プロジェクトペーパークリップ作戦』（加藤万里子訳、太田出版）］
Racial Hygiene: Medicine under the Nazis, by Robert N. Proctor, Harvard University Press, 1990
"Reflections on the Inoculation Syphilis Studies in Guatemala," Agents of Change podcast, from Lehman University, transcript last accessed on November 21st, 2020, at http://wp.lehman.edu/lehman-today/reflections-on-the-inoculation-syphilis-studies-in-guatemala/
"Results of Death-Camp Experiments: Should They Be Used? All 14 Counterarguments," from PBS NOVA, last accessed on November 21st, 2020, at https://www.pbs.org/wgbh/nova/holocaust/experifull.html
The Science of Evil: On Empathy and the Origins of Cruelty, by Simon Baron-Cohen, Basic Books, 2012
"Thirty Neurological Eponyms Associated with the Nazi Era," in *European Neurology*, by Daniel Kondziella, volume 62, issue 1, pages 56–64, 2009
"The Treatment of Shock from Prolonged Exposure to Cold, Especially in Water," from Allied Forces, Supreme Headquarters, Combined Intelligence Objectives, by Leo Alexander, last accessed on November 21st, 2020, at https://collections.nlm.nih.gov/catalog/nlm:nlmuid-101708929-bk
"The Victims of Unethical Human Experiments and Coerced Research under National Socialism," in Endeavour, by Paul Weindling, Anna von Villiez, Aleksandra Loewenau, Nichola Farron, volume 40, issue 1, 2015
"Why Did So Many German Doctors Join the Nazi Party Early?", in *International Journal of Law and Psychiatry*, by Omar S. Haque, Julian De Freitas, Ivana Viani, Bradley Niederschulte, Harold J. Bursztajn, volume 35, issues 5–6, pages 473–479, 2012
"WHO's malaria vaccine study represents a 'serious breach of international ethical standards,'" in *The British Medical Journal*, by Peter Doshi, volume 268, pages 734–735

８：功名心――心の手術

"Fighting the Legend of the 'Lobotomobile,'" by Jack El-Hai, from Wonders & Marvels, last accessed on November 21st, 2020, at https://www.wondersandmarvels.com/2016/03/fighting-the-legend-of-the-lobotomobile.html
Great and Desperate Cures: The Rise and Decline of Psychosurgery and Other Radical Treatments for Mental Illness, by Elliot S. Valenstein, Basic Books,

"Ethical Failures and History Lessons: The U.S. Public Health Service Research Studies in Tuskegee and Guatemala," in *Public Health Reviews*, by Susan M. Reverby, volume 34, issue 13, 2012
"The Ethical Use of Unethical Human Research," by Jonathan Steinberg, last accessed on November 21st, 2020, at http://www.bioethics.as.nyu.edu/docs/IO/30171/Steinberg.HumanResearch.pdf
"'Ethically Impossible': STD Research in Guatemala from 1946 to 1948," from The Presidential Commission for the Study of Bioethical Issues, September 2011, last accessed on November 21st, 2020, at https://bioethicsarchive.georgetown.edu/pcsbi/node/654.html
"Ethically Sound: Ethically Impossible," the Ethically Sound podcast, from the Presidential Commission for the Study of Bioethical Issues, last accessed on November 21st, 2020, at https://bioethicsarchive.georgetown.edu/pcsbi/node/5896.html
Examining Tuskegee: The Infamous Syphilis Study and Its Legacy, by Susan M. Reverby, University of North Carolina Press, 2013
"Exposed: US Doctors Secretly Infected Hundreds of Guatemalans with Syphilis in the 1940s," from Democracy Now, last accessed on November 21st, 2020, at https://www.democracynow.org/2010/10/5/exposed_us_doctors_secretly_infected_hundreds
"The Guatemala Experiments," in *Pacific Standard Magazine*, by Mike Mariani, last accessed November 21st, 2020, at https://psmag.com/news/the-guatemala-experiments
The Knife Man: Blood, Body Snatching, and the Birth of Modern Surgery, by Wendy Moore, Crown, 2006［邦訳：『解剖医ジョン・ハンターの数奇な生涯』(矢野真千子訳、河出文庫)］
"Linking Groupthink to Unethical Behavior in Organizations," in *Journal of Business Ethics*, by Ronald R. Sims, volume 11, pages 651–662, 1992
"Nazi Medical Experimentation: The Ethics Of Using Medical Data From Nazi Experiments," in *The Journal of Halacha and Contemporary Society*, by Baruch Cohen, Spring 1990, issue 19, pp. 103–26
"Nazi Hypothermia Research: Should the Data Be Used?", *Military Medical Ethics*, Volume 2, by Robert S. Pozos, last accessed on November 21st, 2020, at https://ke.army.mil/bordeninstitute/published_volumes/ethicsVol2/Ethics-ch-15.pdf
Neurotribes: The Legacy of Autism and the Future of Neurodiversity, by Steve Silberman, Avery 2016［邦訳：『自閉症の世界：多様性に満ちた内面の真実』(正高信男・入口真夕子訳、講談社ブルーバックス)］
"'Normal Exposure' and Inoculation Syphilis: A PHS "Tuskegee" Doctor in Guatemala, 1946–1948," in *Journal of Policy History*, by Susan Reverby, volume 23, issue 1, 2011, pages 6–28
"Obituary: John Charles Cutler / Pioneer in preventing sexual diseases," in *The Pittsburgh Post-Gazette*, by Jan Ackerman, February 12th, 2003, last accessed on November 21st, 2020, at https://old.post-gazette.com/

Brinkman, volume 43, issue 2, pages 305–320, 2016
"Empire and Extinction: The Dinosaur as a Metaphor for Dominance in Prehistoric Nature," in *Leonardo*, by Paul Semonin, volume 30, issue 3, pages 171–182, 1997
The Gilded Dinosaur: The Fossil War Between E.D. Cope and O.C. Marsh and the Rise of American Science, by Mark Jaffe, Crown, 2000
The Great Dinosaur Hunters and Their Discoveries, by Edwin H. Colbert, Dover, 1984
"Marsh Hurles Azoic Facts at Cope," in *New York Herald*, by William Hosea Ballou, January 19th, 1890, page 11
"Professor Cope Vs. Professor March," in *American Heritage*, by James Penick Jr., volume 22, issue 5, August 1971
"Remarking on a Blackened Eye: Persifor Frazer's Blow-by-Blow Account of a Fistfight with His Dear Friend Edward Drinker Cope," in *Endeavour*, by Paul D. Brinkman, volume 39, issue 3–4, pages 188–192, Sept.-Dec. 2015
"Scientists Wage Bitter Warfare," in *New York Herald*, by William Hosea Ballou, January 21st, 1890, page 10–11
Some Memories of a Paleontologist, by William Berryman Scott, Princeton University Press, 1939
"The Uintatheres and the Cope-Marsh War," in *Science*, by Walter H. Wheeler, volume 131, issue 3408, pages 1171–1176, April 22nd, 1960
"Volley for Volley in the Great Scientific War," in *New York Herald*, by William Hosea Ballou, January 13th, 1890, page 4

７：誓いを破る――倫理的にありえない

"Anti-Smoking Initiatives in Nazi Germany: Research and Public Policy," in *Proceedings of the 14th Annual History of Medicine Days* (W.A. Whitelaw, ed.), by Nathaniel Dostrovsky, Faculty of Medicine, The University of Calgary, 2005
Asperger's Children: The Origins of Autism in Nazi Vienna, by Edith Sheffer, W. W. Norton, 2018［邦訳：『アスペルガー医師とナチス：発達障害の一つの起源』（山田美明訳、光文社）］
"Can Evil Beget Good? Nazi Data: A Dilemma for Science," in the *Los Angeles Times*, Barry Siegel, October 30th, 1998, page 1
"Eponyms and the Nazi Era: Time to Remember and Time for Change," in the *Israel Medical Association Journal*, by Rael D. Strous and Morris C. Edelman, volume 9, issue 3, pages 207–214, March 2007
"Ethical Complexities of Conducting Research in Developing Countries," in the *New England Journal of Medicine*, by Harold Varmus, M.D., and David Satcher, volume 337, pages 1003-1005
"Ethical Dilemmas with the Use of Nazi Medical Research," in *Proceedings of the 10th Annual History of Medicine Days* (W.A. Whitelaw, ed.), by Batya Grundland and Eve Pinchefsky, Faculty of Medicine, The University of Calgary, 2001

volume 11, issue 3, pages 405-444, July 2012
The Knife Man: Blood, Body Snatching, and the Birth of Modern Surgery, by Wendy Moore, Crown, 2006［邦訳：『解剖医ジョン・ハンターの数奇な生涯』（矢野真千子訳、河出書房新社）］
“Life and Death by Electricity in 1890: The Transfiguration of William Kemmler,” in *Journal of American Culture*, by Nicholas Ruddick, volume 21, issue 4, pages 79–87, Winter 1998
“Modern biomedical research: an internally self-consistent universe with little contact with medical reality?”, in *Nature Reviews*, by David F. Horrobin, volume 2, February 2003, pages 151–154
“Natural History, Improvement, and Colonisation: Henry Smeathman and Sierra Leone in the Late Eighteenth Century,” by Starr Douglas, Ph.D. thesis, University of London, available at https://ethos.bl.uk/OrderDetails.do?uin=uk.bl.ethos.409707
Neurotribes: The Legacy of Autism and the Future of Neurodiversity, by Steve Silberman, Avery 2016［邦訳：『自閉症の世界：多様性に満ちた内面の真実』（正高信男・入口真夕子訳、講談社）］
The Power Makers, by Maury Klein, Bloomsbury, 2008
Racial Hygiene: Medicine under the Nazis, by Robert N. Proctor, Harvard University Press, 1990
“Mr. Brown’s Rejoinder,” in *The Electrical Engineer*, volume 7, pages 369–370, August 1888
Topsy: The Startling Story of the Crooked Tailed Elephant, P. T. Barnum, and the American Wizard, Thomas Edison, by Michael Daly, Atlantic Monthly Press, 2013
“Is the Use of Sentient Animals in Basic Research Justifiable?” in *Philosophy, Ethics, and Humanities in Medicine*, by Ray Greek and Jean Greek, volume 5, issue 14, 2010

６：妨害行為――骨戦争

Beasts of Eden: Walking Whales, Dawn Horses, and Other Enigmas of Mammal Evolution, by David Rains Wallace, University of California Press, 2004［邦訳：『哺乳類天国：恐竜絶滅以後、進化の主役たち』（桃井緑美子・小畠郁生訳、早川書房）］
“Bone Wars: The Cope-Marsh Rivalry,” from The Academy of Natural Sciences, last accessed on November 21st, 2020, at https://ansp.org/exhibits/online-exhibits/stories/bone-wars-the-cope-marsh-rivalry/
The Bonehunters’ Revenge: Dinosaurs and Fate in the Gilded Age, by David Rains Wallace, Mariner Books, 2000
Dinosaurs in the Attic: An Excursion into the American Museum of Natural History, by Douglas J. Preston, St. Martin’s Press, 2014［邦訳：『屋根裏の恐竜たち：世界最大の自然史博物館物語』（野中浩一訳、心交社）］
“Edward Drinker Cope’s final feud,” in *Archives of Natural History*, by P. D.

https://www.huffpost.com/entry/human-corpses-profits_b_1679094
"The Janitor's Story: An Ethical Dilemma in the Harvard Murder Case," in the *American Bar Association Journal*, by Albert I. Borowitz, volume 66, issue 12, pages 1540-1545, December 1980
"Murder at Harvard," in *The American Scholar*, by Stewart Holbrook, volume 14, issue 4, pages 425-434, Autumn 1945
Trouble With Testosterone: And Other Essays On The Biology Of The Human Predicament, by Robert Sapolsky, Scribner, 1998［邦訳：『ヒトはなぜのぞきたがるのか：行動生物学者が見た人間世界』（中村桂子訳、白揚社）］

５：動物の虐待——電流戦争

"Five Little Piggies: An Anecdotal Account of the History of the Anti-Vivisection Movement," in *Proceedings of the 10th Annual History of Medicine Days* (W.A. Whitelaw, ed.), by Vicky Houtzager, Faculty of Medicine, The University of Calgary, 2001
"Are animal models predictive for humans?", in *Philosophy, Ethics, and Humanities in Medicine*, by Niall Shanks, Ray Greek, and Jean Greek, volume 4, issue 2, 2009
Auburn Correctional Facility (Images of America), by Eileen McHugh and Cayuga Museum, Arcadia Publishing, 2010
Brain, Vision, Memory: Tales in the History of Neuroscience, by Charles Gross, MIT Press, 1998
"The Dangers of Electric Lighting," *The North American Review*, by Thomas Edison, volume 149, issue 396, pages 625-634, November 1889
Edison and the Electric Chair, by Mark Essig, Walker Books, 2004
"Edison and 'The Chair,' " in *IEEE Technology and Society Magazine*, by Terry S. Reynolds and Theodore Bernstein, volume 8, issue 1, March 1989
The Electric Chair: An Unnatural American History, by Craig Brandon, McFarland, 2009
"Electrifying Story," in *The Threepenny Review*, by Arthur Lubow, issue 49, pages 31-32, spring 1992
Empires of Light: Edison, Tesla, Westinghouse, and the Race to Electrify the World, by Jill Jonnes, Random House, 2004
"Harold P. Brown and the Executioner's Current: An Incident in the AC-DC Controversy," in *The Business History Review*, by Thomas P. Hughes, volume 32, issue 2, pages 143–165, summer 1958
Henry Smeathman, the Flycatcher: Natural History, Slavery, and Empire in the Late Eighteenth Century, by Deirdre Coleman, Liverpool University Press, 2018
"Heroes, Herds, and Hysteresis in Technological History: Thomas Edison and 'The Battle of the Systems' Reconsidered," *Industrial and Corporate Change*, by Paul A. David, volume 1, issue 1, pages 129–180, 1992
"'Killing the Elephant': Murderous Beasts and the Thrill of Retribution, 1885–1930," in *The Journal of the Gilded Age and Progressive Era*, by Amy Louise Wood,

Moore, Crown, 2006［邦訳：『解剖医ジョン・ハンターの数奇な生涯』（矢野真千子訳、河出書房新社）］
Leicester Square: Its Associations and Its Worthies, by Tom Taylor, 1874, available through Google Books
The Life of Sir Astley Cooper, by Bransby Blake Cooper, 1843, available on Google Books
A Sense of the World: How a Blind Man Became History's Greatest Traveler, by Jason Roberts, Harper Perennial, 2007
Sites Of Autopsy In Contemporary Culture, by Elizabeth Klaver, SUNY Press, 2005
"William Smellie and William Hunter: Two Great Obstetricians and Anatomists," in *Journal of the Royal Society of Medicine*, by A.D.G. Roberts, T.F. Baskett, A.A. Calder, and S. Arulkumaran, volume 103, pages 205–206, 2010

４：殺人――教授と用務員

"Anatomy's Use of Unclaimed Bodies: Reasons Against Continued Dependence on an Ethically Dubious Practice," in *Clinical Anatomy*, by D. Gareth Jones and Maja I. Whitaker, volume 25, issue 2, pages 246–254, March 2012
"The Art of Medicine: American Resurrection and the 1788 New York Doctors' Riot," in *The Lancet*, by Caroline de Costa and Francesca Miller, volume 377, issue 9762, pages 292–293, January 22, 2011
"Bill Would Require Relatives' Consent for Schools to Use Cadavers," in *The New York Times*, by Nina Bernstein, June 26th, 2016, last accessed November 21st, 2020, at www.nytimes.com/2016/06/27/nyregion/new-yorks-written-consent-bill-would-tighten-use-of-bodies-for-teaching.html
Blood & Ivy: The 1849 Murder That Scandalized Harvard, by Paul Collins, W.W. Norton, 2018
"A Brief But Sordid History of the Use of Human Cadavers in Medical Education," in *Proceedings of the 13th Annual History of Medicine Days* (W.A. Whitelaw, ed.), by Melanie Shell, Faculty of Medicine, The University of Calgary, 2004
"A Brief History of American Anatomy Riots," from The National Museum of Civil War Medicine, by Bess Lovejoy, last accessed November 21st, 2020, at https://www.civilwarmed.org/anatomy-riots/
"The Doctors Riot 1788," from The History Box, last accessed November 21st, 2020, at http://thehistorybox.com/ny_city/riots/riots_article7a.htm
"The Gory New York City Riot that Shaped American Medicine," from SmithsonianMag.com, by Bess Lovejoy, last accessed November 21st, 2020, at https://www.smithsonianmag.com/history/gory-new-york-city-riot-shaped-american-medicine-180951766/
History of Medicine in New York: Three Centuries of Progress, by James J. Walsh, National Americana Society, 1919
"Human Corpses Are Prize In Global Drive For Profits," from the International Consortium of Investigative Journalists, by By Kate Willson, Vlad Lavrov, Martina Keller, Thomas Maier, and Gerard Ryle, last accessed on November 21st, 2020, at

ethos.409707
Plan of a Settlement to Be Made Near Sierra Leona on the Grain Coast of Africa, by Henry Smeathman, 1786, last accessed November 18th, 2020, https://digitalcollections.nypl.org/items/c16ace30-ff74-0133-adc4-00505686a51c
"The Royal Society, Slavery, and the Island of Jamaica: 1660–1700," in *The Notes and Records of the Royal Society Journal of the History of Science*, by Mark Govier, volume 53, issue 2, May 22nd, 1999
"Science's debt to the slave trade," in *Science*, by Sam Kean, April 5th, 2019, volume 364, issue 6435, pages 16–20
"Slavery and the Natural World," by the Natural History Museum, in London, last accessed November 18th, 2020, https://www.nhm.ac.uk/discover/slavery-and-the-natural-world.html
"Slavery in the Cabinet of Curiosities: Hans Sloane's Atlantic World," by James Delburgo, British Museum, 2007, last accessed November 19th, 2020, www.britishmuseum.org/PDF/Delbourgo%20essay.pdf
"A Slaving Surgeon's Collection: The Pursuit of Natural History through the British Slave Trade to Spanish America," in *Curious Encounters Voyaging, Collecting, and Making Knowledge in the Long Eighteenth Century*, by Kathleen S. Murphy, University of Toronto Press, 2019
"Some Account of the Termites Which Are Found in Africa and Other Hot Climates," in *Philosophical Transactions of the Royal Society*, by Henry Smeathman, volume 71, 1781, last accessed November 19th, 2020, https://royalsocietypublishing.org/doi/10.1098/rstl.1781.0033
"The South Sea Company and Contraband Trade," in *The American Historical Review*, by Vera Lee Brown, volume 31, issue 4, July 1926, pages 662–678

３：墓泥棒——ジキルとハイド、ハンターとノックス

"Acromegalic Gigantism, Physicians, and Body Snatching. Past or Present?" in *Pituitary*, by Wouter W. de Herder, volume 15, pages 312–318, 2012
The Anatomy Murders: Being the True and Spectacular History of Edinburgh's Notorious Burke and Hare and of the Man of Science Who Abetted Them in the Commission of Their Most Heinous Crimes, by Lisa Rosner, University of Pennsylvania Press, 2011
Brain, Vision, Memory: Tales in the History of Neuroscience, by Charles Gross, MIT Press, 1998
The Diary of a Resurrectionist, by James Blake Bailey, 1896, available on Google Books
"The Emperor's New Clothes," *Journal of the Royal Society of Medicine*, by Don C. Shelton, volume 103, pages 46–50, 2010
Explorers of the Body, by Steven Lehrer, Doubleday, 1979
Galileo Goes to Jail and Other Myths about Science and Religion, by Ronald L. Numbers (editor), Harvard University Press, 2010
The Knife Man: Blood, Body Snatching, and the Birth of Modern Surgery, by Wendy

by Dean Lipton, A.S. Barnes & Company, 1970
The Fever Trail: In Search of the Cure for Malaria, by Mark Honigsbaum, Picador, 2003
Global Biopiracy: Patents, Plants, and Indigenous Knowledge, by Ikechi Mgbeoji, Cornell University Press, 2006
Henry Smeathman, the Flycatcher: Natural History, Slavery, and Empire in the Late Eighteenth Century, by Deirdre Coleman, Liverpool University Press, 2018
"Natural History, Improvement, and Colonisation: Henry Smeathman and Sierra Leone in the Late Eighteenth Century," by Starr Douglas, Ph.D. thesis, University of London, available at https://ethos.bl.uk/OrderDetails.do?uin=uk.bl.ethos.409707
New Voyage Around the World, by William Dampier, 1697, available through Google Books［邦訳：『最新世界周航記』（平野敬一訳、岩波書店）］
"Perils of Plant Collecting," by A.M. Martin, accessed on November 15th, 2020, at https://web.archive.org/web/20120127142335/https://www.lmi.org.uk/Data/10/Docs/16/16Martin.pdf
Pirate of Exquisite Mind: The Life of William Dampier, by Diana Preston and Michael Preston, Transworld, 2005
Plant Hunters: The Adventures of the World's Greatest Botanical Explorers, by Carolyn Fry, University of Chicago Press, 2013［邦訳：『ヴィジュアル版世界植物探検の歴史：地球を駆けたプラント・ハンターたち』（甲斐理恵子訳、原書房）］
"A Slaving Surgeon's Collection: The Pursuit of Natural History through the British Slave Trade to Spanish America," in *Curious Encounters Voyaging, Collecting, and Making Knowledge in the Long Eighteenth Century*, by Kathleen S. Murphy, University of Toronto Press, 2019

２：奴隷制――ハエ捕り人の堕落

"Collecting Slave Traders: James Petiver, Natural History, and the British Slave Trade," in *William and Mary Quarterly*, by Kathleen S. Murphy, volume 70, issue 4, pages 637–670, October 2013
"Enlightenment, Scientific Exploration and Abolitionism: Anders Sparrman's and Carl Bernhard Wadström's Colonial Encounters in Senegal, 1787 – 1788 and the British Abolitionist Movement," in *Slavery & Abolition*, by Klas Rönnbäck, volume 34, issue 3, pages 425–445, 2013
Henry Smeathman, the Flycatcher: Natural History, Slavery, and Empire in the Late Eighteenth Century, by Deirdre Coleman, Liverpool University Press, 2018
Interviews with Kathleen Murphy, March and April 2019, conducted by Sam Kean
"The making of scientific knowledge in an age of slavery: Henry Smeathman, Sierra Leone and natural history," in *Journal of Colonialism & Colonial History*, by Starr Douglas, volume 9, issue 3, Winter 2008
"Natural History, Improvement, and Colonisation: Henry Smeathman and Sierra Leone in the Late Eighteenth Century," by Starr Douglas, Ph.D. thesis, University of London, available at https://ethos.bl.uk/OrderDetails.do?uin=uk.bl.

参考文献

プロローグ——クレオパトラが遺したもの

Cleopatra: A Life, by Stacy Schiff, Back Bay Books, 2011［邦訳：『クレオパトラ』（近藤二郎監修、仁木めぐみ訳、早川書房）］

"Cleopatra's Children's Chromosomes: *A Halachic* Biological Debate," by Merav Gold, accessed on November 15th, 2020, at http://download.yutorah.org/2016/1053/857234.pdf

"The Life of Antony," in *Parallel Lives*, by Plutarch, accessed on November 15th, 2020, at http://penelope.uchicago.edu/Thayer/E/Roman/Texts/Plutarch/Lives/Antony*.html

"Nazi Medical Experimentation: The Ethics Of Using Medical Data From Nazi Experiments," in *The Journal of Halacha and Contemporary Society*, by Baruch Cohen, Spring 1990, issue 19, pages 103-26

Rise of Fetal and Neonatal Physiology: Basic Science to Clinical Care, by Lawrence D. Longo, Springer-Verlag New York, 2013

When Doctors Kill: Who, Why, and How, by Joshua A. Perper and Stephen J. Cina, Copernicus, 2010

はじめに

"Fourteen Psychological Forces That Make Good People Do Bad Things," by Travis Bradberry, last accessed November 19th, 2020, at http://huffpost.com/entry/14-psychological-forces-t_b_9752132

"The Science of Why Good People Do Bad Things," from Psychology Today.com, by Ronald E. Riggio, last accessed November 19th, 2020, at http://psychologytoday.com/us/blog/cutting-edge-leadership/201411/the-science-why-good-people-do-bad-things

"Why Do Good People Do Bad Things?", from Ethics Alliance, by Daniel Effron, August 14th, 2018, last accessed November 19th, 2020, at https://ethics.org.au/good-people-bad-deeds/

"Why Ethical People Make Unethical Choices," in *Harvard Business Review*, by Ron Carucci, December 16th, 2016, last accessed November 19th, 2020, at https://hbr.org/2016/12/why-ethical-people-make-unethical-choices

１：海賊行為——バカニーアの生物学者

"Bioprospecting/Biopiracy and Indigenous Peoples," by the ETC Group, December 26th, 1995, accessed at https://www.etcgroup.org/content/bioprospectingbiopiracy-and-indigenous-peoples

"Discourse on Winds," in *Voyages and Descriptions*, by William Dampier, 1699, accessed through Google Books

The Drunken Botanist, by Amy Stewart, Algonquin Books, 2013

The Faces of Crime and Genius: The Historical Impact of the Genius-Criminal,

る

れ

ろ

わ

は

ひ

ふ

へ

ち

て

と

な

に

ぬ

ね

の

す

せ

そ

た

索　引

著者略歴

サム・キーン（Sam Kean）

『空気と人類：いかに〈気体〉を発見し、手なずけてきたか』（白揚社）、『にわかには信じられない遺伝子の不思議な物語』（朝日新聞出版）、『スプーンと元素周期表』（早川書房）の著者。著作はニューヨーカー、アトランティック、ニューヨーク・タイムズ・マガジンなどに掲載されている。ワシントンD. C.に在住。

訳者略歴

斉藤隆央（さいとう・たかお）

翻訳家。1967年生まれ。東京大学工学部工業化学科卒業。訳書にミチオ・カク『人類、宇宙に住む』『神の方程式』（以上、NHK出版）、ニック・レーン『生命、エネルギー、進化』、ポール・J・スタインハート『「第二の不可能」を追え！』（以上、みすず書房）、アリス・ロバーツ『飼いならす』（明石書店）、ホヴァート・シリング『時空のさざなみ』（化学同人）、レオナルド・トラサンデ『病み、肥え、貧す』（光文社）、ジム・アル=カリーリ『エイリアン』（紀伊國屋書店）、キース・クーパー『彼らはどこにいるのか』（河出書房新社）、オリヴァー・サックス『タングステンおじさん』（早川書房）ほか多数。

アイスピックを握る外科医
――背徳、殺人、詐欺を行う卑劣な科学者

2023年6月5日　第1刷発行

著　者　サム・キーン
翻　訳　斉藤隆央
発行者　富澤凡子
発行所　柏書房株式会社
東京都文京区本郷2-15-13（〒113-0033）
電話（03）3830-1891［営業］
（03）3830-1894［編集］
装　丁　加藤愛子（オフィスキントン）
D T P　有限会社一企画
印　刷　壮光舎印刷株式会社
製　本　株式会社ブックアート

ISBN978-4-7601-5525-5　C0040